大阪アースダイバー

Osaka Earthdiver

Shinichi Nakazawa

中沢新一

大阪アースダイバー

中沢新一

プロローグ

　私の「大阪趣味」は最近にはじまったものではなく、すでに小学生の頃からその片鱗《へんりん》を見せていた。ラジオから流れてきた文楽の音楽すなわち義太夫節をはじめて耳にしたときから、私は大阪の文物の魅力の虜となったのである。

　義太夫節のメロディー、リズム、呼吸、情感、それらすべてが私の心をとらえ、そこで歌われている日本語こそ自分の求めている理想の日本語に近いものだ、と思い込むようになった。私は学校で教えられた日本語が、ほんものの日本語だとはどうしても思えなかったのだ。

　大学生になって仕事をしてお金が貯まると、私はよく沖縄や九州の離島への調査の旅にでかけたが、その帰路にはかならず大阪に立ち寄るようにしていた。べつに親しい友人がいたわけではなく、ただ織田作之助《おださくのすけ》や今東光《こんとうこう》や谷崎潤一郎《たにざきじゅんいちろう》や野坂昭如《のさかあきゆき》の小説などをたよりに、道頓堀《どうとんぼり》や千日前《せんにちまえ》の界隈をほっつき歩いたり、夕陽丘《ゆうひがおか》のあたりを散策したり、河内《かわち》に足を伸ばしてみたり、恐る恐る釜ヶ崎《かまがさき》を覗いたりしていたにすぎないが、それでも私の中の大阪像はしだいに大きく、確かなものとしてふくらんでいった。

　そうしたある日、私は朝日座の客席に座って、『心中天網島』の開幕を待っていた（いま資料を調べ直してみると、昭和四十八年の正月興行であったことがわかった）。黒衣《くろご》の衣装を身につけたいわゆる「東西声《とうざいごえ》」が登場して、本日の演目と演者の名前を告げた。

「とざい、とうざーい、このところー、近松門左衛門作『心中天網島』、北新地川庄の段、相務めまする太夫、……、三味線、……」。こう言うだけで、すっと奥に引っ込んでいく。この東西声の独特のどこかなげやりな発声と、語尾をすべて上げていく不思議な一本調子とを、私はことのほか好んでいた。そのときである、私の心に、「なぜ東西なのだろう」という疑問が、ふと浮かんだのだった。

歌舞伎でもおこなわれるこの幕開けの口上は、文楽に始まると言われている。文楽の常設小屋掛けがおこなわれるようになった元禄の頃、東西の方向に走る道頓堀にそって、竹田座をはじめとする文楽座や芝居小屋がいくつも軒を並べていた。劇場はどこも南向きに建てられていた。幕開け口上を述べる役目の役者は、客席を隅から隅まで「ずずいっと」見渡して、挨拶を述べることになる。客席の端から端まで見回すとなれば、劇場の構造上、東から西に視線をすべらせていくことになる。そこで「東西、東西」ということになった、というのが定説である。

しかし、私にはこのとき東西声の唱える「とうざーい」には、もっと重い大阪的意味がこめられているように思えてしかたなかった。それは大阪の街路を歩き回っている最中に感じていた、不思議な感覚に起因している。大阪の街路は、東西に走る道路が「通り」と呼ばれ、南北に走る道路が「筋」と呼ばれている。自動車道路が優先されている現代の感覚からすると、「筋」のほうが重要な存在なようにも思われがちだが、ひとたび「遊歩者」の感覚でこの町を歩いてみると、どうしても東西方向に走る「通り」のほうが、深い意味をもっているように感じられてしかたないのである。

じっさいこのことは、大阪の古地図を見るとはっきり感じ取られることであり、そこではあきらかに筋よりも通りのほうが重要な意味をあたえられていた。古代日本では「東西は日の縦《たたし》、南北は日の横《よこし》」という言い方がされていた。太陽の運行に合わせた東西の方向が方位観の縦糸をなし、南北の方向はそれに交わる横糸をなすというのが、古代日本の自然感覚をなしている。その感覚が大阪を遊歩する者には、いまでもはっきりと感じ取られるのだ。

　これにたいして、中国からの輸入思想にもとづいて設計された京都では、南北の軸のほうに重きが置かれている。つまり「東西を横とし、南北を縦とする」思想にしたがって京都はつくられている。脳内に着想された人工的モデルにしたがって、自然の上に都市を建設するという大陸の発想が、京都の土台を作っている。これにたいして、大阪は太陽の運行という自然現象が、そのまま都市のモデルの中心軸にすえられている。

　都市というものにたいする大阪がとったこの考え方は、東京とも異なっている。東京は皇居（江戸城）を中心とする同心円状の構造を基本とする。中心から周囲に向かって、力が広がっていく構造であり、農村を地盤とする封建都市では、好んでこの構造がとられた。この意味では大阪には中心がない。大阪城はあっても、それは東京で言えば東京タワーのような「古代岬」の突端につくられた一種の都市の「縁《へり》」であって、皇居とは地政学的な意味がまったく違っている。大阪に環状線は走っていても、なんとなく東京の山手《やまのて》環状線のような必然性を感じさせない。同心円の構造は大阪には似つかわしくないのである。

　そんなわけで、大阪では「東西」の軸が、ほかの都市にみられない大きな意味をもってきた。東西の軸は太陽の動く方向であり、この軸を基にして設計された大阪は、都市思想の土台に一種の「自然思想」が据えられていることになる。京都のような観念論的に設計された都市でもなく、東京のような権力思想を表現した都市でもない。大阪は古代人のような自然なおおらかさをもってつくられ、人間の野生が都市の構造に組み込まれている。

　朝日座で『心中天網島』の幕開けを告げる東西声を聞いた私が、まさかそんなことまでわかっていたわけではないが、足を棒にして大阪を歩き回った遊歩者の直観が、この「とうざーい」に尋常ならざる意味が隠されていることを感じさせ、心底身震いさせたのである。「とうざーい。これからはじまる人形の劇は、戯れの虚物《こしらえもの》にすぎません。しかしそれは太陽とともにある聖なる東西軸の上で演じられますので、きっと人間と自然の真実を語るものとなるでありましょう」。

私は四十年も前の自分が直観した、大阪の東西方向を走るその見えない軸に、「ディオニュソス軸」という新しい名前をあたえることによって、この大阪アースダイバーの仕事を始めることにした。とうざーい。私はいまの大阪の人たちも知らなくなってしまった深層の大阪を、この軸上に出現させようとしている。

大阪アースダイバー　目次

第一部　プロト大阪

大阪を読み解く鍵を求めて

太陽と墳墓

四天王寺物語

第二部　ナニワの生成

砂州に育つ資本主義

超縁社会

船場人間学

第三部　ミナミ浮上

日、没するところ

千日前法善寺の神

すばらしい新世界

ディープな大阪

第四部　アースダイバー問題集

土と墓場とラブホテル

カマドと市場

大阪の地主神

女神の原像

コリア世界の古層と中層

Appendix 河内・堺・岸和田――大阪の外縁

ブックデザイン　木村奈緒子（PORT）

大阪アースダイビング　マップ

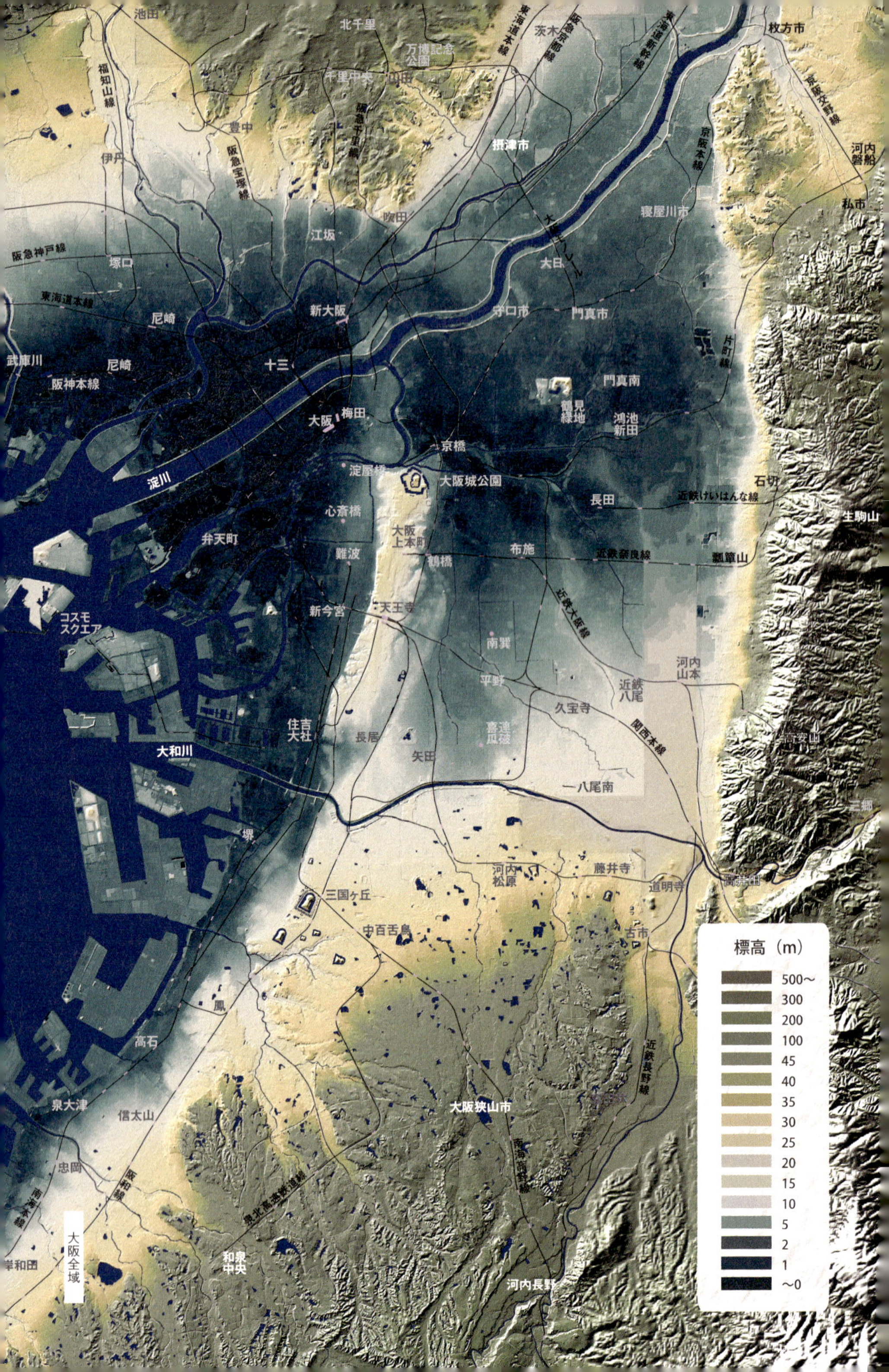
池田
北千里
東海道本線
阪急京都線
茨木
東海道新幹線
枚方市
京阪交野線
河内磐船
福知山線
万博記念公園
千里中央
山田
阪急千里線
豊中
摂津市
伊丹
阪急宝塚線
京阪本線
私市
寝屋川市
吹田
江坂
大阪モノレール
大日
阪急神戸線
塚口
東海道本線
新大阪
守口市
門真市
尼崎
片町線
武庫川
尼崎
十三
門真南
阪神本線
鶴見緑地
鴻池新田
大阪
梅田
京橋
淀川
淀屋橋
大阪城公園
石切
長田
近鉄けいはんな線
心斎橋
生駒山
弁天町
大阪上本町
布施
近鉄奈良線
瓢箪山
難波
鶴橋
近鉄大阪線
天王寺
新今宮
コスモスクエア
南巽
河内山本
平野
近鉄八尾
久宝寺
関西本線
住吉大社
長居
喜連瓜破
高安山
大和川
矢田
八尾南
三郷
堺
河内松原
藤井寺
道明寺
高井田
三国ケ丘
中百舌鳥
古市
鳳
高石
近鉄長野線
泉大津
大阪狭山市
信太山
南海高野線
忠岡
阪和線
泉北高速鉄道線
南海本線
岸和田
和泉中央
河内長野
大阪全域
標高（m）
500〜
300
200
100
45
40
35
30
25
20
15
10
5
2
1
〜0

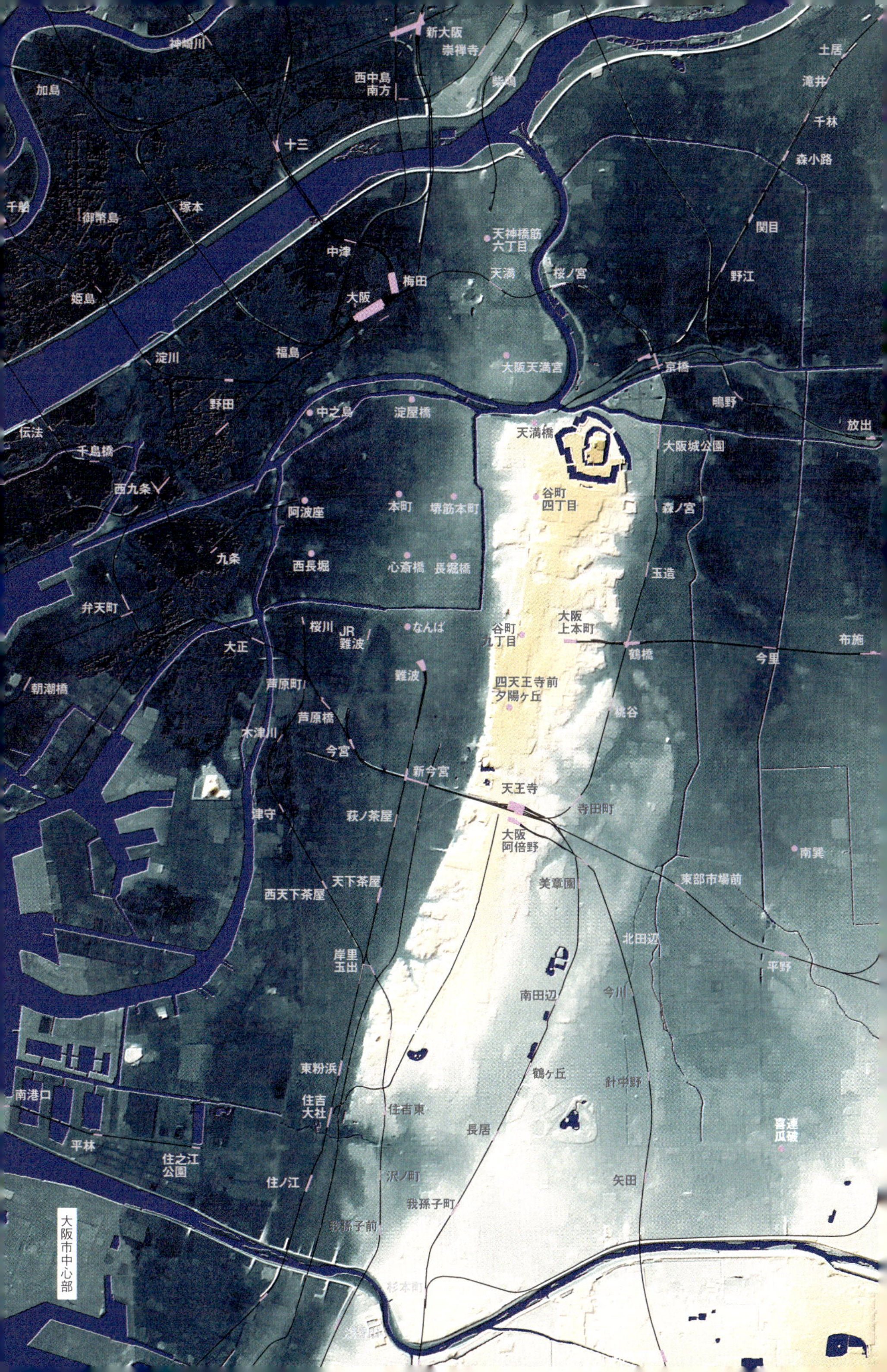

新大阪
崇禅寺
神崎川
土居
西中島
南方
柴島
滝井
加島
千林
十三
森小路
千船
御幣島
塚本
関目
天神橋筋
六丁目
中津
梅田
天満
桜ノ宮
野江
姫島
大阪
福島
大阪天満宮
京橋
淀川
野田
中之島
淀屋橋
鴫野
伝法
天満橋
放出
千鳥橋
大阪城公園
西九条
谷町
四丁目
森ノ宮
阿波座
本町
堺筋本町
九条
西長堀
心斎橋
長堀橋
玉造
弁天町
桜川
JR
難波
なんば
谷町
九丁目
大阪
上本町
布施
大正
鶴橋
今里
朝潮橋
芦原町
難波
四天王寺前
夕陽ヶ丘
芦原橋
桃谷
木津川
今宮
新今宮
天王寺
津守
萩ノ茶屋
寺田町
大阪
阿倍野
南巽
天下茶屋
美章園
東部市場前
西天下茶屋
北田辺
岸里
玉出
平野
南田辺
今川
東粉浜
鶴ヶ丘
針中野
南港口
住吉
大社
住吉東
喜連
瓜破
長居
平林
住之江
公園
沢ノ町
矢田
住ノ江
我孫子町
我孫子前
大阪市中心部

地図作成　深澤晃平

本書に掲載する段彩陰影図は、国土地理院、国土交通省 水管理・国土保全局 作成「基盤地図情報（５ｍメッシュ標高）」並びに国土地理院「数値地図50ｍメッシュ（標高）」を「カシミール３Ｄ」により加工し作成したものです。

第一部　プロト大阪

大阪を読み解く鍵を求めて

「くらげなす」土砂層の上に

大阪の土台は、東京のそれとはまったく違う成り立ちをしている。東京の中心的な部分は、固い洪積層《こうせきそう》の上につくられている。その洪積層の台地が、河川などによって複雑に浸食されたために、東京には坂が異常に多いのである。また、かつて海に向かってつきだしていた岬や、渓谷だったところには、深い意味合いをもつ聖地や墓地がつくられて、この都市に死の縁取りをあたえている。

ところが大阪の中心部には、このような堅固な土台が、ほんとうに少ない。生駒《いこま》山の裾野から広がる大阪平野は、このあたりが開け出した二千年ほど前には、まだ大きな湖（河内《かわち》湖）の底にあった。上町《うえまち》台地の東西両脇に広がる西成《にしなり》と東成《ひがしなり》も、その頃はまだ水の底にあった。天満《てんま》も船場《せんば》も、その頃はまだ「くらげなす」軟弱な土砂層の上にあって、海水に洗われていたし、ミナミなどは影も形もなかった。

さらにそれよりも以前の、五千年以上も前には、河内湖は海への広い開口を持つ、巨大な潟だった。縄文人がこの巨大潟の岸辺近くにムラをつくって生活していた。縄文人にとっては、ここは生駒山の自然と河内潟のもたらす幸に恵まれた、豊かな土地であったが、人の住むことのできる土地は、

（上）水の都（中）梅田のブッシュ（下右）大阪城（下左）中之島

生駒の山麓と、その対岸の細長い半島のようになった地面しかなかった。

細長く続くこの半島によって、海と潟とがかろうじて仕切られていた。この細長い台地こそ、そののち「上町台地」と呼ばれて、大阪の都市としての発達の基礎をなす土台となったのである。その幅、わずか一キロ余り、海面から二十メートルほど高いところを、南北にほぼまっすぐに走っている。半島の西側は、外海から打ち寄せる波によって、はげしく浸食されていたが、東側は穏やかな内海に面して、人の生活には便利な土地だった。

淀《よど》川と大和《やまと》川がこのような土地を、肥沃な平野につくりかえていったのである。淀川から流れ込む大量の土砂は、デルタ地帯をつくり、河内湖を北側からしだいに埋めていった。このデルタ地帯はさらに伸びて、ついには上町台地の突端まで川岸を広げていった。湖の南方では、大和川が奈良盆地から運んでくる土砂が堆積して、そこに広々とした扇状台地をつくりだしていった。河内湖はしだいに孤立した沼や湿地帯へと姿を変えていき、今日の大阪平野がつくられていった。

つまり、今日の大阪の中心部をつくりなす土地の大部分は、水中から「生成」したのであって、東京のように台地ではなく、くらげのような柔らかいからだつきをした無定形な土砂の上に、都市が生まれ、発達をとげていったのである。

人類のつくった都市の多くは、そのような無定形な砂や土の上につくりだされることが多かった。ムラは堅固な土地を好んでつくられる。ところが、都市という人類の脳に生まれたもうひとつの概念は、むしろ無定形で、可塑性をもった土地のほうを、コンセプトを実現してみるべき実験場として選んできたのである。その意味では、大阪は成り立ちのはじめから、真性の都市となるべき条件を備えていたと言える。

日本人はこういう大阪を持ったおかげで、「都市」という人類の普遍概念を展開してみる、絶好の実験場を持つことができたのである。それゆえ、私たちが取り組もうとしているのは、真性の都市性を相手にしたアースダイバー的探究であって、それは東京のアースダイバー的探究とは、自然と性質を異とするものにならざるを得ない。

大阪の見えない座標軸

どんなムラでも都市でも、人間の生きている空間には、どこかに空間の感覚に秩序をもたらす座標軸が必要である。地磁気が動物の感覚をまちがいなく導いているように、人間には自分の生きている空間になにかの方向性や秩序感覚をもたらす軸がなければ、そこで安心して生活していくことはできない。

たとえば、江戸時代の人にとって、そのような軸の感覚をあたえてくれていたのは、どこからでも見ることのできた富士山の存在だったし、明治以後の東京人には、皇居という「空虚な中心」の生み出す円環状の構造が、彼らの想像力に決定的な影響をおよぼしてきたのである。JRの環状線も何本もの環状道路

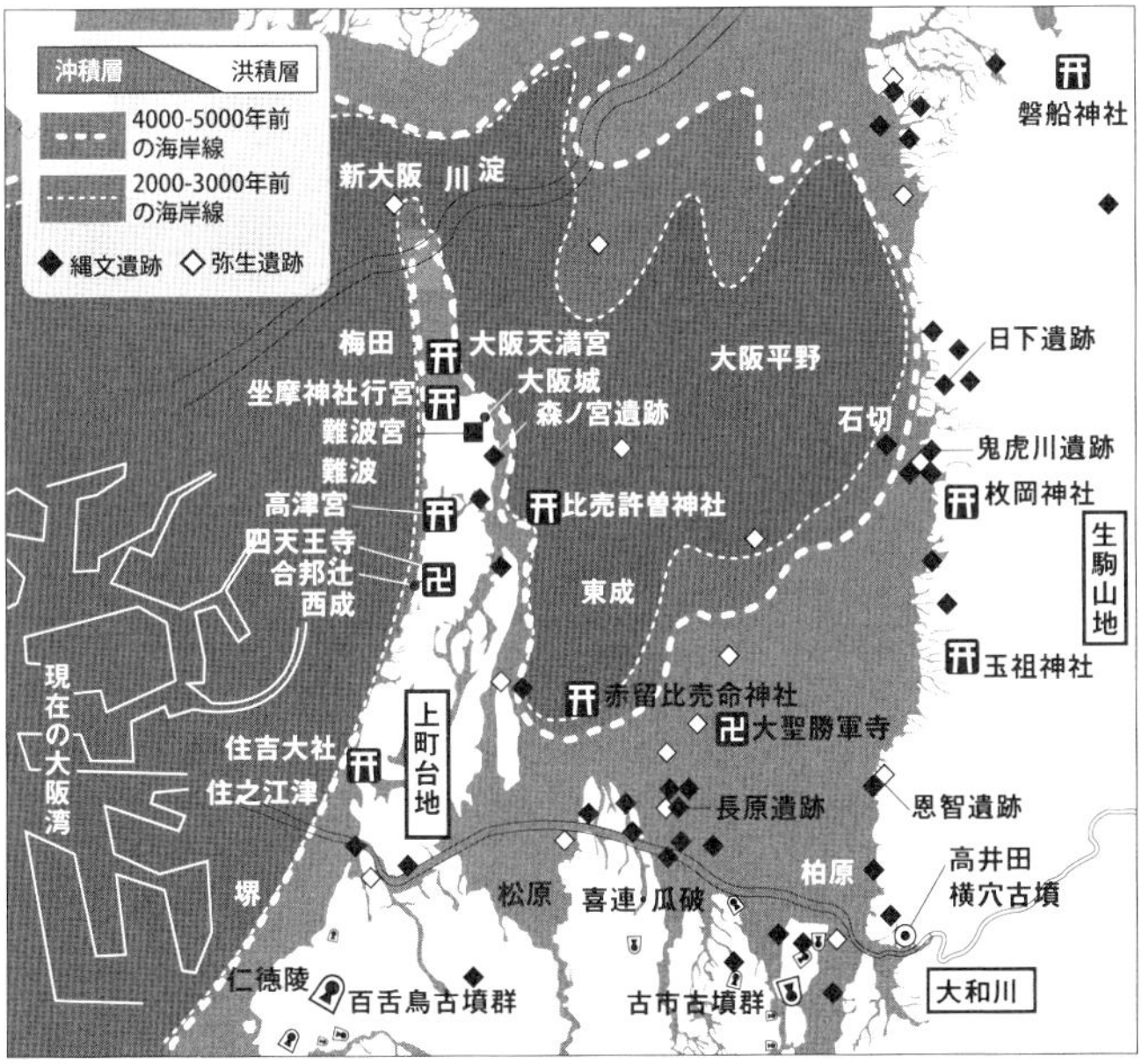

古代の推定海岸線と主な遺跡と神社（『都市圏活断層図』国土地理院、『大阪市の歴史』創元社などをもとに作成）

も、すべてこの構造にしたがって建設されている。

では大阪にとって、都市空間に方向性をあたえているそのような軸は、いったいどこに存在しているのだろうか。大阪城を中心とする円環構造などでないらしいということは、ここの環状線に乗ってみればすぐにわかる。大阪の環状線に何時間乗り続けてみても、東京の山手線を周回している間に発生するような秩序感覚は、どうしても生まれてこない。

山手線の成り立ちには利便性を超えた必然性のようなものが感じられるのに、大阪環状線には、たまたまこうなったというような、どこかなげやりな偶然性を感じてしまう。どうしてもこうなってしまう、という切迫した気概が感じられないのだ。そういう気概にみちた必然性は、むしろこの大阪では、いまも異常な規模に発達中の、地下鉄や地下街の構造のほうに、ひそんでいるような気がする。

座標軸はどこか別の場所、別の考え方の中に、隠れているにちがいない。大阪を読み解く鍵が、たぶん、そこにある。

二つの軸

大阪の町並みは、中心部に限っていえば、じつに整然として

（左）地下から地上へ（右）地下街

いる。そこを走る主要な道が、どれもきちんと、南北と東西の方向に走っているからである。南北に走る道路は「筋」と呼ばれ、東西に走る道路が「通り」と言われる。筋と筋、通りと通りは、それぞれ並行して走っている。周辺部の道路の錯綜ぶりと比較すると、意外なほどの秩序ぶりである。

　このように、大阪には南北と東西に向かう二つの軸線があり、それがこの町に基本的な座標軸をあたえている。これは京都の町並みの構成を考えてみれば、ごくあたりまえの都市計画の考え方とも言える。しかし私は、大阪に限っていえば、その二つの軸は、近世の都市計画の思考によって決定されているのではなく、まさにアースダイバー的な古代的理由によって決められている、と思うのである。

　大阪の中心部の町並みの骨格をなしている、南北－東西二つの軸を決めたものは、上町台地と河内湖がつくる、「プロト大阪（原大阪）」の地形である。復元された古代大阪（飛鳥時代から平安末期までの頃）の地図をご覧いただきたい（三九頁参照）。

　古代のこの頃には、河内湖の南部は、大和川の支流をなす幾本もの川が流し込む土砂の堆積によって埋め立てられ、柔らかいデルタ地帯を形成していたが、人間の多く住む地帯は、縄文時代以来の「固い土地」である、上町台地と生駒山麓と南河内の丘陵地帯にほぼ限られていた。

　大化の改新（七世紀）のあと、孝徳《こうとく》天皇は上町台地の突端に近い高台に、難波宮《なにわのみや》を建設した。この宮には、いかにも古代の都らしく、中央を朱《す》雀《ざく》大路と呼ばれる大きな道路が、まっすぐ南に向かって走っていた。さらにその道は都城の外にまで伸び、まっすぐ南に向かう「難波《なにわ》大道《だいどう》」に続いていた。

　この道は上町台地の上を、北から南に向かって、まっすぐに伸びていた。プロト大阪の南北の基軸をしめすものが、これである。そこに何本かの東西方向へ向かう道が造られていたが、そうした道の中でも、もっとも重要なのが「大津《おおつ》道《みち》」である。そして難波大道とこの大津道が交わるあたりから東の方角に進んでいくと、しばらくして周囲には異様な雰囲気が立ちこめだすのだった。あたりにはいくつもの巨大な古墳が立ち並び、まさに「王家の谷」と呼ぶにふさわしい、驚嘆すべき光景が広がってくるのである。

古代の権力者たちの古墳は、じつに壮麗だった。いまはすっかり植物に覆われてしまっているが、もともとはあの巨大な人工の山の全面が、つるつるの石の板で、隙間なく覆われていた。そのために西の海に太陽が沈んでいくときには、夕日を受けてきらきらと輝いていたのが、海を行く船からもよく見えた。

それはまさに、死のモニュメントだった。偉大な生命力を持った権力者は、死んだ後も、その生命力の延長のように、偉大な死の姿を、人々の前にさらそうとした。権力者にとって死は、腐敗や解体や忘却をあらわすのではなく、そうしたものに打ち勝って、秩序や威厳をもって、日の光の中に立ち上がれるものでなければならない。巨大古墳群は、死の中にあっても威厳を保とうとする、古代の権力者たちの死の思想を、みごとに表現するものだった。

南北に走るアポロン軸

アースダイバー的思考は、古代の大阪に出現したこの南北方向に向かう軸線を、哲学者ニーチェにならって「アポロンの軸」と呼ぶことにする。アポロンの原理は、生命力が美しい形と威力をもって立ち上がる様を、あらわしている。

王城はその原理の、建築による表現であり、そこからまっすぐに南北に続く大道は、威力にみちた王の生命力が、その方向に力強く放射されていく様子を、目に見える形であらわしている。

その道の先には、死さえも荘厳にする巨大古墳が築かれた。アポロンの原理によって、死は腐敗や解体ではなく、不滅の象徴につくりかえられる。南北の軸線は、こうして生命の威力をあらわすばかりでなく、死までも不滅にする、権力の思想を表現することになっている。

ところが、注意深く観察すると、死を不滅化するはずの古墳群が、なにか目に見えない強力な力によって、生駒山の方向、つまり東西の軸線の方向に引きつけられ、その結果アポロンの軸が、この地帯で強くねじ曲げられているのが、感じられるのだ。その結果、とりわけ偉容を誇る古墳の多くが、大津道の東の奥、生駒山の山裾の台地上に築かれることになっている。

南北の方向に走るアポロンの軸にたいして、それを大きく東西方向にねじ曲げていく、別の原理が働いている。それはたとえ大王たちの墓であろうとも、不滅であることを許さないような原理から発する力である。その力は、生駒山地から発している。

アポロンの軸に対抗して、死の真実をあらわにする「ディオニュソスの原理」によるもう一つの軸線が、こうして私たちの前に出現する。しかもそれはほかの都市には見られない強さをもって、この都市の精神に影響力を及ぼしてきた。おそらく、大阪はこのディオニュソスの軸を、自分の骨格のうちに強力に組み込むことによって、ほかの都市と違う、「大阪」となったのである。

東西に走るディオニュソス軸

現代の大阪の都市設計や大阪人の意識にまで、深いレベルで影響をあたえ続けている、「プロト大阪（原大阪）」のつくりを決めていたのは、上町台地を中心にして南北に走る太い軸線と、上町台地から見て東の方角にあたる、生駒山の方向を望む東西の軸線である。

東西の軸線は、じっさいの道路ではっきりと表現されている南北軸とちがって、目で見ることはできない。上町台地側のどの場所からでもいいが、生駒山に向かったとき、見えない空間に、この軸線が働いているのを、感じることができるのである。

東西に走るこの見えない軸線は、生駒山が発する磁力のような不思議な力から、生み出されている。古代人の感覚を生かして言うと、それは「死の磁力」にほかならない。生駒山から出ているこの死の磁力が、あまりに強力であるために、上町台地の北端を出た「生の軸線」は、羽曳野《はびきの》丘陵のあたりで、大きく生駒山に吸い寄せられるように、湾曲してしまう。

古代中国人の発想ならば、王族の古墳は、南北に走る軸の南端部に築造されてしかるべきなのに、ここではたくさんの有力者たちの巨大古墳が、生駒山麓に近い台地上に築かれ、そこに「王家の谷」を形成することになった。これは、権力者の抱く死の思想を遥かに凌駕する、別の種類の死の思想が、生駒山のあたりから発しているとでも考えなければ、理解のできない現象である。

権力者の墳墓は、死を目に見えるような形にあらわし

生駒山から大阪を見る

て、権力者が生きている間に発揮していた「生の威力」が、死後にまで永続することを望んで、つくられる。ところが、生駒山の発している死の磁力は、そんな人間に都合のよい死の思想を粉砕してしまう、破壊力をはらんでいるのだ。

生駒山の方角から発していて、古代人の思考に、見えない東西軸の力を感知させていたものは、生と死を円環する宇宙的な自然の現象と考える、死の思想である。この考えは、権力や国家というものがつくられるよりも、ずっと古くからあった人類の思想である。この古い考えでは、どんなに威力のある人間でも、その生には限りがあり、遠からず死の破壊力に呑み込まれていかなければならない。しかし、死は終わりではなく、死の中から新しい生が生まれてくる。こうして生と死は円環を描いて、消滅と生成をくりかえしていく。

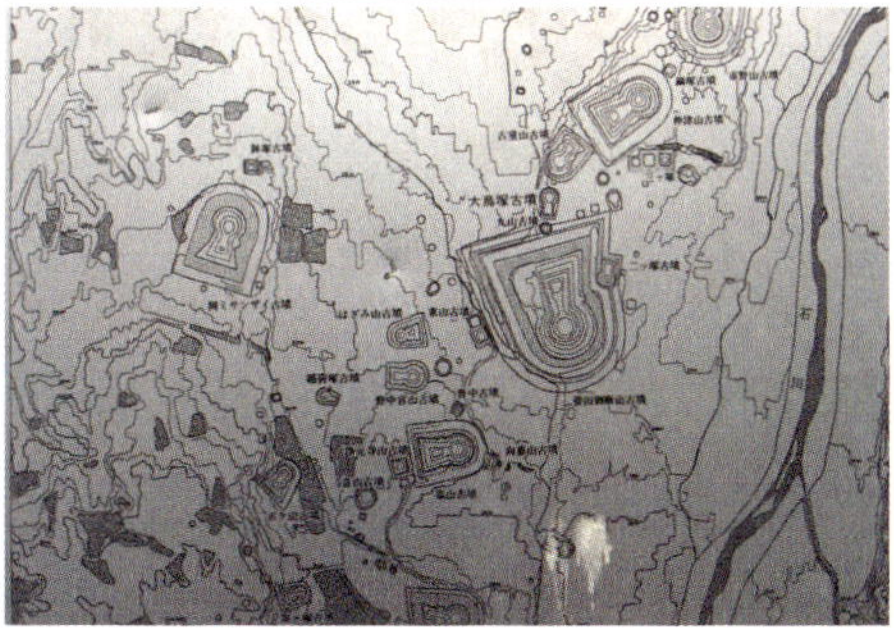

（上）古市古墳群の允恭天皇陵（中）瓢箪山稲荷（下）古市古墳群の分布図

ところが、国家とか権力とかいうものは、それとは違う考えを好んできた。王の権力というものは、誰よりも強い生命の威力をあらわしたものであり、その威力は、目でみえる形で持続していかなければならない。そういう考えにもとづいて、巨大な古墳は築かれた。

そして、その考えを実現するためには、王族の古墳はできるだけ平野部の、人々の目につく場所につくられなければならないはずである。しかしプロト大阪では、そういう新しいタイプの死の思想の実現を阻む、強力な波動が、生駒山から放射されていた。

国家よりもはるかに古い時代から生き続けている、人類の生と死の円環の思想は、古代ギリシャでは「ディオニュソス」と呼ばれ、インドではいまも「シヴァ」と呼ばれている。そこで私たちも、プロト大阪の空間全体に働いている、東西方向に向かうこの古代的な力線が生み出す、見えない軸線のことを、「ディオニュソス的な軸」と呼ぶことにしようと思う。

その軸線が発する力は、近代人のものの考え方の原型でもある、円環を否定する権力者の死の思想さえも、ねじ曲げてしまう底力を持っている。私たちはその力が、古代のプロト大阪のみならず、現代の大阪人の心性の中にも、しぶとく生き続けていることを、これから証明してみようと考えているのである。

河内カオスモス

生駒山麓に広がる台地は、古くから「河内《かわち》」と呼ばれている。古墳時代には眼前に、しだいに湿地帯から水田へと姿を変えつつある、河内湖が広がっていた。古くからの村は、南北に細長く広がる山裾に沿ってつくられている。

そういう村の背後には、野菜や果物を栽培する畑が広がっているが、そうした畑はたいていが古墳のあった地面をならして、つくられたものだ。いまでも、畑の中には破壊をまぬかれた、円墳や小ぶりな前方後円墳を簡単に見つけることができる。

八尾から生駒山地を望む

なかでも驚かされるのが、細かい山ひだに沿った谷につくられた、おびただしい数の横穴古墳群《おうけつ》の光景である。こういう谷間の埋葬地のことを、古代の日本人と韓国多島海の人々は、「モリ」と呼んでいた。モリには死者の霊が集まっていると考えられていたので、そこで先祖の祭もおこなわれていた。神社のいちばん古い形は、このモリから発生したというのが、柳田國男《やなぎたくにお》の考えである。

モリは死者を埋葬するところであるが、人類に普遍的な生と死の円環思想からすれば、そこはまた新しい生命の宿る場所でもある。生と死がひとつながり、カオス（混沌）とコスモス（秩序）がひとつながりになるところ、そしてあらゆるものが、そこではむくむくと変成をはじめる。固定された秩序は、どこにもない。死でさえも終わりではなく、新しいもののはじまりをしめす。

生駒山麓には、そのような生と死をめぐるとてつもなく古い、人類的な思想が、生息し続けている。大阪の景観の原型を決定したディオニュソス軸の「足」は、そこから生えている。

西の王家の谷——百舌鳥古墳群

古代大阪は、上町台地の中心部に、アポロン軸が南北に走って、そして大阪湾から生駒山に向かって東西にディオニュソス軸が走っている。このふたつの軸の交わりが大阪の構造をつくったことはすでに述べた通りである。この世の秩序をつくるのがアポロン軸で、それに対するディオニュソス軸には、死と再生の要素がかならずもうけられた。したがって、ディオニュソス軸は、死者再生の軸とも呼ぶことができるだろう。ディオニュソス軸にもうけられた巨大墓地群について、あらためて見ていこう。

両端の一方、生駒山の麓《ふもと》につくられた古代墓地群については、前にもう触れた。しかし、その古墳群だけではなく、じつはこのディオニュソス軸の西側、海側のほうの端にもまた、巨大な古墳群がつくられていたのである。だが、この古墳群は生駒山麓の古墳群とはすこし性格を異にしている。それは有名な仁徳《にんとく》天皇陵をはじめとする、堺《さかい》の巨大古墳である。いったい、この古墳はなんのためにこのような巨大な構造をとったのだろうか。

生駒山麓の古墳群は、渓谷と渓谷を出た扇状地にたくさんつくられていた。全体から受けるその印象は地味だ。これに対し堺を中心とする百舌鳥《もず》古墳群は、たいへんに派手な構造をしている。在りし日の古墳は、こんにちのわれわれが想像するよりもはるかに派手なものであった。現代の私たちが目にする古墳は、深い緑に覆われてしまっているが、もともと古墳の全面は葺石《ふきいし》という磨き上げられた石の板で覆われ、そのまわりには埴輪が立ち並べられていた。巨大古墳は朝日をあびると光をキラキラと反射させ、輝いていた。

仁徳天皇陵

堺につくられた巨大古墳群は、じつは外国人に見せることを意識してつくられていたのである。お墓を華麗に、きらびやかに、光にあふれた造形物としてつくり、三韓や中国から訪れる外国人の度肝を抜くのがまず第一の目的だった。古墳による威厳《ディグニティ》の演出は、古代エジプトがその例としてあるが、中国の皇帝陵にくらべても日本の古墳の威厳の表現法はたいへんに派手やかで、古代においても類例がないものだった。

朝鮮半島の文化は当時たいへん進んでいたとはいえ、古墳文化の最盛期にいたると、日本のほうがある面で優勢に立っていた。この「優勢」を表現するための格好の演出の場として、古墳が使われたのであった。

朝鮮半島や大陸から日本にやってくる人々は、瀬戸内海を通って入ってくる。彼らがまずびっくりさせられたのは、岡山の沖合を船で通過していくときだった。総社吉備津《そうじゃきびつ》のあたりで、太陽の光に燦々と輝く古墳群を見て、驚いた。吉備国のようなまだ都でもない場所に、これほどに素晴らしい古墳群があることに、外国人たちはびっくりさせられた。

船が神戸に近づいてくると、ここでまた二度目のびっくりがおとずれる。通過していく船から、五色塚《ごしきづか》古墳の光輝く古墳が見えるのだ。

そして船が大阪湾に入る。住吉《すみよし》に大きな港があるので、そこへ入ることになる。すると、この沖合いから、もうはっきりと朝日の中にキラキラと輝く仁徳天皇陵が見える。さらにそのまわりをとりまく大小の古墳群がはっきりと見える。この頃の日本人は、外交・戦略に長《た》けていたと見えて、この古墳による演出は、日本を文明国と見せるのに大いに効果を発揮した。

現代の人間は、東京タワーやスカイツリーなどの電波塔を建てる。古代人にとって、塔は基本的に墳墓であった。古代の人々はこの墳墓を、莫大な労働力と費用をかけて、華麗につくりあげたのである。

こうしてみると堺の海沿いにつくられた百舌鳥古墳群が、生駒山麓の古墳群とは性格を異にしているということがわかる。つまり、アポロン軸上につくられた政治的な権力の威厳の表現として、これらの古墳が使われたのだ。つまり、その意味では、堺の古墳群は、アポロン軸のほうに引き寄せられてしまっていて、死者のためではなく、むしろ生者の威厳を表現するために、死者の墳墓が利用されたと言える。これが、ディオニュソス軸が生駒山のほうに大きく引きずられていると、私が以前に語ったことの理由である。

百舌鳥古墳群は、アポロン軸の一部に組み込まれている。しかしその軸をもう一度、死者の世界のほうに強力にねじ曲げているのは、生駒山麓の古墳群と渓谷の死者霊の力である。ここでもディオニュソス軸の「足」は、日の出の方向でもある東方の生駒山系に求められるのである。

大阪文化の野生のルーツ

山沿いの河内の村々に息づいている、その豊かさの源泉は、その土地を背後から抱き抱えている、緑豊かな生駒の山々に求めることができる。生駒山の山麓には、大阪側にも奈良側にも、縄文時代からすでに、人の住むいくつものムラがつくられていた。ことに大阪側は、海につながる広大な河内潟を前にしていたこともあって、海の幸にも山の幸にも恵まれていた。縄文人たちは、河内潟の周囲に、数多くの貝塚を残している。

瀬戸内海沿いに、新しい弥生文化を携えた人々がやってくると、縄文系の人々は、この新来の人々を、ムラのはずれの一角に土地を与えて、迎え入れている（その様子が、発掘された遺跡の様子から、手に取るようにわかるのである）。

厚手の縄文土器と薄手の弥生土器が、同時に使われていた。結婚も頻繁に行われるようになり、しだいに、河内のムラムラには、縄文系と弥生系の混血からなる、原大阪人の顔つきをした住民が、増えていったと考えられる。

縄文の文化は、生と死を円環として考える、人類に普遍的な野生の思考をもとにしてつくられていた。コスモスとカオスがひとつにひっついて、カオスモスという言葉になってしまうように、生の終わりは死への誕生であり、死から新しい生が生まれてくる、というのが彼らの考えだ。そこで、動物を殺せばその場で魂を送る儀式をおこなって、動物霊の世界への誕生をお祈りし、食べた魚貝の体の残りは、て

高井田横穴古墳群

いねいに貝塚に葬り、またそこに人間の遺体も葬った。

さすがに弥生人たちは、貝塚と墓地をいっしょにするようなまねはしなかったが、それでも生と死を円環ととらえる考え方は、縄文人とそれほど違っていなかった。後の時代の人たちのように、死を穢れたもの、恐ろしいものとして、自分たちの生活から遠いところに分離してしまおうという考えは、まだ広まっていなかった。

その後、朝鮮半島から、たくさんの移住者がこの土地に渡ってくるようになると、生駒山麓でも新しい埋葬の形が広まっていった。ほの暗い渓谷の斜面に横穴を掘って、その奥に棺をおさめるという形式である。このタイプの古墳の出現は、かえって死の世界への通路というものに、明確なイメージをあたえる効果を発揮した。生と死は、そこでもひとつの円環を保っていた。

こうして、縄文系と弥生系の混血を土台とする住民が、河内のムラの原型をつくっていったのである。彼らのムラでは、死者を埋葬する墓地は、人々の生活する場所からそれほど遠くない場所につくられた。人が死ぬと、死者の霊にちゃんと生者の世界から分離してもらうための、お葬式をする。しかし、死者の霊は先祖霊となって、一年に最低でも二度は、生者の世界に戻ってくることになっていた。生と死が円環をなしていることが、そうやって確かめられたのである。

先祖霊が戻ってくるのに最適な季節が、真夏の夏至の頃である。その季節の夕方になると、人々は広場に集まり、輪をつくって、踊りを踊った。死者の霊と一体になって踊ったのである。踊りの輪の中心には、祭のリーダーが出て、リズムと歌で調子を取った。

そのとき歌われた歌の内容はと言えば、これはもちろん推測でしかないけれど、いったん死んだ後によみがえって、生と死はひとつながりであることを体験した者が、自分の悟りを高らかに歌う歌ではなかっただろうか。私の想像力は、ここで、今日の河内の村々の広場で、お盆の頃に盛んに歌われている、あの河内音頭「俊徳丸《しゅんとくまる》」の物語を、思い出すのである（詳しくは後ほど「大阪の大地の歌」で）。

複素数都市

プロト大阪の基軸のひとつ、東西に走るディオニュソス軸は、大阪湾から生駒山に向かう。生駒山麓が、都市や国家以前の、人類に普遍的な思考に根ざす「野生の文化」の根拠地であり続けたことが、このような軸線が大阪人の心に生き続けた理由である。

もういちど、大阪平野がまだ湿地帯であった頃のことを、思い出してみよう。河内湖を取り囲む台地上に、人々は暮らしていた。生と死が円環をなす、人類に普遍的な「ディオニュソス型」の文化を生きていた人々の世界に、大王と大王が支配する国家というものが出現すると、人々の心の構造には、大きな変化がもたらされるようになった。

権力者たちは、生駒山麓を避けて、対岸の上町台地の北の突端に、壮麗な王城を築いた。そして、生駒山の方角をあまり意識しないですむように、それとほとんど直角をなす南北の方角に、覇者の道をつ

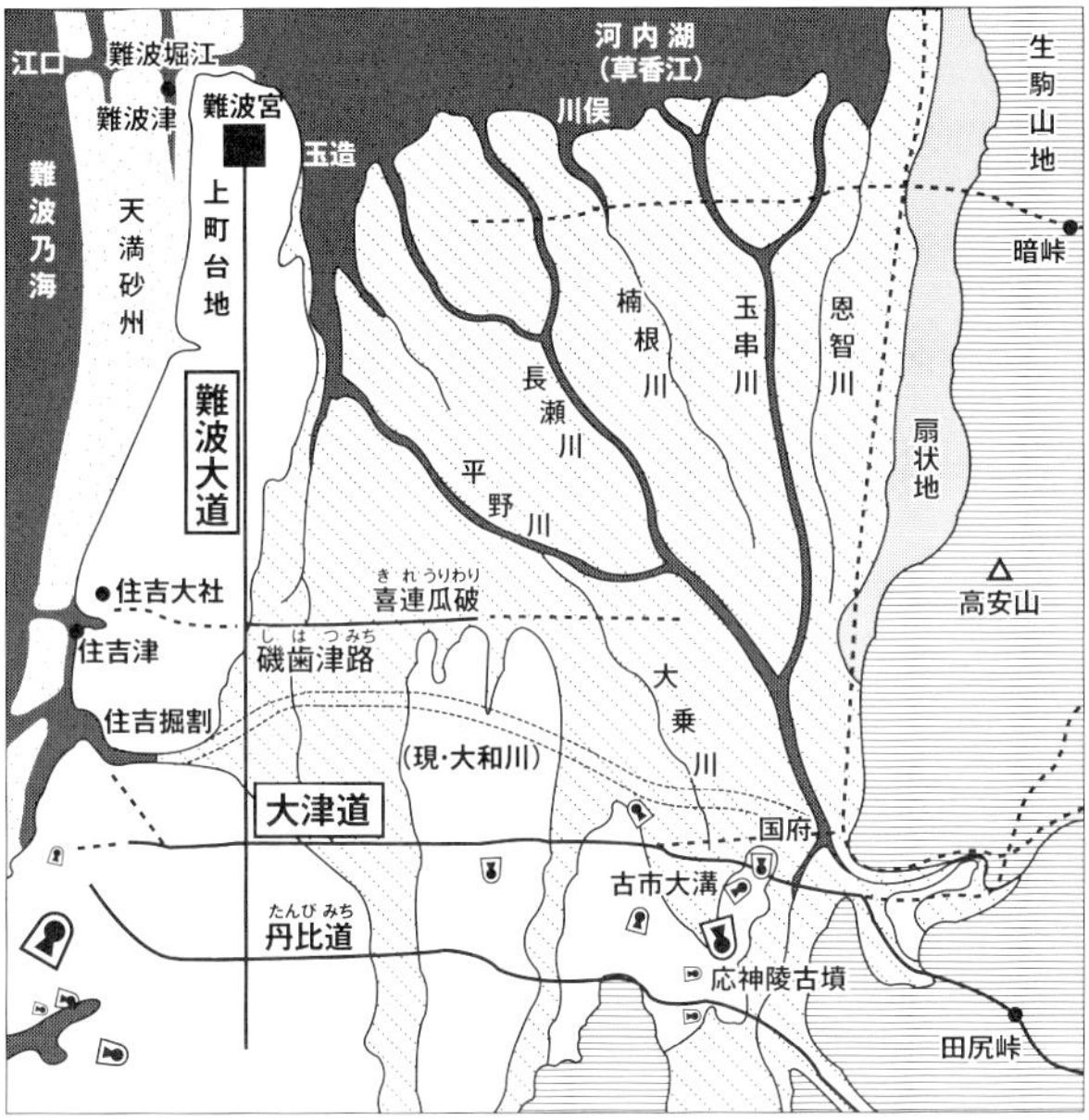

古代の道と目に見えない座標軸（『大阪遺跡』創元社をもとに作成）

くった。

こうして、河内湖をはさんで、プロト大阪には、二つの異なる思考法が対峙しあうこととなったのである。一方は生駒山麓側の、河内と呼ばれた地帯に息づいた、民衆的な野生の思考の世界であり、もう一方は国家という新しい考えによって、国づくりを進めようとする権力の思考である。その二つの異種な思考が、ここではたがいに混じり合うことなしに、垂直に交わりながら、一つの大阪という世界を形成していったのである。

この様子は、どこか複素数という数のありかたに似ている。じっさい、現実世界に関わる南北の軸を「実数（現実の数）」とし、生と死を一体に思考する人々の生きる、生駒山麓の世界に向かう東西の軸を「虚数（想像の数i）」とすると、原大阪の心性は、X＋Yiという複素数であらわされることになる。

垂直に交わるもの同士は、おたがいを否定することなく、一つの世界の座標軸となることができる。私は、大阪になじめばなじむほど、ここにはまだ野生の思考が生き残っていると感じることが多いのだが、その理由は、こういう地形の場所に都市を発達させていった人々の心性に、東西方向に走るディオニュソス軸線が、根強い生命を保ち続けたことによる。大阪という都市は東西軸を中心に構成されている。そのことはプロト大阪において基礎づけがなされ現代にまで及んでいる大阪の普遍的構造となっている。

大阪と奈良をつなぐ暗峠

太陽と墳墓

ディオニュソス軸線の発見者は誰か

プロト大阪の景観（人の心の働きを巻き込んでできている風景）は、複素数の成り立ちをしている。現実の世界の秩序をつくっていく実軸（上町台地の上を南北に走る軸）と、想像力を巻き込んで現実の世界とは垂直に交わっている虚軸（海側から生駒山に向かう、東西方向に走る軸線）という、二つの軸の交わりの中から、独特の精神風土の土台が、つくられてきたのである。

複素数というと難しそうだが、できのよいお笑いは、たいてい複素数の仕組みで、つくられている。古典的な漫才の台本から、引用を一つ（秋田実『笑いの創造』から）。

若き夫「あなたは、赤ん坊のことは大変詳しいとおっしゃいましたね?」
乳母志願者「ハア、あのォ、私自身も一度だけ赤ん坊の時の経験がございますので……」

二人の考えていることは、それぞれ垂直になっているほどに違う軸の上でおこっているが、それが「赤ん坊の経験」という一事で、交差して結びついている。垂直になっている軸の間を、軽快に飛び渡ることのできている地口《じぐち》ほど、よく笑いをさそう。それを徹底させると、西鶴《さいかく》や織田作《おださく》や野坂昭如《あきゆき》

住吉大社

のような、大阪文芸風のすばらしい文体ができる。
プロト大阪の精神的な地誌は、はやくもこのような複素数の構造をそなえていて、権力がつくる現実世界の軸線と、想像力を巻き込んだ生死円環をなす野生の思考の世界の軸線との間を、敏速に行ったり来たりする精神が育つ素地が、すでにしっかりとできているのが、はっきり感じられる。
複素数の精神は、ものごとを一つの角度からではなく、いくつもの角度から見て、冷静な判断をくだすことができるし、偉いさんたちの口にするもっともらしい嘘を、斜めから見て信じないような、リアリズムの精神も育ちやすい。それにどうしたって、野生的なディオニュソス軸線から出てくるものは、オシャレとはいかないから、気取っているわけにいかない。
ほかの都市では、早い時期に、いろいろな理由から、このうちの野生軸とも言うべき、ディオニュソス軸線の働きが衰弱してしまうことが多い。そのために、都市の中で躍動的な複素数精神が、じゅうぶんな発達をとげることができない。ところが大阪では、河内湖（のちの大阪平野）の向こう岸に、いつまでも野生的な河内の世界や、その母である生駒山の古代以来の混成文化が生き続けてくれたおかげで、その都市を生きる人々の精神は、のっぺりとした平面になってしまうことがなかった。

アポロン的な市民世界に垂直につきささってくる、別のディオニュソス的な軸線が強靱な生命を持ち続けたために、大阪の精神は複素数の構造として、育ったのである。このようなことが起こりえたのは、東西に走る軸線が、強いリアリティをもって、この土地に住む人々の心に、働きかけ続けたからである。たんに、そこに生駒山があるだけでは、このようなリアリティは生まれ得ない。誰かがそれを見つけ、昔のことであるから、宗教のやり方でその発見を表現したのである。ではいったい誰が、どのような次第で、東西に走る軸線に、強いリアリティを与えたのだろうか。

「スミヨシ」系の海民《かいみん》

大阪湾から生駒山に向かう、この目には見えないが、心には実在する、東西の軸線の最初の発見者は、おそらく海民（海洋民）と渡来人《とらいじん》であったろう、と私は考えている。

航海と漁労に巧みな海民は、ずいぶん早い時期から、瀬戸内海を渡って、大阪湾に到着していた。彼らは、砂州の出来上がりかけていた上町台地西岸の付け根あたりに、よい着岸地を見いだしていた。今日の住吉大社のあたり、その昔に「住之江」と呼ばれた岸を「津（港）」として、上陸を試みていたのである。

ひとくちに「海民」と言っても、異なる出自と異なる伝統を持つ、多様な集団であった。共通点と言えば、東シナ海を越えて、まず九州にたどりつき、そこで勢力を整えてから、日本列島を海沿いに、東に向かって広がっていった海洋民であるということだ。潜水の漁法に巧みで、体に入れ墨をする集団が多かった。

プロト大阪にも、いくつかの海民の集団が上陸している。薩摩《さつま》からやってきた海民は「隼人《はやと》」と呼ばれたが、彼らはポリネシア出自の海民らしく、豚を飼う人々であった。関西には、猪飼《いかい》をおこなう人々をめぐる、おそろしく古い伝説を持つ土地があるが、大阪にも生野区に「猪飼野《いかいの》」の地名がある。ここからは、遺跡から動物の骨が大量に出土している。ことによると、隼人たちが上町台地を越えて、潟湖《せきこ》のほとりに村をつくったのかもしれない。

「スミヨシ」系の海民は、住之江を支配するほどの勢力をもって、この土地に定着した。彼らは伝統的に、星の位置を知って航海をおこなう「スターナビゲーター」であった。そのこともあって、スミヨシ海民の信仰した神々は、星座に関係をもっていた。

とりわけ、航海においてとても重要な星座であったのが、「カラスキ星」と呼ばれるオリオン星座であり、彼らは鋤《すき》の形をしたオリオン星座を神として、深く信仰したのであった。住之江を根拠地とした彼らは、航海の民らしく、星を神として祀る住吉大社を建立した。海上にあって、夜空の星を見上げ、朝晩の太陽の位置を確かめながら生きてきた、先祖の記憶を持つ人々である。陸上にあがっても、彼らは星座と太陽に深い関心を、抱き続けた。

方向感覚に異常な鋭敏さを持つ彼らが、この住之江の津から見て、まっすぐ東の方向にある山に関心をいだかないはずはなかった。そこには、生駒山系の一山、高安山《たかやすやま》が聳《そび》えていた。住吉大社と高安山は、東西を軸として、ほぼ一直線上に並ぶのである。

渡来民たちの波

原大阪を走る東西の軸線は、目に見えない抽象的なラインである。そのラインを最初に発見したのは、おそらくは、大阪湾の奥にまでたどり着いた海民である。天体のことに敏感な彼らは、抽象的なことにも、鋭いアンテナを持っていた。

海民が発見したその軸線に、さらに深い重層的な意味を重ねていったのは、渡来民たちである。中原に巨大帝国が出現して以来、大陸と朝鮮半島の政治情勢は、きわめて緊迫するようになった。その間に国を失った人々や、戦乱を嫌ったたくさんの人々が、海を越えて、日本列島に難民としてやってくるようになった。性格がいたって鷹揚《おうよう》であった列島の先住民は、先進的な文化を持つ彼らを、快く迎え入れている。

渡来は、長期間にわたって続いた。南中国の呉《ご》と呼ばれた地方からは、自身海民でもあり技術者でもある人々が、伎人として、東シナ海を越えて渡来した。朝鮮半島からも、多くの人たちが列島にたどり着いた。危機に敏感になっていた人々は、できるだけ大陸からの威圧的な波動を受けにくい、奥まった場所に隠れ住もうとするものだ。それには、大阪湾の奥は、安心をあたえる良い土地と感じられた。

東シナ海や日本海を横断する難しい航海を先導して、安全に難民たちを、大阪湾の奥にまで導いたのは、海民たちの航海術であったろう。スミヨシやアズミなどの海民集団は、渡来民の渡海に、大きな貢献をしたはずである。

中国南部から渡ってきた人々は、住之江津に上陸したあと、まっすぐ東に向かって、東成（上町台地の東側にできた、文字どおり水の中から生成された土地、という意味だ）の喜連《きれ》のあたりに定住したと思われる。そこは不思議なことに、住吉大社と生駒山系の高安山を結ぶ線上に位置する土地である。

朝鮮半島からの渡来民は、それよりも数がずっと多かったから、天満砂州に出来た新しい土地や、湿地帯に変わりつつある河内湖の向こうに見える生駒山麓にも広がって、住み着くようになった。おもに新羅☆からの渡来集団である彼らこそ、のちの大阪の心性の形成にとって、とても大きな影響力を持った。

（上）住吉大社巫女（中）住吉大社　五大力（下）住吉大社の海のなごり

日の御子《みこ》の誕生

海民は天空の星を神とする人々だったが、朝鮮半島からの渡来民は、太陽の神への信仰を持った人々だった。太陽は遠く離れたところにあって、強い光を放つ天体であるが、毎朝の誕生と夕べごとの死をともなう、円環的な動きを見せる。これが完全な光への信仰になってしまうと、円環的な生命現象とのつながりは、失われてしまう。その意味で太陽は中間的な存在で、超越的な神と円環的な生

☆じっさいには朝鮮半島南部にあった小国家連合体である伽耶《かや》からの移住者であった可能性が高い。詳しくは第四部を参照。

（左）住吉大社前（右）裸びな、むつび犬など

命のことを、いっしょに思考させてくれるありがたいところがある。

先住の縄文人が山を蛇神の居所と考えるのにたいして、渡来民たちはその山の上から出てくる太陽をとおして、生と死の円環を思考しようとした。こうして、同じ生駒山に、先住民と渡来民は、別々の意味を見出し、それらを重ね合わせていったのである。

南方の島々から朝鮮半島にかけて、太陽によって孕んだ女性が、特別な「日の御子《みこ》」を生む、という日光感精神話が、広く語られている。驚いたことに、私たちはその痕跡を、大阪のいくつかの古い神社の縁起に、はっきりと見出すことができる。

朝鮮王朝の起源神話としても有名なこの神話では、根源の神のことが、太陽の神とその神秘的な力によって孕む巫女と、その巫女を母として生まれた特別な子供の三者を結び合わせた、三位一体の神として考えられている。巫女を孕ませる太陽の神は「アマテラス」とも呼ばれることがあったが、その太陽の神をお祀りする巫女のことは、しばしば「ヒルメ」と呼ばれる。そのヒルメの生んだ子供が、応神天皇のような偉大な天皇となるのである。☆

大阪では、東から西に向かう軸線の上に、有力な神社や寺院の並んでいるのを見出すことができる。住吉大社と生駒山系の高安山を結ぶ線上には、合《がっ》邦辻《ぽうがつじ》、喜連《きれ》・瓜破《うりわり》などが並んでいる。鶴橋の比売許曾《ひめこそ》神社や、平野《ひらの》の古社である赤留比売《あかるひめ》神社は、その名がしめすとおり、太陽の巫女を祀った神社であるが、いずれも生駒山の山々から朝の光を受ける位置に設定されている。

☆アマテラスはもともと太陽神をあらわす名前で、性別は決まっていなかった。その神を祀る巫女のことがのちには「アマテラス」と呼ばれ、神自身になった、と考えられている。

比売古曾神社（高津宮）

それだけではない。上町台地の突端部に立って、冬至の朝の日の出を待つと、高安山の頂上から新しい太陽は出現する。その場所に、古代には坐摩《いかすり》の巫女の住まう神社が、設けられていたと言われる。坐摩神社は上町台地そのものの土地神でもあり、神話風に言えば、冬至の日に大地の生命を託された巫女は、すっかり弱まっていまにも死を迎えようとする太陽から精を受けて、新しい命を身籠るのである。

こうして、渡来人たちから、新しい太陽の神学を得て、原大阪には、生駒山を中心とする幾重にも層をなす神の思想が、発達していった。縄文人によって蛇神の居所と考えられた生駒山系は、太陽が毎朝ごとに生まれ変わりを果たす場所であり、春分と秋分には太陽の父、巫女である母、威力ある子供の三位一体の神の出現する場所であり、冬至には衰弱した父親にかわって、若い生命力みなぎる太陽の子供が誕生する、聖なる山となった。

しかも、渡来人たちは自分たちの埋葬法にしたがって、その山腹の渓谷地に、おびただしい数の横穴古墳を、掘り抜いたのである。横穴古墳の奥の玄室では、腐敗していく遺体の上に、無数の雷神が座って、物質としての身体の解体と、魂の物質からの分離を見守っている、と考えられていた。

こうして、二重、三重もの意味で、生駒山とそこをめがけて走る東西の軸線には、変成と解体、生成と消滅、生命の誕生と死などの意味が、強く結びつけられることになったのである。この感覚はいまでも大阪人の中に生きている、と何人もの大阪原住民が私に語ってくれたものである。生駒山は死と生命の気枯れ（穢れ）を呑み込んで、浄化してくれる強力を備えているらしいのだ。

大阪の大地の歌

太陽と墳墓の土地である広大な河内世界（生駒山麓と大阪平野の大部分と南河内を含む、広大な世界）の「大地の歌」、それは「俊徳丸」である。

夏至を中に含む真夏の頃、昼と夜の長さが極端にアンバランスになる季節には、死者の霊が生者の世界に大挙して訪れてくる、と考えられた古代から、人々は広場に集まって、音頭取りの乗る櫓《やぐら》を中心に、円陣をつくって踊りを踊った。生者と死者が、いっしょになって環を描きながら踊るのである。それは仏教の盆行事などがはじまるよりも、ずっと昔からおこなわれて

玉祖神社の石棒とクスノキ

いた、この列島の真夏の祭りであった。

そのとき、いつの頃からか、河内の村々で、櫓の上から朗々と歌い上げられたのが、河内音頭「俊徳丸」である。いまに生き生きと伝えられる「俊徳丸」の物語の原型は、生駒山系高安山の麓の村々で、古くから伝承されてきた。説経節「信徳丸」、謡曲「弱法師《よろぼし》」、浄瑠璃「摂州合邦辻《せっしゅうがっぽうがつじ》」は、それをもとにつくられた。しかし河内の大地も震えよ、とばかりに歌い上げられる、河内音頭「俊徳丸」こそが、大阪の大地の歌としての真骨頂をしめしている。

物語のあらすじは、こうである。

古墳で名高い大阪府八尾《やお》市山畑《やまたけ》村に、昔、一組の長者夫婦がいた。二人には子がなかったので、これも有名な墳墓の地であった京都東山の清水《きよみず》寺に籠って、観音の申し子を得た。俊徳（信徳）丸と名づけられたその少年は、美しく、すくすくと成長した。輝くようなその少年の姿をかいま見た、蔭山《かげやま》長者《ちょうじゃ》の娘、乙姫《おとひめ》は一目惚れをした。

しかし、幸福は続かず、しばらくして母が亡くなり、続いて後妻が入ってきた。後妻には連れ子があった。その子を長者の家の跡取りにと考えた後妻は、丑《うし》三つ参りをして、わら人形に五寸釘を打ち立てて、俊徳丸の不幸を祈った。

呪いによって俊徳丸は、足腰もまんぞくに立たない、盲目の身となってしまった。父親はしかたなく、病気の俊徳丸を四天王寺に捨てた。四天王寺はそのような場所として知られていたからである。「弱法師《よろぼし》」となった俊徳丸のことを知った乙姫は、その姿を追って、四天王寺にまでたどり着き、二人は感動的な再会を果たした。二人は清水寺に参って、観音に呪いを解いてもらった。病の癒えた俊徳丸は乙姫と結ばれ、有徳の人となり、邪悪な後妻には手厳しい報復をあたえた。

太陽の子の死と再生

アースダイバー的思考は、この物語の背後に、太陽と墳墓のテーマが隠されていることを、嗅ぎ当てる。俊徳丸という少年は、健康と幸福と富に恵まれて育った。その様子は、まるで山の端に現れた朝の太陽のようで、若々しい生命力そのものである。その少年が、継母の呪いによって、健康と美しさを失い、目の光も奪われて、いっさいの富の所有も剝奪されて、四天王寺に捨てられてしまうのである。

河内音頭

生駒の山の端を出た太陽は、熱と光を増しながら、東から西の方角に向かって、天空を進んでいく。ところが俊徳丸はと言えば、闇の中に閉ざされたまま、村を出て西に向かう道をたどって、四天王寺にたどり着いていく。みずみずしい生命力に恵まれた、太陽の子として生まれた少年が、死の穢れを受けることによって、生と死を分けている境界にまで突き落とされてしまったのである。

死の淵をさまよっていた俊徳丸を、救いだしたのは、若い処女の純粋な愛だった。俊徳丸が太陽の子であるとすると、この処女は太陽の神に仕える巫女である。彼女は日の御子《みこ》の母であると同時に、妻となる女性である。太陽の子は、この女性の愛によって癒され、浄化されて、美しい姿と生命力を取り戻す。

この物語には、太陽出現の山であると同時に、墳墓の林立する死の領域への入り口でもある生駒山が持っている、二つの矛盾した性格の葛藤が表現されている。夏至をはさんだ真夏の季節には、その矛盾が頂点にまで達するのだ。

太陽がギラギラと熱を発しながら、生駒山系の北の山端から出現してくるその季節は、墳墓の石の扉を抜けて、死者の霊たちが大挙して、村々に立ち戻ってくる季節でもある。みなぎる夏の太陽の力と、生者の世界を覆い尽くす死霊の力を、なにも起こさないまま調停することなどは、ほとんど不可能な話だ。

これを調停するには、とてつもない悲劇でも通過するしかない。自然界がアンバランスによって危険に瀕しているのなら、人間のほうも、自分からバランスを崩して、死の世界に近づいていく苦しみを体験する必要がある。こうして、死の穢れを全身で受け止めた太陽の子が、巫女の誠実な愛によって救済される物語が、生駒山麓の村々に生まれることになり、それが「原《げん》・俊徳丸」の神話として語りつがれたのだと、アースダイバー的思考は推理する。

俊徳丸の物語から、長者譚だの継子いじめだの呪いの五寸釘だのといった、中世的な外衣をはぎとってみると、その背後からは、かつてプロト大阪の精神世界に息づいていた、雄大な神話的思考の骨格が浮かび上がってくる。自然界の極端なアンバランスを抱え込んだ真夏の季節は、とても危険であったからこそ、人々は夜になると、かえって家の外に出て、死者たちを迎え、ともに踊ることによって、危険の中に進んで身をさらそうとした。そして、高らかに彼らの大地の歌である神話「俊徳丸」を、天に向かって歌い上げるのだ。

その歌には、死の穢れを浄化する力がみなぎっている。しかし、浄化の力に近づくには、危険を通過しなければならない。「危険の淵に近づかないと、危機を乗り越えることなどはできない」（ハイデッガー）。河内音頭には、そういうメッセージが隠されている。

それにつけても、四天王寺の不思議さである。そこは、病に苦しむ俊徳丸が捨てられた場所でもあり、奇跡の転換がおこなわれた場所でもある。プロト大阪のアースダイバー地図を見ると、四天王寺のある場所で、私たちの言うアポロン軸とディオニュソス軸が、一つに結び合っている。いっぽうの軸は、この世の太陽である天皇の（のちには太閤の）宮殿から発し、もういっぽうの軸は、この世でもありあの世でもある想像的な太陽の運行に結びついている。これはいったい、なにを意味するのだろうか。

四天王寺物語

軍事と呪術の物部氏《もののべ》

古代の河内は、文字どおり、物部氏《もののべ》の世界だった。もともと北九州の弥生系豪族であった物部氏がそこを出て、瀬戸内海を抜けて大阪湾の奥にまでたどり着いたのは、天皇家の先祖の到着よりもずっと早い時期だった。

物部一族は、当時すでに陸地化が進んでいた河内湖の周辺に住み着いて、豊かな生活を築いていった。河内の八尾に、一族の政治的中心が置かれ、宗教上の聖地は、生駒山系の北端の渓谷地にある、「天磐船《あまのいわふね》」という巨大な宇宙船を思わせる奇岩におおわれた、美しい景勝地に設けられた。

物部氏には、よく整った一族の宗教と、独特な呪術が発達していた。天皇家の先祖をリーダーとする首長連合の勢力が、生駒山を越えた向こうの、奈良盆地に勢力を伸ばすようになると、物部氏はそれと対抗することなく、軍事と呪術の技を生かして、新しい体制内での立場を固めていった。

六世紀の後半、物部氏のリーダーは守屋《もりや》という人物であったが、その頃までには、河内平野に広がる豊かな水田地帯からもたらされる、莫大な富を背景として、物部氏は中央政界での一大勢力を築くまでになっていた。

この物部氏の勢力に挑んだのが、奈良の大豪族蘇我《そが》氏のリーダー馬子《うまこ》だった。馬子の妻は守屋の妹

物部氏ゆかりの磐船神社

という複雑な間柄、この妹が兄の相続する莫大な財産に目をつけた（これはあくまでも噂だが、しかしいかにも本当らしい噂である）。馬子は守屋に守旧派のレッテルを貼り、皇室の中に芽生え始めていた仏教への関心を阻もうとしている反動勢力、という非難を浴びせるようになった。

　そうでなくとも、物部氏は古い神道と呪術の伝承者として、名高い一族である。物部氏は反仏教の旗頭に仕立て上げられ、両者の間に宗教を名目とする戦争が勃発したが、一皮むいてみれば、古代に名高いこの戦争の本質は、いまもむかしも変わらない、富と権力の奪い合いにすぎなかったように思える。

　戦争は、何人もの皇子たちを味方に引き込むことのできた、蘇我馬子に有利に進行した。この皇子たちの中に、厩戸皇子《うまやどのおうじ》、のちに聖徳太子と呼ばれることになる、一人の聡明な少年も含まれていた。厩戸皇子はそのとき十三歳、直接戦闘に加わることはなかっただろうが、目の前で繰り広げられる激しい戦いの末に、河内世界の王者であった物部守屋が、無残にも打ち倒されていく様子を、つぶさに目撃していたはずである。

玉造の怪

四天王寺の物語が、ここから始まる。

八尾の邸宅を焼き払って、最後の決戦に臨んだ守屋は、玉造《たまつくり》の村のモリヤの森（今日の森ノ宮である）に陣を敷いて戦ったが、武運つたなく落命した。即座に首が切り落とされた。古代人は、生命力は頭部に宿ると信じていたから、守屋ほどの強力な戦士の首級は、とくに注意深く扱わないと、後にとんでもない災いをもたらす、と誰もが感じたはずである。

それどころか、ほかならぬ物部氏こそが、戦死や刑死した人の、霊を死体から巧みに分離して、後の災いをなくすための、呪術の専門家だったのであるから、守屋の首を前にした戦勝者たちは、皆おののきを感じていたはずである。

そこで戦勝者たちは、玉造の崖上の平地を開いて、そこに物部守屋の霊を鎮魂する寺を建てることにした。寺の名前は「四天王寺」とされた。日本ではじめての本格的な仏教寺院である。おそらくその寺名の発案者は、まだ歳若い厩戸皇子であった、と思われる。

皇子は、自分と守屋との間に、浅からぬ因縁のあることを、敏感に感じ取っていた。守屋は仏敵の汚名を着せられて亡くなったが、その守屋と自分はもともとが一体の存在で、同じ人間が二人に分裂して、戦い合っていたのではないか、と考えるような、神秘的な思考をする皇子であった。

寺地が定められると、まず守屋の首と衣服と武具を、土中に埋める密儀が、深夜ひそかに執行された。そのとき、どのような密儀がおこなわれたのかは、いっさい不明である。しかし、私は人類学者として、古代人の思考になりきることによって、その場におこなわれた儀式を、つぎのように推測す

大聖勝軍寺椋木のウロに潜む聖徳太子像

る。

首は戦士の生命力の宿り場であり、衣服と武具には、まだ物部氏の勇者の激しい戦意が、なまなましい形で宿ったままである。それらの危険物を土中に深く埋め、はっきりとこの世とのつながりを断ち切り、のちのち災いの炎を吹き出させないようにする必要がある。

いままさに建築がはじまろうとしている四天王寺の、入り口の扉が設けられることになるあたりの地面を選んで、深い穴が掘られた。そして、その穴の底に、ていねいに首級と衣服と武具が並べられ、その上に慎重に土がかぶせられた。土をかぶせ終わると、密儀の参加者は、威儀を正して、大きく息を吸い込むと、いっせいに「ワッハッハ、ワッハッハ、ワッハッハ」と、大きな声で笑うのであった。

顔の表情を崩さず、神のようにして、笑うのである。生命力の一部が宿っている身体の部分を、安全に分離するためには、このような「笑い」の儀式が必要だ、と古代には考えられた。

笑いは、危険なものに接近しながらも、上手にそれを切り離して、距離を保つための、精神の技術だからである。

不思議なことに、原初の四天王寺が建てられたという、この玉造の村の一角には、そののち豊臣秀頼の胞衣《えな》☆を埋めた神社が建てられている。胞衣も、切り落とされた首のように、胎児の生命の一部がまだ宿っている危険物であるから、慎重に切り離して、埋蔵しなければ、妖怪となって災いをなす。その胞衣を埋めるときに、むかしは慎重を期した、笑いの儀式がとりおこなわれたものである。玉造は、かくしてすでに古代において、大阪の笑いの聖地となっていたのである。

比類なく高い仏塔

こうして最初の四天王寺が、玉造の村に建った。そこは、物部守屋の首を埋葬し、その霊の鎮魂を主な目的としていたために、簡素なつくりのお堂が建てられただけだったが、それでも戦勝者たちは、ほっと胸を撫でおろした。

ところが、それからまもなくのことだった。どこからともなく飛来したキツツキの大群が、新しく出来たばかりの寺の建物に、襲いかかってきたのである。鳥たちが去ったあとには、無

（右）玉造稲荷神社の胞衣塚（左）玉造神社の笑魂碑

☆胞衣とは後産として体外に排出される、胎児を包んでいた膜や胎盤などのこと。

残に破壊された屋根や柱や廂《ひさし》が残された。

物部守屋の首から流れ出た血は、河内世界の大地に、吸い込まれていったが、その血を吸った大地からは、太い樹木が生い立ち、その樹木にはキツツキが棲みついていた。キツツキは低空を飛んで、気に入った樹木を見つけると、一心不乱に突ついて、幹に大きな穴を穿《うが》つ鳥である。守屋が河内の大地の王であったとすると、キツツキはそこに生い立った樹木の霊から、つい昨日まではこの地の王であった男の無念を、知らされたにちがいない。そのように、ひそかに人々は思った。

上町台地北部の崖上に建てられた最初の四天王寺が、突然飛来したキツツキの大群の襲撃にあって、見るも無残に破壊されたのを見ておののいた人々は、こんどは高い仏塔を、それも比類なく高い仏塔を建てる必要があると考えた。仏塔はインド人の考えでは、仏陀の神聖な骨や歯を納める記念の塔であったはずだが、古代日本人の思考では、天空と大地をつなぐ媒介者の働きをする、神話的な建築物としての意味を持っていたからである。

土地の王を失って、いまは大地が悲しみと恨みに荒れ狂っている。その怒りを鎮めるには、荒れ狂う大地を天空に結びつけていく必要がある。天空の太陽も月も星々も、宇宙の秩序にしたがって、正確な運行を刻んでいく。その天空とつなぐことによって、大地にもういちど理法を取り戻すのだ。

そのためには、上町台地を走るアポロン軸の上のどこかに、どこよりも高い塔を持つ、新しい四天王寺が再建されなければならなかった。物部守屋を滅ぼして、その莫大な富を手に入れてしまった人々は、怨霊を鎮魂するためにも、河内湖にあまりにも近い悲劇の地から遠く離れた場所に、前よりもずっと規模の大きい、新しい四天王寺を建てることに決めた。

上町台地の南方、今日の天王寺動物園のある茶臼山《ちやうす》の周辺には、荒陵《あらはか》と呼ばれる、荒涼とした原野が、広がっていた。台地の西側は、ごつごつとした岩が露出した崖になっていて、崖下には海が迫っていた。その崖の上に立って、海に沈んでいく夕日を眺めれば、それはじつに凄まじい光景だった。

この地に立った厩戸皇子は、そこに、垂直に立ちあがる高い塔と、その塔の上をゆっくりと、東から西へ運行していく太陽の動きが、絶妙なハーモニーを奏でていると感じたはずである。宇宙的な諸力が、この仏塔によって、ひとつの「和」に結ばれるのがわかったからだ。こうして、四天王寺は日本で最初の本格的な仏教寺院として、今日の場所に再建されたのである。

キツツキと鷹の戦い

四天王寺の建築構造に、またしても太陽の主題が隠されているのを、アースダイバー的思考は感じ取ることができる。塔は天空と台地をつないでいる。その意味では、塔は台地に足場をおろしながらも、太陽のものである熱の領域に、近づいていく。高度を上げるごとに、塔は水と湿気を遠ざけていく建物なのである。

じつは、四天王寺を再建するにあたって、厩戸皇子のいちばんの気がかりは、玉造の四天王寺を襲撃した、あのキツツキのことだった。キツツキは低空を飛んで、樹に穴をあける鳥だから、とうぜん地面から立ち昇る湿気を好む。このキツツキを圧するには、高温と乾燥を好む、別の鳥の力を借りる必要がある。

大地からわきあがってくる否定の声から四天王寺を護るためには、天空のもっとも高い領域を飛ぶ鳥に、力を借りるしかない。その鳥が上空を飛びながら、キツツキの行動をたえず抑えている必要がある。四天王寺を守護する鳥、それは太陽に近いところを飛ぶ、鷹か鷲でなければならない。

こうして、人々はいつからともなく、四天王寺の高い欄干にとまって、あたりをうかがう鷹の姿を

幻視するようになった。塔に近づこうとするキツツキの群れを、一羽の鷹が追い払っているのを目撃したという者もあらわれた。

そのうち、あれは厩戸皇子その人が、鷹になって四天王寺を護っているのだと言い出す者もでてきた。皇子は太陽の子供なのであるから、鳥で言えば白い鷹であり、その鷹が天地をつなぐ仏塔を護っている、という伝説が、まことしやかに語られるようになっていった。

天と地は一体になって、はじめて世界を動かしていく原理となることができる。それと同じように、一見すると敵同士であるかのような鷹とキツツキも、もともとが一体であって、おたがいが牽制しあったり、追いかけあったりしながら、アポロンの領域である天空とディオニュソスの領域である大地とを、ひとつの全体につなぎあわせている。それならば、厩戸皇子と物部守屋も、もともとは一体であり、四天王寺はそのことを象徴する寺なのではないだろうか。

ここから、日本人の最初の思想表現である

太子像

「聖徳太子」という像が、できあがっていったのである。中世に書かれた本の中には、太子の言葉として、こう書かれている。

我と守屋とは、生々世々の怨敵、世々生々の恩者である。太子も守屋もともに偉大な菩薩である。仏法を弘めようとしてこのように示現した。守屋はキツツキという鳥となり、仏法を妨害しようとする。太子は鷹という鳥となって、キツツキを払う。☆

世の中の順調な運行に入れないものたち、戦いに破れて敗者となったものたち、大地の下に封じ込められてしまったものたち。そういうものたちを排除しない、という思想。それどころか、敗者たちを自分の中に抱え込んで、大きな全体の「和」をつくりだそうという思想。それが「聖徳太子」という名前で象徴される、日本人の生み出した最初の偉大な弁証法的思想なのである。

大阪スピリットの古層

最近の歴史学者の説によると、聖徳太子という人物は実在しなかった、ということになっている。

☆鎌倉時代に書かれた『聖徳太子伝私記』という本に出てくることば。四天王寺をめぐるさまざまな伝説については、谷川健一著『四天王寺の鷹』(河出書房新社)に詳しく書かれている。

厩戸皇子は実在していた。しかし、憲法十七条や冠位十二階を制定した偉大な聖徳太子という人物は、後世の人々の作り上げた理想のイメージであって、じっさいの厩戸皇子は、そこまでのことはしなかった、というのである。

それどころか、聖徳太子の手になると言われてきた憲法も政治の組織も、原型はみんな中国からの借り物で、太子の名前を借りてそれらをうまくリメイクしたものにすぎず、そこに日本人のオリジナルなどはほとんどないとまで、歴史学者たちは主張する。

しかしこの説は、半分くらいは正しいかも知れないが、半分以上は歴史の真実をとらえそこなっていると、私は思う。よしんば憲法や官僚制度の礎を作った、聖徳太子という人物が実在しないとしても、「聖徳太子」という名前を用いて表現された思想の中には、まぎれもない日本人のオリジナルが含まれているからである。

とりわけ、四天王寺を誇らしげに仰ぎ見てきた、大阪の人々によって語りつがれ、育てられてきた「聖徳太子」の思想には、これから覇権主義的な中国に向かい合って生きていかなければならない、日出ずる国の民である日本人が、もっとも大切にしなければならないオンリーワンの思想の、原石のような輝きを秘めた原型がしめされている。

「聖徳太子」は、世界が強者だけで支配されてはならないと考える。世界は、合理的な思考と大地の豊かさが、ひとつに結びついた「和」の中にあるとき、はじめて潜在的な力を開花させる。秩序がつくられなければならないとき、戦いを通じて敗者となる者たちが出てくる。そうした敗者や弱者を排除しないで、自分の中に組み入れる度量をもった政治をおこなうこと。そういう世界を作り出すことが、「聖徳太子」という名前を使って表現された、日本人がめざしていた政治の理想なのだった。

聖徳太子と俊徳丸

アースダイバー的な言い方をするならば、アポロンの軸とディオニュソスの軸とが、垂直に交わりあっているところに生み出される、「和」の仕組みである。アポロンの軸は、国や秩序を立ち上がらせる力をあらわす。強者や勝者は、この軸にそって、ものを考え、行動する。ディオニュソスの軸は、傷つきやすい生命の過程に結びついている。それは、生ばかりでなく、死や腐敗を含んだ、円環でできている。この軸のまわりに息づいているものは、強者によって支配され、資源として収奪されやすいが、人間の優しさはそこから生まれる。

こういうアポロンの軸とディオニュソスの軸を、おたがいが相手の原理を否定しないで支え合うことのできる仕組み、それが「聖徳太子」的な「和」の思想だ。上町台地と生駒山と河内湖がつくりなす、古代大阪の地勢の中に、すでにそのような構造が潜在していたことを、私たちは見てきた。そのことは、血みどろの物部戦争をつうじて表面にあらわれ、四天王寺の建立をもって、みごとに思想として表現された。

こうして見ると、目も見えず、足腰も立たなくなった俊徳丸を、どうして人々が四天王寺に置き捨てたのか、その四天王寺で物乞いの暮らしをしていた俊徳丸が、どうして病から解き放たれ、福徳の長者に生まれ変わることができたのか、その理由がはっきりと見えてくる。秘密は四天王寺にこめられた「聖徳太子」の思想のうちにひそんでいる。

物乞いとして四天王寺に住み着いた俊徳丸のことを、人々は「弱法師」と呼んだ。よろよろとしか歩けないから、まっすぐに進むことのできない物乞いという意味である。こういう人物は、古代の神話の中に、たくさん出てくる。たとえば、ギリシャ神話のオイディプスであるが、この名前は文字どおり「腫《は》れた足」をあらわしている。

　俊徳丸やオイディプスが、まっすぐに、地上を軽やかに歩くことができないのは、たえず大地の引き込む力に、さらされているからである。人間は自然から生まれながらも、ほかの生き物と違って、自然から自分を切り離そうとする生き方を、選んできた。しかし、どこまでいっても人間は生き物なのであるから、自然の一部である本質を否定することはできない。そのことを、大地の引きずり込もうとする力が、あらわしている。人はみな、自分の中に俊徳丸を抱えている。

　その俊徳丸は、四天王寺の引声《いんしょう》堂《どう》の床下の暗い空間に潜んだ。大地に体を密着させて、引きずり込む自然の力に身を任せた、か弱い物乞いであった。しかし、四天王寺は大地を天空につなげる寺として、建立されたのである。俊徳丸の潜む床下と、太子の化身である鷹の飛来する塔とが、ここでひとつにつながる。大地に満ちる愛と天空の理法とが、四天王寺では垂直なふたつの軸として、交差する。その場所で奇跡は起こり、俊

石舞台の夕陽

夜の四天王寺（上下）

四天王寺

徳丸はこの世の地獄をさまよった者として、まえよりも深い慈悲の心をもった、福徳の人として、再生を果たすことができたのである。

深夜の四天王寺の境内を歩くとき、そくそくとしてわきあがってくる、不思議な感動がある。誰しもが感じるその感覚は、じつはこの寺にいまも息づいている「聖徳太子」と俊徳丸の思想に関係している。その寺は、大地と生命と死に向かって、自分を解き放ちながら、夜の大阪に優しい波動を送り続けているのだ。アポロン軸とディオニュソス軸の交わる聖地、四天王寺の境内で、私たちはいまでも、このような大阪スピリットの古層が、この世に露頭しているその現場に、立ち会うことができる。

福島
中之島
渡辺橋
蒲生
円江
船場
百済洲
天王寺跡
小坂
大江之岸
宰相山
御津浦
猪鹿居橋
仁徳帝皇居
堀江
四天王寺
荒陵山

第二部 ナニワの生成

砂州に育つ資本主義

商人と無縁の原理

古代の大阪は、固い洪積層の上に、その歴史を刻んできた。南北に向かって大阪湾に突き出た大きな岬である上町台地と、生駒山の山麓に南北方向に広がる台地が、古代人の主な生活の場所だった。そのうち大和川の運ぶ土砂によって、河内潟がしだいに埋められてくると、そこには水田が開かれて、小さな村々が点在するようになった。

そこには、古代的なものの考えをする、古代人が住んでいた。古代人の思考法の特徴は、あらゆる物事の中に宿る「タマ＝霊力」の実在を、強く感じるところにある。人の心にはタマが宿っていて、タマが強く発動するときには、心は激しく動き、タマが不活性なときには、心も深く沈み込むようになる。

タマは人間だけに宿っているのではなく、動物にも植物にも、岩や水のような自然物にも宿っている。タマは流動体のように移動して、ほかの個体の中に、するすると入り込むこともできた。それだから、人の心は、動物や植物にも心をつないでいくことができると考えられていたし、自然の運行に影響を与えることもできるとされた。

古代人には、自然や宇宙から孤立している「個人」というものは、考えられなかった。目に見えな

淀川の砂州

いタマをとおして、人間同士もともとつながりあっているからだ。さらには、人格から完全に切り離された、「ただの物」というものも、考えられない。そのために、所有物とその持ち主の人格は、タマをとおしてつながりあっているとも感じられていた。

そういう古代人の世界では、あらゆる物の交換が、「贈与」と考えられていた。贈り物をするとき、現代の私たちでさえも、ただのチョコレートに思いを込めたりするが、古代人にあっては、すべての贈り物には、贈り主の人格の一部がタマとして付着したままのかたちで、相手に届けられていた。そうやって、物の交換をつうじて、人と人が結びつく。そのたびに人々は、タマの流動を感じて、幸せな気持ちになった。

ところが、その古代人の世界にも、すでに「商人」は活動していたのである。商人は最初の合理主義者として、物に宿っていたタマを、物から切り離すことのできる人たちだった。自分たちが扱う商品は、誰かの人格の一部であるタマと結びついているから、価値があるのではなく、何かじっさいの使用に役立つからこそ価値がある、と商人は考えることができた。

商人は、人と物とを「無縁」にする原理にしたがって生きようとした、最初の近代人である。そういうことにかけては人一倍敏感な古代人は、商人の考え方のなかに潜んでいる無縁の原理を、いずれは人と人のつながりまでも無縁化して、社会を破壊してしまう力を秘めているものとして、恐れたのである。

水底《みずそこ》から出現した島々

商品が交換されるとき、世界に活気が充ちてくるように感じられるのは、タマが活発に動くからではなく、商品同士の交換が頻繁に起こり、そのつど儲けが発生するからこそ、喜びがわいてくる。このような考え方をする商人は、古代人の社会では、まだ小さな勢力しかもたない、どちらかというと孤立した集団にすぎなかった。むしろ、古代社会はそういう商人の活動に、強い制限を加えることによって、人々の心の絆でできた社会を、保とうとしていた。

古代人は堅固な洪積層の上に、彼らの共同体をつくるのを好んだ。共同体の中で生きる人々をつないでいるのは、贈与の関係が育てる、自然な愛や信頼の感情である。そこに商品というものに潜んでいる無縁の原理が入り込んでくると、古代人の共同体は、解体の危機におびやかされかねない。そこで古代人は、商人を共同体の中には住まわせないようにしたのだった。

こうして、古代から中世にかけて、商人たちは、村から村を歩き渡る行商人として、商売をおこなった。彼らは多くの場合、堅固な洪積層の上に、市場が付属している彼らの町をつくって住むことを、長いこと許されなかったから、川縁《かわぶち》の荒れ地や河の中州や、河口にできた砂州島などに、集まって住んだ。そして、そこから、近世の資本主義の発達ははじまった。

洪積層の台地には、社会は形成されるけれども、資本主義は生まれにくい。権力者の居城は築かれるけれども、よく発達した市場をもつ都市が、洪積台地の上に自然発生することは、めったに起こらないことなのだ。考えてみれば、パリでもロンドンでも、純粋な大都市はたいてい、中州や砂州につくられたものだが、そういう場所でなければ、人と土地の結びつきとか、人と物の霊的な絆などというものを否定できる、無縁の原理が開花することなどは、できなかったからである。

大阪の地勢には、そういう資本主義の原理が、自由闊達な活動をおこなえるような舞台が、みごとに準備されていた。生みの母は淀川である。淀川が運び込んだ、おびただしい土砂は、河口に多くの砂州をつくりだし、それはいつしか島となり、その島の上に、資本主義の原理が、川辺の葦のように根を下ろしていった。「ナニワ」と呼ばれることになったその地勢こそが、上町台地と河内世界にかたちづくられた古代人の世界を食い破って、大阪に資本主義が発達していく舞台をしつらえた。

そのナニワは、もともとそこにできていたものではなく、水底から、ゆっくりと生まれてきた場所なのである。上町台地の東と西に、たくさんの島が生まれていた。商都大阪の原型となる「八《や》十《そ》島《しま》のナニワ」が、こうして時間をかけて、ゆっくりと水底から生成してきたのである。

中之島

八十島のナニワ

ナニワが出来上がるのには、じつに長い時間がかかっている。なにしろナニワは堅固な土地の上に、なんの雑作もなく出来た町ではなく、淀川の運び込む土砂によって、しだいしだいに埋め立てられた砂州の上につくられた、まさに文字通りの「新世界」であったからだ。

淀川が運んできた土砂は、まず上町台地の北端に堆積をはじめ、そこに天満砂州をつくりだした。砂州はそこからさらに南に伸びて、船場や島之《しまの》内《うち》のあたりにも、葦の密集する砂の土地が出来ていった。その砂州が固まりだした頃、そこからさらに下流に向かって土砂の堆積は進んでいき、流水は柔らかい砂をえぐって、淀川はまるで「蛸の足」のように分流していった。

その結果、五世紀の頃のその潟には、大小数えきれないほどの島々が、海面にぽこぽこと顔をあらわしている、じつに不思議な風景が出来上がっていた。今日でも大阪には、中之《なかの》島《しま》、堂島《どうじま》、福島、網《あみ》島、出来《でき》島、姫島など、島のつく地名がやたら多い。それらの土地は、文字通り砂州から成長していった島だった。たくさんの島、という意味で、それらの砂州島は「八十島」と呼ばれた。

たくさんの島が浮かぶその潟は、すでにその頃に「ナニワ」と呼ばれている。そのあたりの潮の流れが急であったから、「浪速（ナミハヤ）」と呼ばれたのだという説や、魚がたくさん獲れる豊かな海であったから、「魚（ナ）庭（ニワ）」と命名されたのであるという説など、この地名をめぐっては、古くからもっともらしい諸説がいくつもあるが、なかでも私が心引かれるのは、「ナニワ」ということばを、「太陽」と「生成」をいっしょにあらわす、古代朝鮮語の「ナル（nar）」に結びつけて考えようという説である。☆

☆この説ははじめ人類学者の三品彰英が提唱し、最近になって古代史の大和岩雄が展開した。批判も多い。

キタ～船場

駅名
標高（m）
35
30
25
20
15
10
5
2
1
～0
中崎町
阪急
梅田
阪急
百貨店
梅田
大阪駅
阪神
梅田
西梅田
東梅田
太融寺
天満
扇町
桜ノ宮
北新地
お初天神
曾根崎新地
南森町
福島
京橋
大阪天満宮
大阪天満宮
適塾跡
大阪
市役所
大江橋
渡辺橋
なにわ橋
淀屋橋
大阪城北詰
中之島
旧住友本社
北浜
大阪
証券取引所
肥後橋
懐徳堂跡
天満橋
愛珠幼稚園
（銅座跡）
少彦名神社
道修町
古い商家
（小西儀助商店）
大阪府庁
大阪城
天守閣
御霊神社
津村別院
（北御堂）
五代自転車商会が
あったと言われる辺り
靭海産物
市場跡の碑
楠玉神社
本町
堺筋本町
谷町四丁目
阿波座
坐摩神社
難波宮跡
難波別院
（南御堂）
中央線
玉造稲荷
なにわ筋
四つ橋筋
御堂筋
堺筋
松屋町筋
谷町筋
西長堀
西大橋
心斎橋
長堀橋
松屋町
谷町六丁目
四ツ橋
大丸
百貨店
アメリカ村
御津八幡
三津寺
島之内

太陽は、朝に東の山の端から生まれて、夕べには西の海に没していく。古代人は、太陽の動きの中に、この世界に生まれ出ては、ふたたび死の世界に入って消えていく、「大いなる運動するもの」を見て、その存在を讃えていた。ナルは生成するものであると同時に、そのような太陽をも意味していた。

その太陽を讃える祭祀をおこなう聖地のことを、「ナルニワ=太陽の庭」と呼んだ可能性がある。そしてこの「ナルニワ」が「ナニワ」に転化した、という説である。この考えによれば、「奈良（ナル→ナラ）」と「ナニワ」は、同じ系統の呼び名だということになる。

ナルニワ国の物語

五世紀に、上町台地の北端に宮殿を営んだ王朝は、「河内王朝」と呼ばれる。この王朝の大王（天皇）たちは、王宮の中に設けられた社で、巫女たちによる太陽の祭祀を毎日おこなっていた。ところが興味深いことに、その大王たちは即位の儀式である大嘗祭の翌年、ナニワ潟に生まれ出ていた砂州島に向かって、「八十島祭」という風変わりな儀式をおこなったのである。

王宮には、生まれ出る島そのものをお祀りする役目の生島御巫《いくしまみかんなぎ》と、大地の地主神をお祀りする役目の坐摩御巫《いかすりみかんなぎ》という、二種の巫女がいた。この巫女たちが、大嘗祭の翌年に祭使となって、圓江《つぶらえ》（いまの船場の靭《うつぼ》公園のあたり）にあった、特別な祭場に出かけていった。

巫女たちはおごそかに、新天皇のまとうことになる衣服を入れた箱を運んで行った。眼前に浮かぶ島々に向かって、巫女がポロポロンと琴を奏でる。それに合わせて、御衣の箱を開いて、島々の霊力を呼び込み、その霊力を御衣に付着させる所作をおこなうのである。

巫女たちの想像には、眼前にひとつの大きな「生成する宇宙」の出現する様子が見えていた。波立つ広々とした海。そこに無数の島々が、つぎからつぎへと生まれ出てくる、想像の光景である。生まれ出る島々の中心には、淡路《あわじ》島があった。淡路島は、生成する八十島たちの「胞衣《えな》」と考えられた。この胞衣に包まれるようにして、水底からごぼごぼという泡立ちとともに、たくさんの島々が新生児として生まれ出てくる。巫女たちの目の前に広がるのは、まさにナルニワであった。そこから吹き寄せてくる生成の息吹を、巫女たちは注意深く集めて、新天皇のまとうことになる御衣に付着させようとした。

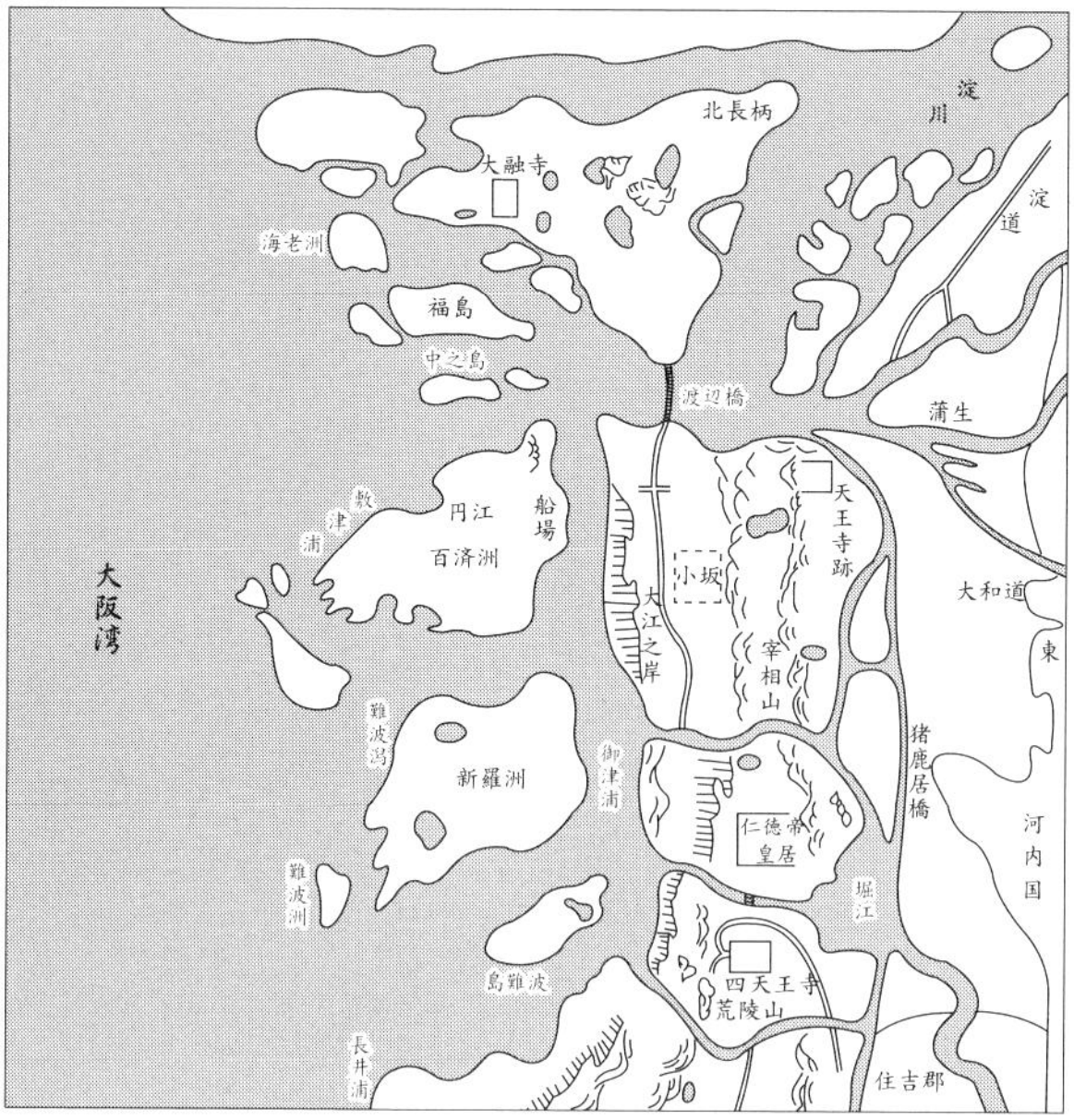

5世紀の八十島の様子（『新修　大阪市史1』に収録の「浪花古図」をもとに作成）

大嘗祭では、真《ま》床《どこ》御衾《おふすま》という布団（一説には産着）にくるまって、天皇霊を付着させ、新生児として生まれてくる儀式をおこなった新天皇は、その翌年に、こんどはナニワの八十島から吹き寄せてくる生成の霊力を、自分の着る衣服に付着させようとしている。よくよくこの国の大王は、自分を新生児のイメージと結びつけたかったのである。しかし、こういう考え方は、中国大陸で発達した権力の思考の中には、見出すことができない。これもまた一種の、日本オリジナルな政治思想の表現である。

この列島では、権力はいと高き天からもたらされるのではなく、母胎や海の中から生成してくるという思想が、古くから保持されていたのである。天皇という日本に独自の王権には、どうも深いところに新生児のイメージがセットしてあって、そのことは特に、ナニワの地を舞台にした河内王朝で、強力に表現された。じっさいこの王朝を代表する応神《おうじん》天皇などは、母である神功《じんぐう》皇后に抱かれた子供の姿で描かれることが多かった。

ナニワ潟に生まれていた大小の島々こそ、このような思想を表現するのに、もってこいの場所であった。「くらげなすただよえる」ように生成するものは、不確定の空間にぐんぐんと、カビの胞子のような芽を伸ばしていく。

この芽は、まだ存在の世界に姿をあらわしきってはいない。「ある」と「ない」の中間を生きているのがナルの世界であり、これに空間という意味のニワ（庭）をくっつければ、ナニワの語源と考えられるナルニワが出てくる。難波の町は、このようにして出来た、柔らかいナルニワの上につくられてきた世界なのである。

アジールとしての砂州

難波（ナニワ）☆は、淀川河口の砂州の上に形成された都市である。このことは、のちのちまで、難波で育った社会システムや文化やそこに住む人々の心理に、大きな影響をあたえている。難波は大阪の心臓部である。大阪にしか生まれえなかった特別なものの多くが、難波が砂州上の都市であったことに、深いところでつながりをもっている。

砂州は、水中から出現した土地である。なにもなかったところにあらわれた土地であるから、とうぜんもともとは誰のものでもない。しかもしだいに姿を変えていくので、不動産として確定して取得

☆「ナニワ」には難波をはじめ、浪速、浪花、浪華など、いろいろな表記がある。

することもできないし、そこから税を取ることもできない。無所有、無縁のアジール、それが砂州なのだ。

ガンジス川のほとりで、毎日のように砂州をながめて、瞑想修行していた若き日のゴータマ・ブッダは、この砂州のありように、現世に出現した涅槃《ねはん》（ニルヴァーナ）を見ていた。ブッダはのちに、弟子たちにこう語った。

所有がないこと、
執着して取らないこと、
これこそがほかならぬ砂州であり、
それを私は涅槃と呼ぶ。
それは老いと死の消滅である。（ブッダの語録『スッタニパータ』より）

砂州はブッダにとって、悟りの拠り所としての意味をもっていた。人は輪廻《りんね》の洪水に翻弄されている。その濁流の中に、ぽっかりと浮かんだ砂州がある。それは所有されることがなく、たえず形と大きさを変えていくから、執着もおこらない。さらさらと指の間から流れ落ちていく砂は、血縁にせよ地縁にせよ、およそどんな縁によっても結ばれていない、無縁の生き方を象徴している。

砂州は輪廻の法から抜け出している。それなのに現世の中に、姿をあらわしている。それがブッダの言う涅槃なのである。現世に生きていながら、すべての輪廻の法（掟）の埒外にある「心の砂州島」に上陸して、そこに落ち着いた自分の世界をつくること、それが悟りである、とブッダは語る。

そのような砂州の上に、難波はできた。大阪の方たちにはまったく意外なことかも知れないが、煩悩まみれの生活がくり広げられている、この難波の土地の下には、なんと現世にあらわれた涅槃が、隠匿されているのである。

淀川河口はクグツのすみか

大阪が今日のかたちに近づきつつあった頃、淀川河口にできた砂州島を、まっさきに活動の舞台に選んだのは、クグツと商人たちである。彼らはどちらも海民や渡来民の出身で、上町台地の北端の砂州島につくられた港「難波津」あたり（いまの天神橋あたりと言われている）にたむろして、いままでにはなかった新しいタイプの活動に従事しはじめていた。

クグツの出身は、朝鮮半島の遊動民であった白丁《はくてい》族であるという説があるが、それは芸能（おもに人形遣いの芸能）と売色を得意技としておこない、曲げ物の工作に巧みで、男たちは狩猟をおこなったという、クグツと白丁族の生活形態が、あまりによく似ていたためである。☆ とくに、淀川河口の難波津や江口《えぐち》・神崎《かんざき》などを活動の場とした、クグツの女性たちの得意とした性の技の数々は、平安貴族たちさえ魅了していたくらい、世にも名高いものだった。

有縁の人々は、性の自由に厳しい制限を受ける。結婚というのは、集団と集団を結びつける縁つくりのための制度であったから、個人同士が売り手と買い手になって、性の快楽を提供・消費しあう関係になってしまっては、社会にとって大切な縁というものが、性の行為から発生できなくなってしまうからである。

ところが、無縁の土地である砂州を住まいとして、芸能や技芸に従っていたクグツたちは、自分の性的身体を商品として売ることができる女性たちだった。彼女たちは、船に乗って商売をした。淀川

☆これは喜田貞吉や滝川政次郎の唱える遊女＝クグツ説のもとになった考えである。これにたいして遊女＝巫女起源説を唱えた柳田國男は、否定的な考えだった。

法然に近づく遊女（『法然上人絵伝』）

を行き交う船に、するすると漕ぎ寄せて、妖しい色香を漂わせながら、船上から手招きをする。商談が成立すると、船を岸辺に寄せて、砂州島につくられた快楽の館に、男たちを誘っていく。

ふつうの女性たちには、とてもまねのできないこんなことを、彼女たちが軽々とやってのけられたのは、クグツが所有者のいない砂州をすみかとする、社会の外に生きる民だったからだ。新石器時代以来の狩猟民の精神を守って生きたクグツたちは、国家というものができてから後の、社会のあり方が気に入らなかったので、どの共同体にも属さずに、共同体と共同体の隙間に生きることを好んだのだった。

とくにラジカルだったのが、クグツの女性である。人は誰でも、自分の体に強い執着をもっている。そんな自分の体を他人が消費して快楽を得るための商品にできるために、クグツの遊女は自分の体を、放下師《ほうかし》（ジャグラー）が空中でもてあそぶ、品玉のように扱ってみせた。

クグツの男たちのほうはもっと穏健で、狩猟をすることのほかには、人形を遣う舞を舞った。この芸能の中にも、砂州の精神が強烈に表現されている。人形遣いの芸能では、命をもたない木偶《でこ》人形に、命の息吹（アニマ）を吹き込んで、まるで生き物のように人形を舞わせるのである。そのとき、クグツに操られる人形は、生命と非生命の間につくられた不思議な空間で、生でもなければ死でもなく、この世のものでもなくあの世のものでもない、人の心の中に潜む涅槃の砂州の光景を、みごと舞によって出現させたのだ。

女は奔放な性、男はアニメの技芸。淀川べりを活躍の舞台としたクグツたちのしていたことは、まるで現代日本の若者のようではないか。

はじまりの商人《あきんど》

この列島の商人は、海民から発生している。海民は船を操って、海や川のような「流れるもの」の上を、巧みに移動していく人たちだ。この点で、海民ははじめから商業ととても相性がいい。

商人は物品を流通（流動・交通）させて、そこから儲けを得ようとするわけだから、そこでも「流れ」が、とても大きな意味をもっているからだ。お金は、社会という体の中を、たえず流れているのでなければ意味がない。海民出身の商人たちは、先祖が船を操って潮の流れをコントロールしていたように、商品とお金が流通していく世界を、巧みにこぎ渡っていこうとしたのである。

しかし、この列島の商人が海民から発生した理由は、それとは別のところにも潜んでいるようである。ヤマトやカワチに王宮を営んだ王権は、海産物のお供物（贄《にえ》とも供御《くご》物とも言う）を大変に好む神々を、お祀りしていた。黒鯛や赤魚や鮑《あわび》などの魚貝類や、若布《わかめ》のような海藻類、それに天然塩はとりわけ重要なお供物であり、これらを調達するのは、もっぱら海民の神聖な公事（公の仕事）とされた。

大阪湾の淀川河口につくられていた八十島を、生活の拠点にしていた海民の多くも、贄を献上する役目をになう「海部《あまべ》」に、組織されていた。贄を献上する役目をおおせつかっていると、さまざまな特権があたえられて、ふつうのお百姓とは違うジャンルの人という、扱いをうけたのである。

海民たちは、中世になると、「供御人《くごにん》」と呼ばれて、天皇に直結して、海産物を獲り、それを都まで運んで献上する役目を果たした。それにその頃は、大きな神社やお寺には、菜種油やお酒などを製造する職人が雇われていることが多かったが、こうした職人や販売担当の下級神人《じにん》なども、その出身をただせば、農民ではなく、多くが海民の出であった。

こうした供御人や神人たちが、余剰の海産物などを売りさばくための市場をつくったのが、この列島での商業のはじまりだった。難波津のような、古代以来の大きな港の近くには、きまって魚市場ができて、盛んな売り買いがはじまっている。大阪で言えば、上町台地の北にできた天満砂州に、海産物などを扱う市場がつくられた。

もともと田畑をもたない海民は、難波の八十島をかっこうの生活の場所に選ぶことによって、そこに市場をつくり、農村とは違う原理で動く「町場《まちば》」というものを形成していった。こうして、ゆっくりと成長していく砂州島の上に乗って、大阪の資本主義は、海民の子孫たちの手によって、しだいに大きな力へと発達をとげていった。

商品は無縁から生まれた

商品の原型は、神へのお供物である。つまり、サクリファイス（供犠《くぎ》）という宗教行為の中から、「商品」という考えは生まれることができたのである。

古代社会では、どんな生産物にも、それを生み出した土地や、それに所有権をもつ人の霊力（タマ）が宿っていると考えられていたから、自由勝手にモノとして売り渡したり、買い取ったりすることは難しかった。人から人へ、モノの所有の移動がおこるとき、モノといっしょにタマも移動した。そのために古代世界では、あらゆるモノの交換が、「贈与」のかたちをとることになった。贈与社会では、モノの交換がおきているところでは、かならず人格や愛情や信用や元気の交換も同時におこっていて、それを通して人と人の間に絆が発生することになっていた。

ところが、神へのお供物に選ばれたモノは、もはや人間の所有には属さなくなって、贈与社会の環からはずされてしまうのである。神への捧げものに選ばれたインカの少年や少女は、家族との絆を断つ儀式をへて、完全な「無縁者」となることによって、はじめて神々の「食する」ものとなった。サクリファイスにつきものの残酷な殺害は、人間世界との縁を断ち切って、神々の領域に飛び移っていくために、どうしても必要な儀式的な行為だったと言える。

この供犠の儀式にいったん献上されたものは、もうこの世の誰のものでもない、という扱いになった。日本的な表現をすれば、いったん贄となって、人の所有を離れ神仏や天皇のものとなった海産物は、もはや人の世界の絆から切り離されて、無縁のモノとなった。贄としての扱いを受けさえすれば、それだけで、古代人の世界から見れば、無縁とされたのも同然なのだった。

復原された古代の舟

供御人たちは、この贄のお余りを、商品として扱うことによって、はじまりの商人になったのである。商品とは「無縁となった」モノの別名である。商人は、無縁となった商品を、軽々と扱うことができた。もはや商品となってしまったモノからは、もともとの所有者の人格やそれを製造した人の思いも、すっかり断ち切られているので、後に残るのは商品としての価値だけ、これを同じ価値をもった他の商品と交換することには、なんの同情も共感も必要とはしないだろう。

自由な商品の流通が、はじまろうとしていた。どんな品物も、神仏のもとに無事にお供物として届けられるためには、あらかじめ人間世界との縁を切って身軽になった上で、超越的な世界へ向かっての跳躍を、おこなったのである。その跳躍のおこぼれにあずかった余剰の品物が、商品として出現することによって、この列島に資本主義は生まれたのである。そこには、無縁の原理が強力に働いている。

無縁の原理を自分の中に抱え込んだ、このような商品が集まってくる市場は、砂州や河原のような無縁の空間に開かれ、海民から翻身した商人が、商品の売り買いをした。クグツと商人の集まり住んだ八十島のナニワは、こうして未来の商都大阪の舞台として、着々と整えられていった。

豊かな無縁社会

商《あきな》いという行為の深層には、無縁の原理がセットしてある。

河内世界でいまも語り継がれている、あの俊徳丸の伝説を思い出していただきたい。古代的な感性をいつまでももち続けていた人々は、人と大地とのつながりを、けっして断ち切ろうとはしなかった。足をひきずりながら、よろよろとしか地上を歩けない俊徳丸は、大地との縁を保ち続けた、そういう人々の心性を、象徴していた。

ところが、商いの行為では、人と大地とのスピリチュアルなつながりはおろか（なにしろ商いの手にかかると、俊徳丸をなかなか手放そうとしなかった強力な大地でさえ、不動産として軽々と売り買いの対象にされてしまうのである）、人とモノとのスピリチュアルなつながりさえ、あっさり断ち切られ

靭海産物市場跡

て、商品になってしまう。商人は、そういう商品を軽々と扱って利得を得ようとする、新しいタイプの人間だった。

はじまりの商人は、村の共同体には所属しないで、それらの間を商売によってつないでいく、という生き方を選んだ最初の人たちであったから、いろいろな縁《えにし》の集まった自然な人間関係から、自分たちを積極的に切り離そうとした。つまり、商人は「無縁」の原理から発生した、新種の人間として、歴史に登場したのである。

「無縁」という言葉は、もともとは墓所をあらわしている。人間死ねば、誰もが生きている人との縁を切って、無所有の無一文となる。そういう死者がいっとき住んでいる場所、という意味で、墓所は無縁地と呼ばれた。同じ道理で、お坊さんのような出家者も、無縁と呼ばれた。俗世との縁を切って、無一文の乞食《こつじき》となってこそ、大宇宙の真理にふれることができる、と考えられたからだ。

楠玉・楠永神社

この意味で、発生したての頃の商人には、どこか不気味なイメージがつきまとっている。有縁の世界で生きる人にとっては、私とあなたの間には、見えない絆の空間が存在していて、モノや情愛がその空間をとおして、交通しあっている。ところが、無縁の原理が支配する世界では、個人どうしをつないでいるのは、贈与関係やら愛情やらではなく、きびしい信用関係と計算ずくの交換関係である。そのために、商人にはどこか人間ばなれしたところのある、合理性の怪物のようなイメージが、抱かれていたものだった。

無縁社会を超える

このような商人が集まって、見世棚《みせだな》の立ち並ぶ町場ができ、それが大きくなって都市がつくられていった。無縁の原理が、商人という存在をつくった。その商人が仲間をつくって、自分たちの社会をつくろうとしたのであるから、とうぜんそこには、村の共同体とは一線を画した、町場ならではの独特な組織が生まれた。それが「座」である。

中世になると、商人たちは職種ごとに分かれて、座を組んだ。大阪で有名なのは、天王寺のあたりの青苧《あおそ》座や木村の油座、深江の菅笠《すげがさ》座、今宮戎《いまみやえびす》の近辺にあった魚座などがあった。ほかにも運送業者の組合である駕輿丁《かよちょう》座、藍染めを扱う藍座や、藍の発色材を集める紺灰《こんばい》座、餅座、干魚座、酒麴座、薬座など、重要な商品とサービスのほとんどすべての業種にわたって、商人たちは同業者組合である、座を結んでいた。

商人たちの座のモデルになったのは、村の神社の祭礼などの時に、特別に組織された「宮《みや》座」というものである。宮座は、村の共同体とは別につくられた、共同体からは切り離された組合組織である。宮座に入ると、それまでの地縁や血縁による人間関係は、いったん解消される。そこで、どんなによい家柄に生まれた者も、お金持ちの息子も、貧乏人の子弟も、原則から言えば、宮座に入ったからには、みんなが平等に扱われることになる。

そのうえで、新しい原理にしたがって、再組織がおこなわれる。宮座のメンバーは、神様の前で、絶対の信頼関係でおたがいが結ばれていることを、確認しあう。生まれたときから、自分の前にごく自然にあたえられていた、縁の関係に甘えて生きるのではなく、それをいったん切って、無縁になった者どうしが、あらためて信頼にもとづく新しい関係に、結び合うのである。

宮座の組織の中は、家柄や社会的な地位や財産の多い少ないではなく、いちばん合理的で平等主義的な原理である「年齢」の違いによって、「老」と「若」にしたがう序列づけがおこなわれた。もちろん、実の社会で尊敬されている人物は、宮座の中でも一目おかれることになるが、それでも先輩には頭が上がらない。こうやって、無縁の原理の上に、それを超える「超無縁」の組織が、つくられていった。

農民の世界では、祭礼などにあわせて、臨時に結成されていたこの宮座を、商人は自分たちの世界の、恒久的な組織原理としてつくりなおした。常設の見世棚《みせだな》が並ぶ都市は、年がら年中お祭りのような世界である。お祭りのような世界を日常とする、そういう町場を生活の場所とした商人たちは、もともとがお祭り用の組織であった座の原理で、自分たちの社会をつくっていった。

都市の魅惑は、その奥にひそんでいる無縁の原理が、かもしだしているものだ。しかし、無縁の原理は、ほうっておけば、人の社会をバラバラに解体してしまう。そこで最初の都市住民たる商人たちは、無縁の原理の上に立って、さらにそれを乗り越えて、人の絆を生み出すことのできる、超無縁の組織をつくりあげてきた。

その超無縁社会の見事な典型を、八十島のナニワの一角につくりだされた「船場」の伝統に、見ることができる。「無縁社会の悲劇」などを嘆いている暇があったら、私たちは、都市というものをつくったはじまりの商人たちの精神に、もう一度問い直してみるほうがよいのではないか。

超縁社会

ナニワのミトコンドリア戦略

生物の細胞には、ミトコンドリアという小さな生命部品が、埋め込まれている。ミトコンドリアはエネルギーの生産工場で、ここで呼吸や代謝がおこなわれている。生物のほとんどは、この小さな部品なしでは、やっていけない。

面白いことに、ミトコンドリアはその昔は、独立した生物だった。それがいつのまにか他の生物の細胞内に取り込まれてしまった。他の生物は、ミトコンドリアをエネルギー変換の部品として、自分の中に組み込むことによって、エンジンがわりに使おうとしたのである。

しかし、そんな立場に立たされても、ミトコンドリアは自分を失うことがなかった。他人の体の中に取り込まれても、ＤＮＡの構造はそのままで、まわりのことを気にしないで、あいかわらず我が道を行くこと、じつに二十数億年。まことにど根性のすわった生物である。

ナニワの商人の生き方を見ていると、このミトコンドリアにそっくりだと、思うのである。商人は、無縁の原理から生まれた、新しいタイプの人間である。それは人とモノの絆を断ち切って、モノを商品に変え、社会の中を自由に流通させる働きをする。ところが、彼らのおこなう商いという行為は、長いこと有縁の原理でできた世界に、がっしり包囲され、その中に取り込まれてきた。

商人がナニワの八十島に市場をつくり、自分たちのための町場を築きはじめていた頃、世の中では武力をもった封建勢力が、権力を掌握していた。封建主義というのは、土地と人を強い絆で結びつける、有縁の原理によって立つ権力である。そうなると当然ながら、無縁の原理による商人の世界とは、相容れることがない。

それでも近世になると、商人や貨幣の活動なしには、たとえ封建社会であっても、いっときたりとも回っていくことはできなくなった。そこで、封建社会は大昔の真核生物の採用した戦略とそっくりに、商人の世界をミトコンドリアのように、自分の内部に部品として取り込んで、利用しようとした。まったく違う原理で動いている商人世界を、生命部品として組み込むことによって、有縁の世界にエネルギーを供給させるシステムである。

その有縁世界の司令塔は、上町台地上に設けられた。蓮如《れんにょ》の石山本願寺、豊臣の大坂城、そして徳川家光《いえみつ》期に改修なった新大坂城が、それ

現代に残る商家（船場の一角）

である。この上町台地の突端を取り巻くようにして、淀川の河口には、蛸の足のように伸びていく、無縁の原理による商人の世界が、広がっていた。

土地との絆によって人を結びつけ、米がそこから生まれる富を象徴していた有縁世界の原理は、台地の上から低地を見下ろしながら、もとは砂州であったそこに発展しつつあった無縁世界を、腕力で包み込もうとした。

大阪という都市の近世的な仕組みが、このような二層構造としてできあがっていった。まさに、ナニワは近世大阪にとってのミトコンドリアである。そして、生命体内部のミトコンドリアと同じように、ナニワの商人もまた、しぶとい生き方を得意とする人たちだった。

負けるが勝ちや

同じ頃、江戸でも同じようなことがおこっていた。幕府は商人の世界を自分の中に取り込みつつ、支配しようとした。しかし、江戸で成功した商人たちの行動を見ていると、こいつらミトコンドリアとはちゃう、と言いたくなってくる。

江戸の商人の理想は、幕府の御用商人になることである。成功して「豪商」などと言われるようになると、彼らは権力とさまざまな「縁」をこしらえて、権力の意向をうまく読みながら、儲けを得ようとした。幕府の権力は、まことに強大だったから、そのお膝元の商人たちは、無縁の原理にもとづいて生まれたという自分の本性も忘れて、有縁原理の権力と一体になってしまっていた。

ところが、ナニワの商人は、どこまでいっても、ミトコンドリアとしての自分の本性をなくさなかったのである。さすがに、堺や平野《ひらの》に町人による自治都市をつくった頃の勇ましさは、表には出さなくなっていたが、それでも、心にまとう着物の裏地には、無縁の原理のあでやかな模様が、染め抜かれていた。

ナニワの豪商たちは、幕府の威光においそれとは服従しなかった。彼らは「負けるが勝ちや」とうそぶきながら、野生の精神をもって、自分たちが封建社会に取り込まれた異物であることの、秘めたプライドを、けっしてなくさなかった。

ナニワの商人たちが、自分のミトコンドリア性をなくさずにすんだ理由のひとつは、無縁の原理で動く彼らの世界を取り巻いていた、大阪の社会がもっているグニャグニャした柔らかさというか、ホニョホニョしたやさしさのようなものにあるのではないか、と私は思っている。

商人の世界は、武力による封建権力の前に、屈服せざるを得なかった。商人は階級として、敗北者の大集団なのである。そのことはじっさいに、商人一人一人についても言える。彼らの来歴をみると、その大半が、文字どおりの敗者であったことがわかる。

ナニワの商人世界は、まさに敗者のオンパレードである。船場に屋敷を構えた有名どころを調べてみても、鴻池家《こうのいけ》は滅亡した尼子《あまご》氏の出、住友家は秀吉に滅ぼされた柴田勝家の家臣として、立派な敗軍の将であった。関ヶ原の戦いで西軍方について戦って、破れた武将の関係者も多い。淀屋、心斎橋筋の大丸下村家の大文字屋呉服店など、錚々《そうそう》たる豪商の多くが、戦場で戦って破れた敗北者を先祖としている。

そうした敗者にたいして、大阪は聖徳太子以来の寛容さをもってふるまった。そのおかげで、ナニワの商人にはミトコンドリアとしての本性が、いつまでも保たれ続けたのだった。

有縁、無縁、超縁

ナニワの島々に、商人に独自のミトコンドリア的世界が形成されていった。たぶん商人たちは、そのことを意識していなかっただろうが、彼らが取り組んでいたのは、無縁の原理の上に新しいタイプの社会をつくるという、現代人にとってもいまだに大きな意味を持つ試みだった。

たいていの経済学者は、ほうっておいても商品というものが、人類の世界には発生したはずだなどと考えているが、そんなものは人類の出現以来、何万年たっても生まれてこなかった。人類の心に無縁の原理が働きださなければ、商品も貨幣も、この世にあらわれてはこなかったのだ。

無縁の原理が、人類の心に確実に作動しはじめ、その原理を生きる商人と呼ばれる人たちがあらわれ、彼らの間に新しいタイプの結合組織ができ、町場が都市に発達するようになって、ようやく無縁の原理は、長いこと唯一の社会原理だった有縁の原理に拮抗する力を、ふるいはじめることができたのだった。

有縁だけでできた世界にはがんらい、人格とのつながりをいっさいもたないことを本質とする商品というものは、生まれようもない。ところが無縁の原理は、こういう有縁の原理を否定してしまった。その実行者が、ほかならぬ商人である。商人の世界を突き動かしているのは、無縁の原理にもとづく等価交換の原則であるから、交換はすべて合理的におこなわれなければならない。あらゆるものごとを、計算で処理する「算用」の精神こそが、商人道の基礎である。

この世界では、ゼニが絶大な威力をもつことになる。商品の中の商品であるお金は、無縁の精神の権化である。それは貸したお金が返せなければ、債務者の心臓さえ要求しかねない、徹底ぶりをしめすこともある。商人の間には、なにごとも金銭ずくで解決しようとする「えげつない」心性が、育っていきかねない。無縁の原理は、いっぽうでは因習にこだわらない自由な発想や、はつらつとした個人主義を育てていったけれど、もういっぽうでは社会から温かさを奪って、殺伐とした競争社会を生んでいくだろう。

現代の私たちが苦しんでいるのは、そういう無縁の原理が、人々を社会に結びつけていた力をバラバラに解体してしまい、その果てに出現したいわゆる「無縁社会」を乗り越えていくための、うまい方策をもてないでいるところにある。

ところが話を大阪に限っても、じっさいの商人の世界は、そのような「無縁社会」を形成しなかったのである。商人はおそろしい解体力をもつ無縁の原理の上に立って、それを乗り越える別のタイプの社会を、つくりだそうとした。無縁社会を超える超無縁社会、略して「超縁社会」である。ナニワの八十島の一角、船場を中心に生み出された商人のミトコンドリア世界こそ、この超縁社会のもっともみごとな作品であった。

トーテム紋章としての暖簾《のうれん》

人類学者の眼で、船場の伝統的な商人の生活や商売のやり方について書かれたものを読むと、自分がまるでアメリカ大陸の先住民の世界に連れ戻されてしまったような、不思議な気持ちにおそわれる。船場が隆盛を極めていた十八世紀の頃に、アメリカに出かけて、北西海岸部の先住民の村に滞在することのできたナニワ出身の人類学者などは、あたりにみなぎる雰囲気が、あまりにも船場によく似かよっていることに、深い感動をおぼえたはずである。

先住民の村の中心部を走る「通り」の両側には、美しい木造の家々が立ち並んでいる。どの家も通りに面して大きな壁面を取り、そこに見事にデザインされた抽象的な動物の文様を、美しい色彩で描いてある。家の脇には、同じような動物文様を彫刻した、太い柱も立てられている。

こうした文様を、人類学では「トーテム紋章」と呼んでいる。トーテムは、人間と動物とのつながりをあらわしている。どの人も、どこかの「家」に属しているが、その家は熊やビーバーのような特定の動物と、特別の関係を結んでいて、そのことをあらわすために、まるでヨーロッパの貴族の紋章のように、建物のファサードにトーテム動物の姿をデザインした文様を描くのである。

このトーテム紋章は、家の威信と信用の証である。トーテム動物とのつながりは、遠い神話の時代につくられた。そのつながりを、今に保っていることを誇らしげにしめすのが、この紋章にほかならない。トーテム紋章の由来が古いということは、威信もあり信用もできる、大物であることをしめしている。ここはよく発達した贈与社会であるから、この紋章は「わたくしは信用のおける贈与者です」と、まわりにむかって力強く発信していることになる。

この光景は、あまりに故郷の船場に似ている、と人類学者は思う。船場の通りという通り、筋という筋の両側には、さまざまな商店が、びっしりと立ち並んでいるが、そのどの店も軒先に巨大な「暖簾」という、布の帳《とばり》がかけられていたからだ。暖簾は濃い色の紺で染められた木綿の布に、ざっくりと切れ込みを入れ、そこに美しくデザインされた屋号が描かれている。

暖簾は古びて貫禄のあるものがよい、と商人たちは考えていた。貫禄のある暖簾は「古さ」を象徴し、そのことはただちに「当店は老舗《しにせ》だす、つまり信用ができまっせ」と言わんとしていた。

ナニワの商人が大切にした暖簾と、アメリカ先住民がときには命よりも大切にしたトーテム紋章は、同じ精神に根ざしている。それは自分たちの起源の古さ、あふれる威信、みなぎる信用をしめそ

（上）トーテム紋章（Aldona Jonaitis, Aaron Glass, “The totem pole: An intercultural history”, University of Washington Press, 2010）
（下）暖簾（『写真集おおさか 100 年』サンケイ新聞社）

うとしている。贈与社会である先住民のトーテム紋章と、無縁の原理にもとづく商人の店先の暖簾とがしめすこの共通性は、いったいなにをあらわしているのだろうか。

座という秘密結社

商人たちのつくった世界である町場には、おそろしく起源の古い人類文化の遺産が、深層部分の設計原理として、再利用されている。

はじまりの時期の商人が、同業仲間とつくっていた「座」というものが、もともとそういう古代性をもっていた。中世におおいに発達した、宗教の組織である宮座は、人類の出現と同じくらい古い来歴をもつ「秘密結社」の考え方を、そのまま受け継いでいる。

有縁で結ばれた共同体を、いったん解散して、無縁の原理にしたがって、新しく組織しなおすというのが、結社の考え方である。日常生活は共同体の縁の考えでいくが、神様をお迎えするお祭りではそうはいかない、と昔の人は考えた。神様の聖なる世界に近づくのだから、人間もしばし世俗の縁を切って、すがすがしい無縁の風にさらされてこそ、その資格ができるという考えが、背景にある。

道修町の少彦名神社献湯祭

驚くべきことに、江戸から明治にかけて、何百年もの間、八十島のナニワの地で発達をとげた商人の世界では、このようなきわめて古い来歴をもつ、人類に普遍的な「聖なる思考」が、表面からはほとんどわからないほど世俗的な姿に身をやつして、組織的な復活をとげている。世俗のまっただなかに、聖なる思考が組み込まれている。万事にパラドックスを売り物にする大阪でも、これはとびぬけてものすごいパラドックスである。

見世棚が並んでいた頃は、商品が表に顔をさらしていた。露店の行商や市場の立ち売りの頃は、商人の顔とは、所有する商品のことを意味していた。ところが、船場を中心に商人の世界が独自の成長をとげるにつれて、商店の顔は起源の古さと信用の高さを、ほこらしげに表示する暖簾に変わった。実利をあからさまに表に出すのではなく（これはエゲツナイと軽蔑された）、高貴な象徴性を、前面に押し立てたわけである。

商品を売買することは、商人にとっては、いわば飯を食べるくらいに日常的な行為であり、それよりも商いをとおして、高い信用と野生的な自立心に裏打ちされた「威信」を獲得することのほうが、ずっと重要なことである、と商人たちは考えるようになった。そうなったとたんに、算用一点張り、実利一点張りのはずの商人たちの心に、人類に普遍的な聖なる思考が、よみがえってくるのであるから、まことに人間とは不思議な生き物である。

お金と信用

商いの行為は、売りと買いがつつがなく完了したあかつきには、それまでしばしの間結ばれていた縁もさらりとほどかれて、ふたたび無縁の空間に立ち戻っていく。まさに「古池や　かわず飛び込む水の音」の境地。商いは奥底では、芭蕉の俳句と同じ仕組みをもっている。

商いという行為が、なぜこんなにもあっさりと、縁をほどいてしまうことができるのか。それは、交換にお金が介在するからである。お金は縁を切って、人と人を分離する働きをもっている。お金は「商品の中の商品」であるから、商品に内在している無縁の原理が、むきだしのまま縁切り作用をおこなう。

抜け目のない商人は、お金のもつこの縁切り作用を最大限に利用して、儲けを得ようとする。ぽちゃんと飛び込んだ蛙を呑み込んだ水は、もとの無の静けさに帰る。それと同じように、売りと買いの一サイクルが閉じたら、商人は「御破算に願いあげて」、後腐れなく、また別の軽接触に移っていくことができる。

こういう商人の精神が行き届いた大阪人の心性をつかまえて、「こってり」などと揶揄するのは、まったくの誤解ではないか、と私は思う。大阪人はその反対に、むしろ「あっさり」した性格で、しつこいように見えるのは、「御破算に願いあげる」サイクルを、別の場所にでかけていって、執拗に、ねばり強く、繰り返すからである。☆ここは、無縁の原理と敗者の精神が合体した土地なのである。強い有縁の味覚をあらわす「こってり」などで、大阪人の性格を言い尽くすことなどは、とうていできるものではない。

しかし、それにしても、商人の世界のベースには、商品とお金のもつハードな縁切り作用が、しっかりと組み込んである。お金というものが顔を出したとたんに、その場には無縁の原理からの冷たい一陣の風が吹き込んできて、人間の絆をはらりと振りほどいてしまう。このために、経済的効率ばかりが強調される市場社会では、縁のもたらす人間的な関係が、どんどん希薄になっていく。

ところが、超縁社会がまだ生き生きとしていた頃の大阪では、そういう事態はめったに起こらなか

☆このあたりのことについては、大阪商人の精神を描いては比類なき宮本又次氏の諸著作、なかでも『随想大阪繁盛録』（文献出版）などをお読みいただきたい。

った。巨大な商都である大阪を動かしていたのは、まちがいなくゼニの運動である。それなのに、商取引の現場には、お金はめったにむき出しの素顔をあらわさないように、慎重に配慮されていた。

お金に内在する縁切り作用を、商人たちは、商いの基本とは考えなかったのである。むしろ彼らは、商いの行為にセットしてある無縁の原理をもとにしても、超縁社会という新しい社会のかたちが形成できるはずだと考えていたふしがある。

そこで彼らが採用したのが、「信用」というとてつもなく古くからある思想である。ナニワ商人は、古代的な仕組みを、再利用したのである。無縁の原理は共同体を否定して、組合結社をつくりだす。こうしてできてきた結社員たちは、自然な状態ではとても生まれようもない、強い信用の感覚で結びつけられていた。この信用は、ぼんやりしていても自然に発生できる、という類《たぐ》いのものではない。信用を生むためには、知恵が必要であり、その知恵を実現するための強い自制心や配慮

明治40年頃の船場・道修町の店頭の情景（『なにわ今昔』毎日新聞社、1983年）

が、育たなくてはならない。

大阪の商人たちは、強力な縁切り作用をもつお金をベースとする貨幣経済の世界のまっただなかに、お金を生かしながらもその限界を乗り越える、信用というものを発生させるために、じつにみごとなシステムをつくりあげた。この経済的ミトコンドリアの内部構造は、まさに驚異的な知恵の集積としてできている。

信用とプロテスタント

経済学は、「信用」や「信用取引」を、合理的なシステムと信じて疑わない。しかし、ナニワ商人の間で発達した、じつにエレガントな信用のシステムを調べてみると、ここにはどうも魔術的な要素が潜んでいるのではないか、と思えてくる。

お金をベースにした社会には、人と人をつなぎあわせる「のり」のような働きをするものがない。お金は商品と同じように、無縁の原理から生まれてくる。そのために、人と人、人と自然を切り離す作用ばかりが、強く働いてしまうために、社会をまとめる凝集力（のり）が、極端に薄められてしまう。

そこへいくと、有縁の原理でできた社会には、いろいろなかたちをしたのりが、じつにうまい働きをしていた。そこにはまだ商品というものはなく、人格と結びついたモノは、贈り物として交換されていた。贈ったりお返しをしたりすることで、いよいよたがいの縁は深まった。お金も存在しなかったから、強力な縁切り作用を発揮する魔物もいなかった。そのかわり、そこには自由な個人がいなかった。

ナニワの商人たちが取り組んでいたのは、ゼニの力の上に築かれる自分たちの社会に、どうやったら有縁社会のような凝集力を生み出すのりをもつことができるか、という、現代にも通じる大問題であった。ゼニを扱うプロである商人は、根っからの個人主義者である。そんな商人をつなぐのりがあるだろうか。商人たちが発見した新しいタイプののり、それが「信用」であった。

信用の上に立てば、商品やお金をスムーズに流通させることができるし、信用という見えない絆で結びついた町人同士で、堅固な社会をつくっていくことができる。信用のベースには、しっかりと算用（計算能力）が据えてあるから、商人の合理主義と相性がいい。町人（これは商人の別名である）は、信用のシステムを用いて、ついに近代にふさわしい、合理的な社会形成の原理を見つけだした、とそんな風にもみることができる。

ところが、ナニワ商人が発達させた独自の信用システムを人類学者の目で見ていると、合理的なはずの信用に、まるで霊力でも宿っているかのよ

商人によって設立された日本初の学問所「含翠堂」での講義風景（『摂津名所図会』）

うに思えてくるから、不思議である。信用は、けっして合理的なだけのシステムではない。

信仰としての信用

古代の社会では、贈与のかたちをとって、さまざまな交換がおこなわれていた。贈り物には、お返しがつきものであるが、それがちゃんと果たされるかどうかを監視していたのは、ハウとかタマとか呼ばれていた、霊的な存在だった。

しかし、商人がつくろうとしていたのは、土台に無縁の原理が据えられ、しかも商品とお金の交換が中心となる社会であったから、算用できない霊力などが、取引に関わることは、原則的にはありえない。商人たちはそこで、「信用」という目に見えない空間をこしらえたのである。

信用の空間は、まるで信仰の世界のようにつくられていた。買ったものに対価が支払われないとか、注文された数量をごまかしたりとか、借りたお金を踏み倒したりとかが、この空間のなかではいっさい考えられてはならない、とされた。ナニワ商人は、この信用の空間を絶対的に信仰し、信仰にはずれた行為は、厳に自分に禁じた。

ほかの土地での取引であれば、はじめに「手金《てきん》」が渡され、取引が無事完了するまでの「身代金」となるものだが、ナニワの商人は、取引に手金などは不必要と考えた。ナニワ商人どうしの「口約束」さえあれば、それで「手打」がめでたく完了、あとは「手打酒」を一杯やるだけで、いっさい問題なし。神聖な水である酒を酌み交わして、ともに信用の空間の信心堅固な住民同士であることを、確認すればよろしい。

ナニワの商人の間では、取引の途中に、強い縁切り作用をもつゼニが登場することさえ、不吉と感じられていたようだ。そのために、取引は多く「手形」でおこなわれていた。相撲取りの手形ばかりではなく、商売の手形にも魔術的な要素が隠されている。手にはその人の霊力がこもっている、という考えだ。

この手形を交わすことは、おたがいが絶対的な信用の空間に束縛された、ということを意味した。借金するのに根《ね》抵当《ていとう》もいらない。不渡りもまず出ない。ゼニの登場は最小限におさえて、信用の空間のなかを、大量の手形が飛び交う。無縁の原理の上に、こうして「律儀」と「正直」で結ばれ合う、信用の世界がつくられていった。ナニワの商人にとって、手形取引はけっして便利だけをめざして、発明されたのではなかった。

医学の発展に尽くした緒方洪庵

信仰とは、合理化された魔術みたいなものだ。贈与の霊力で守ってもらっていた、古代以来の有縁の社会は、カソリックの信仰にたとえることができる。カソリックにはマリア様もたくさんの天使たちもいて、それらが発揮する魔法の力が、社会を結ぶのりの働きをしていた。

これにたいして、信用の空間にたいするたがいの信仰心だけで結ばれた、商人のつくった無縁社会は、日本型のプロテスタントということになる。商いに魔法は禁物である。商売というゲームのルールは、合理主義で徹底していなければならない。それなのに、ここには信用の空間への律儀な信仰が、確固として保ち続けられた。ヨーロッパでもナニワでも、資本主義はプロテスタント型の信仰なしには、ありえなかったのである。

船場人間学

船場の性と愛

船場に、恋愛は禁物だった。恋愛は、男女の間のはげしい感情に、突き動かされるものである。ところが、船場の商人《あきんど》たちがつくりあげた「信用の空間」は、感情のように不安定なものではなく、ダイヤモンドのように固くて安定した性質を、もっていなければならなかったから、「暖簾《のうれん》にかけて」、ここでは恋愛は御法度だった。

そのため、恋愛結婚などしようものなら、仲間の商人からは、どことなく蔑むような目で見られた。このお人は恋愛なんかに溺れたりして、まあ。暖簾が象徴する確かな信用の空間のなかに、そんな感情を持ち込まないで欲しいわ。恋愛なんていうものは、暖簾の外でするものでしょう。だから、暖簾の内で、恋愛などはもってのほかだったのである。

こういう船場の結婚観は、封建主義の考えとは、ちがうと

船場の旧家の「御寮人はん」（右から三番目）に「いとはん」たち。大正初期。（『なにわ今昔』毎日新聞社）

ころから発生している。封建主義の家族は、共同体の考えにもとづいているが、商人のつくった信用の空間は、共同体とはちがう考えでつくられている。しかもその土台には、無縁の原理が据えられている。ドライで合理的、しかも確実に商品が交換されていかなくてはならない信用の空間には、農村などとはちがう結婚観が、育たなくてはならなかった。

商人は、信用の空間は絶対に裏切らない、というプロテスタント的な「信仰」のもとに、口約束だけで取引を成り立たせていた。そこでは信用が神様で、その神様に見守られている空間のなかを、商品とお金が迅速かつ確実に流れていく。そこに男女の対幻想などが入り込むと、流れには滞留が生まれる。これはまことによろしくない。それどころか悪である。ひと昔前までの船場では、恋愛結婚などと聞くと、「ひゃあ」といって、みんな顔をしかめたという。たしかに、これは理屈である。

信用の空間でおこなわれる、はげしいゲームからは、対幻想の生む恋愛は、きびしく排除されていた。そのゲームの場に、商人たちは紺地もあざやかな暖簾の紋章を背に負って、いさましく参戦していった。この点では、武士と商人の間には、たいした違いなどはない。その昔、武士がまだ「伏《ぶし》」などと書かれて、商人と同じ「職人」の仲間だった頃、武士も職人の習いとして、その仕事場（殺人の仕事！）には、女性が入ってくるのを禁止していた。西鶴の書いているように、武士の義理が、商人の信用だったのである。

その暖簾を、船場のクール・ファミリーが守っていた。ファミリーは、威厳ある「お家《え》はん」や何人もの小姑たち、「親旦《おやだん》はん」と「御寮人《ごりょん》はん」、それに上品な「いとはん」や「ぼん」のつくる拡大家族だ。たいがいの御寮人はんは、同じ船場の相応な商人の家から嫁入りしてきていたわけであるから、船場では社会学で言うところの「エンドガミー（内婚）」が、おこなわれていたことになる。

船場には長い時間をかけて、恋愛などという甘ったるい感情を排したところに形成される、クールに洗練された、デリケートな愛情の世界が、静かに形成されていった。ここでは、愛と性の混同などはおこらないのが表向きの原則で、そのあたりのクールさに、谷崎潤一郎などは深く魅了されたのである。

野生のぼんち

とはいえ、船場の商人たちは、けっしてピューリタンなどではない。むしろ、体内にみなぎるエネルギーを抱えた人たちである。暖簾の内で恋愛は不可能でも、暖簾の外での彼らは、むしろきわめて奔放だった。

彼らは、海民の子孫なのである。船場草創期には、遠く海外まで出かけて、巨万の富を築いた先祖たちも、たくさんいた。封建体制のなかに押さえ込まれていたとはいえ、ナニワ商人というこのミトコンドリアには、恐ろしいほどの絶倫が、蓄え込まれていた。

だいいち御寮人はん自身が、まじめすぎる旦那にはやきもきして、「あんさんも早よ別宅をこしらえんと、甲斐性なしや思われまっせ。お商売にも関係するのやごわへんか」と言って、旦はんに妾《てかけ》さんを持つことをすすめた、というぐらいなのである。☆「ぼん」やら「ぼんち」やら呼ばれて、大切に育てられた男の子も、もう結婚をして一人前になったのだから、そろそろちゃんとした「てかけ」を持たなければという、ひどくクールな発想である。

その絶倫ぶりが、山崎豊子の『ぼんち』（新潮文庫）には、みごとに描き出されている。その本のあとがきに、彼女はこう書いている。

☆この手の話は、三島佑一『船場道修町』（和泉書院）や香村菊雄『定本船場ものがたり』（創元社）などに、詳しく書かれている。

大阪では、良家の坊ちゃんのことを、ぼんぼんと言いますが、根性がすわり、地に足がついたスケールの大きなぼんぼん、たとえ放蕩を重ねても、ぴしりと帳尻の合った遊び方をする奴には、〝ぼんち〟という敬愛を籠めた呼び方をします。

「しまつ」のよくできた偉大なドンファンには、「ぼんぼんを越えたぼんぼん」という意味で、「ぼんち」の尊称がおくられたという説は、どうやら小説家の勇み足らしいけれど☆、逆に、ものごとの本質をよくついている、と私などは思う。

算用にも巧みで、きちんきちんと勘定の始末もよくできる、ナニワの商人の内面には、ありあまる精力と活力がみなぎっていた。彼らは内面に抱えた精力を、商品が滞りなく流通する信用の空間で、思う存分使っても使い果たすことがないほどの野生を抱えていたのである。

在原業平や光源氏の、彼らは末裔である。業平や源氏も、宮廷生活で消費しつくせない野生を抱えて、家の外に出かけては「帳尻の合った遊び」に没頭した。偉大なる野生を抱えたぼんちは、いまいずこ。

番頭はんと丁稚どん

近世のナニワの商人《あきんど》世界のモデルになったのは、中世の「座」であり、この座はさらに古くからある「結社」（英語ではアソシエーションと言っている）の作り方からヒントを得ている。この結社というものの起源はさらに古くて、人類が生まれたばかりの、旧石器時代にまで遡るものである。

船場につくりあげられたナニワ商人の世界は、こういうとてつもなく古くからある、人類の知恵み

☆牧村史陽『大阪ことば事典』（講談社学術文庫）によれば、この説は小説家の創作だそうである。

番頭はんと丁稚どん。明治20年頃。（『写真集　おおさか100年』サンケイ新聞社）

たいなものを、貨幣経済の世界にふさわしいように変形し、つくり直して再利用した。そこにはむしろ未来の資本主義にとって大事になってくるかも知れないような、深い知恵がしまいこまれてある。

結社の組織は、厳格な年齢階梯《かいてい》制によっている。全体の組織が「老」と「若」にわかれ、入門したての若者は、経験豊かな大人の指導のもと、世界の秘密に属する知識を、頭ではなくからだを通じて、徹底的に叩き込まれた。スパルタやアメリカ先住民のつくっていた戦士結社の、これは商人版である。

結社には、大きな目的があった。それは世界に生命の豊かさをもたらすことである。有名なラスコーの洞窟には、旧石器時代の男性結社の人々によって描かれた、すばらしい動物の絵が残されている。洞窟の壁に絵を描くことで、動物がたくさん子供を産み、狩りがうまくいきますようにという魔術の儀式を、おこなっていたのである。

商人の世界でも、驚くほどそっくりなことがおこなわれていた。この世界には、お金を儲けるという、はっきりとした一つの目的があった。しかし商人同士の信用を第一とし、売り手と買い手が共に豊かになり、福利を増していき、最終的には商人世界を包み込む社会全体が豊かになっていくことをめざすことが、ナニワ商人の経営哲学の基礎となる考えだった。

つまり、古代の秘密結社と同じように、（商売によって）世界に豊かな富をもたらすこと、これが商人による信用結社のめざしていたことであった。動物を追う狩人であることもやめた。先祖のように鯨をつかまえたりもしない。商人は帳場に座って、算盤をはじき、商品の山を動かし、手形の決済に駆け回る。商人は資本主義の海から富を引き上げては、この世に福利をもたらす存在なのである。

さらに、その内部に目を転じてみると、そこがじつにみごとな老と若による年齢階梯でつくられていたことに、私たちは感動させられる。経験を積んだ大人が入社（入門）したての若者の教育を引き受け、商人世界秘伝の知恵を、厳しい試練を課しながら、からだをとおして徹底的に教え込む。これぞ、なにあろう、あの「番頭はん」と「丁稚どん」の世界である。

船場の商家には、下は十歳くらいから十六、七歳までの小僧さんが、たくさん働いていた。彼らは「弟子《でっし》」がなまって「丁稚《でっち》」と呼ばれた。その名前があらわすとおり、丁稚は商人道を学ぶために、船場道場に弟子入りしたばかりの「修行者」の卵なのである。

暗黙知はからだに叩き込む

山伏の世界でいえば「先達《せんだつ》」にあたる、若い番頭はんたちが、子供のような丁稚たちを直接にしごきあげる、厳しい先輩となった。しかしこの番頭たちも、もとはと言えば、先輩から厳しく鍛えられる立場の丁稚だったのである。だから番頭たちは、丁稚の心を、よく理解することができた。

修行の苦しさに丁稚が挫けそうになったとき、同じ年頃の子供が小学校に通っているのを見て、幼い丁稚がせつなそうな表情をしているのに気がついたとき、番頭はんは自分の弟子に、「このお店が、おまはんの学校やないか。一人前の商売人になれたとき、おまはんはもう使用人やあらへんのや。学校出た男を使うこともできるのやで」と言って、励ますことができた。

こうして、見所のある、辛抱のできる丁稚は認められて、番頭になれた。さらに番頭はんの仕事ぶりが認められて、これは優れ者やと認められれば、極楽とんぼのような「ぼんぼん」を差し置いて、自分の働いている商家のご令嬢である「いとはん」の婿に選ばれて、「旦はん」になることだって、夢ではなかった。商人道の修行者の世界は、実力本位なのである。

香村菊雄が『定本船場ものがたり』（創元社）に書いている、つぎのような番頭はんの説教のことばは、商人結社の思想をみごとに言い表している。

そら、丁稚の間はただ働きや。けど、このお店かて、おまはんに将来の金もうけの秘訣を教えてくれはるのに、一文の月謝も取りはらん。差し引き、あいこやないか。あべこべに、ここでは三度の御飯もただで食べさしてくれはる。（中略）丁稚いうもんは、就職したのとちがう。一人前の商売人になる修業道場へ入ったのや。

東洋ではあらゆる種類の「道場」が、ことばでは伝えられない暗黙の知恵を、身体的な訓練をとおして、弟子の心に注ぎこもうとしてきたものである。ことばで伝えられる知識は、学校で学べばよいが、ことばを越えた暗黙知は、からだを通じてでないと、弟子には伝わらないからである。

船場には、生まれたばかりの時期の、日本の資本主義の思想が、巨大なフォークロアの集積体として、番頭から弟子へと伝えられてきた。そうした思想は、言語化されないものがほとんどだったし、この世界には残念なことに、資本主義のフォークロアを研究する「柳田國男」がいなかったので、そうした暗黙の知恵の多くは、表面からはすっかり見えなくなってしまった。しかし、それが消えてしまったかというと、そうではない。現代の企業家の心の中に、それはいまも生き続けている。

幸之助と船場道場

パナソニックの創業者松下幸之助は、その少年時代を船場の丁稚として過ごした。尋常小学校の卒業を四ヵ月後にひかえた、満九歳の時、故郷の和歌山を出て、島之内の宮田火鉢店に丁稚として入り、三ヵ月後に、船場堺筋の自転車店五代商店に移った。以来、数年間にわたって、世界屈指の商人のための具体性の大学「船場道場」で、彼は幼い身体に、日本型資本主義の真の精神を叩き込まれたのであった。

成功者となって後年、松下幸之助はしみじみと、船場での丁稚時代を回想して、こう書いている。「ぼくの場合は、(丁稚時代の)生活体験がそのままぼくの人生観をかたちづくってくれたような感じがします」(佐藤悌二郎『松下幸之助　成功への軌跡』より引用)。じっさい松下幸之助くらい、船場の商人思想のエッセンスを活用して、たしかな思想をもって現代の経営に生かし得た経営者は少ない。

船場には、独特な資本主義の思想が、商人(町人)たちの手によって、時間をかけて練り上げられていた。それまでの日本人の思想は、たいがいのものが「自然と人間」をめぐっての思索だった。人間は自然に包み込まれた存在という面を強調する人々と、いや、人間のつくる人工的な制度は自然とは異なる面を持つと主張する人々の間に、いささかの対立はあったけれども、大きな目で見れば、どちらも人間は有縁の絆で結ばれた自然の一部であるとする考えでは、一致していた。そうなると、自然が生んだものでない貨幣などに、価値を見出そうという思想家は、いっこうに出てこなかった。

ところが、八十島のナニワを拠点として、自分たちの世界をつくりあげた商人たちは、無縁の原理をベースにすえて、伝統的な日本思想とは異なる「経営思想」を生み出したのである。それまでの思想では、ゼニが働くと、自然も人倫も破壊される、と考えられていた。ところが、船場の商人哲学者たちは、ゼニが私益や強欲のために使役されるのではなく、社会全体の利益を考えて利用されるときには、ゼニはこの世を豊かにする力を持つ、と主張した。

船場の自転車店五代商店に奉公していた10歳の松下幸之助と店のご寮人さん（明治38年、パナソニック株式会社提供）

そういう経営哲学は、書物の中に書かれたり、商人の創設した学校で講義されたりするだけでなく、新参の弟子である丁稚たちの身体に、直接叩き込まれた。商家の暖簾《のうれん》の内は、商人哲学を生きた知識として伝えるための「道場」そのものだった。

松下幸之助のような優れた若者たちは、その道場で、商人がゼニを正しく動かす思想を忘れないでいれば、商人道は社会を豊かに富ませていく、この世でいちばん重要な仕事となる、という経営哲学を体得したのである。適正な利潤を確保して、支払いと集金を厳密にするという「始末《しまつ》」を、きちんとすることが基本で、その上に立って、最終的には私益を越えて社会全体の富の増大をめざす。現代最高の経営者の身体に叩き込まれたのは、そういう船場の商人哲学なのだった。

甦れ、ナニワ資本主義

こういう松下幸之助の経営哲学は、ドラッカーの経営学と多くの共通点をもっている。それは二人の経営学がともに、「資本主義のフォークロア」とでも呼ぶことのできる、「暗黙知」の見えない巨大な体系に、根ざしているからである。

大学で学ばされる経営学には、なんというか「心がない」。経営をシステムの運用のための学問と考えているから、会社を動かしているのは人間の心であるという当たり前の真実が、そういうエリートの学問には見えないのである。それに人間の心に関することは、なかなか科学的なことばでは表現するのが難しい。ふつうの人が使っている、ふつうの表現の中に、当たり前の真実は隠されているものである。

そのために、この世界を資本主義のやりかたでどうやって経営するかをめぐる本物の叡智は、大学の学問の中には、めったに見出せない。ドラッカーも松下幸之助も、その本物の叡智を、フォークロアの中に見出そうとした。商人たちが常識として黙って実践している考え方、すぐれた企業家や厳しい番頭が見せる、具体的な言葉や動作や身の処し方の中に、隠されたダイヤモンドのように、そういう叡智はひそんでいる。

すぐれた商人は、いわゆる「局所合理性」などというものを信じていなかったから（そんなものを信じるのは、学者だけである）、この場ではたとえ損しているように見えることでも、大局から見ると、自分も益し他人も益し、ついには全体の利益になっていくものがある、ということがわかっていた。そういう真実を、狭い局所でだけ合理的であるにすぎない論理なんかで表現することはできない。それは暗黙の知識として、気の利いたフォークロアでしか、表現できないものなのだ。松下幸之助やドラッカーは、そういうフォークロアにひそんでいる叡智を、じっさいの経営や新しい疑似科学的な語り口の中に、みごとによみがえらせてみせた。

グローバル資本主義にもっとも欠けているのが、こういう叡智なのだ。現代の金融界に跋扈《ばっこ》しているディーラーやバンカーたちなどは、船場の商人から見たら、短期利益ばかりを追求して、本物の大局（グローバル）の全体的繁栄を考えない、偽物の商人たちばかりであるように見えることだろう。行き詰まった今日の資本主義を再生させることのできる叡智は、この八十島のナニワの、商人世界の歴史の中にひそんでいる。

第三部
ミナミ浮上

道頓堀
太左衛門橋
相合橋
戎橋
道頓堀橋
かに道楽本店
グリコネオン
松竹座
戎座
戎座
戎座
法善寺横丁
上方浮世絵館
卍
法善寺
(千日寺)
5m
千日前
なんば
刑場
ビックカメラ
千日前商店街
墓地
墓地
戎橋筋商店街
榎龍王
オリエンタルホテ
焼場
4m
なんば
グランド
花月
ワッハ上方
3m
南海

日、没するところ

西方の意味

こんにち「ミナミ」と呼ばれている地域の大半は、中世までは海の底だった。その頃大阪に住んでいた人たちは、上町台地の上から、この海を西の方角に見ていた。当時の大阪のもっとも重要な聖地は、四天王寺であったから、この寺に詣でた人たちは、夕暮れ時ともなれば、崖下に打ち寄せる波の向こうの海に没していく太陽の、息を呑むほどに美しい姿を眺めることができたはずである。

日没の美しかったその場所は、夕陽丘《ゆうひがおか》と呼ばれることになった。その崖下の海面下に、ミナミは広がる。未来のミナミに向かって手を合わせていた人々は、そこが心のなかの「西方」だと意識していた。ミナミは大阪人の深層意識には南方ではなく、じつは西方の土地と考えられていたのである。

古代人にとって、西という方角は特別な意味をもっていた。西はものごとが成熟して、没落していく方角である。東の山の端に現れた太陽のように若々しかった人も、いつかは年齢を重ねて成熟し、熟れきった果物のように落ちていく、その落ちていく方角が西であった。死者の魂が向かう方角であるし、中世になって浄土教がさかんになると、その方角ははっきり「西方浄土」の在処《ありか》だと、教えられるようになった。

人々は夕陽丘の崖上に立って、その頃にはまだない通天閣の方向に向かって、「南無阿弥陀仏」を唱えながら、祈りを捧げた。ミナミはまだ陸になっていない時分からすでに、生命や価値や意味が、無に向かって没落していく場所だった。生命は死のなかに熟れ落ちていく、価値は無価値に崩壊していく、意味は笑いといっしょに無意味となって弾けとんで行く。そういう成熟のときを、ニーチェは「とびきりの黄昏」と呼んだけれど、ミナミは大阪のなかでもとびきりに黄昏れている地帯である。

広大なネクロポリス

淀川の砂州形成史のだいぶ後半になって、ミナミは海から浮上した。葦の生い茂る砂地は、西に広がっては今宮や木津に陸地をつくり、南に伸びて住吉大社までをひとつながりにしていった。

秀吉の時代に、大坂城のまわりには東西の横堀川をはじめとするいくつもの水路が開削され、まず船場や天満が町場として整えられた。船場の南には長堀川を境として、葦の生い茂るもの寂しい土地が広がっていたが、そこも安井《やすい》道頓《どうとん》にはじまる道頓堀の開削工事が完成すると、たちまち島之内と呼ばれる町場を出現させるようになった。

（上）なんばグランド花月（下）安井道頓安井道卜紀功碑

はじめの頃は、その島之内の南の土地が、ざっくりとミナミと呼ばれたのである。島之内のにぎわいは、さみしかった道頓堀の向こう岸にまで拡張していった。道頓堀の岸辺には、たくさんの芝居小屋が立ち並び、人形浄瑠璃や歌舞伎がさかんに演じられる、芸能の界隈ができあがっていった。

こういう界隈は、その頃は「悪所」と呼ばれていた。芸能や売色は、世の中の秩序をつくる善の観念の、反対をめざしている。人間世界の決めごとは、すべてが人工によるものである。ところが悪所では、善が一生懸命に支えようとしている人工の秩序を、笑いや官能や快楽によって、人間の内なる自然に突き戻してしまおうとするのである。古い日本語の語感では、自然と悪と死は、ほとんど同義である。悪所に足を踏み入れることで、人は自然と死に、近づいていこうとしている。

ところが上には上があるもので、道頓堀の盛り場の裏手に回ると、そこにはさらに一枚上手のほんものの悪所が広がっていた。芸能はただ死や人間の内なる自然を、演じてみせているだけである。道頓堀の裏手、こんにち「千日前《せんにちまえ》」と呼ばれているあたりこそ、文字通りの悪所、死と自然がむき出しのままにさらされている地帯として、大阪一の「ネクロポリス（死者の国）」であったのだ。

人家もまばらなその土地は、広大な墓地となっていた。道頓堀を渡り、芝居小屋を通り抜けてしばらく進むと、竹林寺と千日寺（法善寺）という寺が立ち並び、さらに奥に進むと「火屋（火葬場）」の建物にたどり着く。そして周囲には、多くの粗末な非人《ひにん》小屋や聖《ひじり》たちの坊が立ち並んでいた。千日寺の前には、刑場もしつらえられていた。ここでじっさいの処刑がおこなわれることは稀であったとはいえ、獄門台の上にはいつも誰かの首が晒されてあった。

このあたりが千日前と呼ばれるようになったのは、法善寺で「千日参り」という行事が、盛んにおこなわれたからである。旧暦の七月一日にお参りをすると、いつもの日の千日分あるいは四万六千日分のお参りに相当するというので、大阪の人はよくその日に四天王寺にお参りをした。やがてこれが法善寺にも取り入れられて、こちらのほうが有名になっていった。法善寺はいつしか千日寺と通称されるようになり、火葬場に向かうその前の通りが、千日前と呼ばれるようになったのだ。

ネクロポリスを主宰するのは、いつでもどこでも仏教である。仏教はあらゆる類いの「没落していくもの」の味方であり、この世から没落していくものの魂を受け取って、それを浄土に送り込むという大逆転を引き受ける。ところが、それは魂というフィクションの上におこることであって、じっさいには死人はこの世に遺体という、じつに手に負えないものを置いていく。お坊さんはお経を唱えているだけでいいかも知れないが、葬儀でほんとうに重要なのは、遺体の処理をしてくれる人たちの仕事である。

それを一手に引き受けてくれていた人々こそが、かつての非人であった。のちに大阪きっての歓楽街に成長していくミナミの歴史を考えるとき、ここが昔は広大なネクロポリスであったことを知ると同時に、千日前の主要な住人であったこの非人たちが、いったいどういう来歴を持つ人々であったかを知っておくのは、とても重要だ。

（右）法善寺の水かけ不動尊（左）法善寺

封印された笑いの芸能

ミナミでいちばんの繁華街となった千日前界隈は、もとは広大な墳墓地であった。大阪には、このような大きな墓地が四ヵ所あったが、そのなかでも、千日前のそれは最大の規模だった。

エジプトのカイロ郊外などに、今も健在なネクロポリス（死者の国）と同じように、そこにはたくさんの墓守たちが住み、居場所を失った浮浪の民も、死者のやすらうその土地に流れ込んできた。ここは生者の世界が死者の領域に接する、縁の場所につくられているせいで、生きている人と死んでしまった人とが一堂に会する場所、生と死が混在している場所として、昔から特別の意味をもってきた。

不思議なことに、人類の社会では大昔から、笑いの芸能というものは、生と死が混在する機会や場所を選んで演じられるもの、という暗黙の決まりがあった。笑いを誘う人類最古の芸能と言えば、「謎なぞ」のかけあいにつきるが、これなどは生者と死者が同じ場所に集まる、お通夜の席でなければ、やってはいけないことになっていた。

謎なぞでは、日常の場面では、遠くに離しておかなければならない事柄が、機知の働きでひとつに結び合い、まるで生者と死者が同じ場所にいる、お通夜と同じ状態をつくりだしてしまう。だからふだんから謎なぞをかけあうなんてもってのほか、目の前に死体がおかれているお通夜のような状況でなければ、人類は笑いの芸能を封印しておこうとした。

だからこそ、ミナミの千日前はすごいのである。ここでは広大なネクロポリスを整地して、その上に、寄席やら見世物小屋やら芝居小屋が、それこそ雨後のタケノコのように出現した。座席の下に

ミナミ（上町台地＋千日前＋四天王寺）

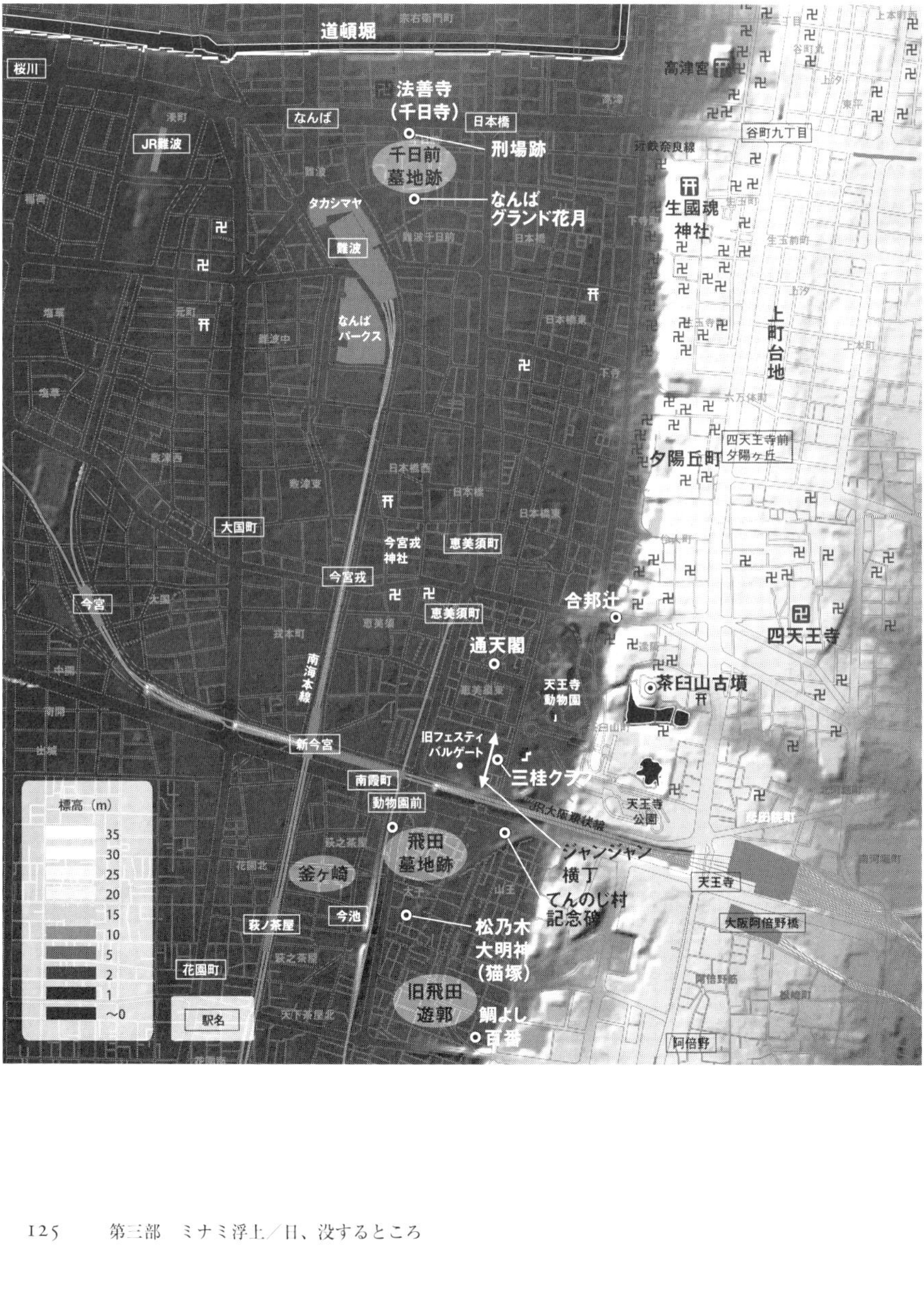

は、二百数十年もの間、営々と埋葬され続けた人骨が眠り、その上で吉本の芸人たちが演ずる「ふだんは離しておかなければ秩序が保てなくなるものをくっつけてしまう」芸に、人々は笑い転げてきた。

千日前の表通りにあたる道頓堀には、豪勢なつくりをした大劇場が立ち並んで、近松物の浄瑠璃などが賑々《にぎにぎ》しく上演されていたが、千日前の寄席や見世物小屋で演じられていたのは、ひどく庶民的で、上品ぶったところの少しもない、どちらかと言えばお下品な人類学的出し物ばかり。木戸銭も安いそれらの小屋で、仕事休みの日のプロレタリアたちが、屈託なく笑っていた。

まったくここには、むきだしの人類がいる。まるで、カラカラと歯を鳴らして、白骨が笑っているように、人々が笑っている。日本中を席巻し続けてきた大阪ミナミの笑いは、このようなネクロポリスの上に、比類のない成長をとげてきたのである。

てんのじ村記念碑

歓楽街ができる以前の、物寂しい千日前墓所に住んで、墓守をしていた人々には、聖《ひじり》と非《ひ》人《にん》という、二種類の人々がいた。

聖というのは、一応はお坊さんの格好をして、簡単なお経なら唱えることはできた。お葬式の儀式面を担当する人々である。非人は遺体の埋葬というずっと現実的な仕事にたずさわっていた。もともと彼らは、古代には同じ墓守ジャンルに属する仕事人であり、日本の芸能や宗教の歴史を考える上で、とても重要な役割を担ってきた。

聖なる墓守

そもそも墓守という仕事が生まれたのは、縄文時代の後期にまでさかのぼる。それまで縄文の村のお墓は、円環状に並んだ家々のまんなかにできた広場につくられていた。夜になると、人々がその広場に集まってきて、儀式をおこない、地面の下に埋まっている死者たちの霊といっしょに、歌ったり踊ったりした。だから、そこでは特別な墓守のプロフェッショナルは必要がなかった。

縄文時代の後期になると、それまで村の中心にあった墓地が、村から離れた山のなかなどに設けられるようになった。墓地は生者の村とまったく同じ円環の構造でつくられたために、「環状列石」と呼ばれる石の遺構が、その場所には残されることになった。

このとき、はじめて墓守という、死体と死霊の取り扱いのプロが、出現することになったのだと、私は考えている。墓守はふだんから墓地の一角に住んで、遺体の埋葬に立ち会っては、新しい墓の石組みを組んだりしていたが、日頃は墓地管理をおこなっていた。

じつは彼らはふつうの人ではなく、死霊とのコンタクトの技術を持つ職能人でもあった。そこで彼らは、年に一回（たいていは夏至の頃か）、近隣の村々から人々が集合しておこなわれる夏の「先祖祭」では、死霊の口寄せをおこなったり、死者を悼む「挽歌」を歌い上げる役目を担った。

遺体の処理人であると同時に、石立ての技にたくみな庭師でもあり、墓の清掃や花の飾り付けもする立花師でもあり、葬儀の式進行をつつがなくリードする送り人でもある。さらには、亡くなった人の霊を自分のからだに呼び寄せて、思いのたけを子孫たちに語って聞かせる、霊媒師（シャーマン）の役目もすれば、愛する人を失った悲しみを韻律にのせて歌う、詩人芸術家の役目も果たしていた。

こうして、日本の歴史に墓守というジャンルが登場した。彼らは、死の領域の近くに住んで、死者の霊にコンタクトしたり、呼び寄せたりもできる、特別な「聖なる存在」だった。じつのところを言うと、日本人が発達させた芸能、芸術の多くは、彼ら墓守の伝統のなかから生まれてきたのである。

埋葬儀礼のまわり

日本列島に古墳造営の時代がはじまると、墓守集団の存在は、いっそう大きなものになっていった。彼らはハード面とソフト面で、プロフェッショナル化を進めたのである。

古墳の造営には、石の切り出しと運搬、それに運んできた石をがっしりとした構造に積み上げることのできる、技術者が必要である。とくに権力者のための巨大な前方後円墳を築くためには、石を使った高度な土木技術が求められた。

この技術を持っていたのが、古い系譜を持つ墓守の集団だった。彼らのなかに「穴師《あなし》」と呼ばれる重要な集団がいた。そのなかには「柿本《かきのもと》」などという小グループもいた。穴師は石を切り出すだけでなく、積極的に鉱山の開発にかかわっていた。☆

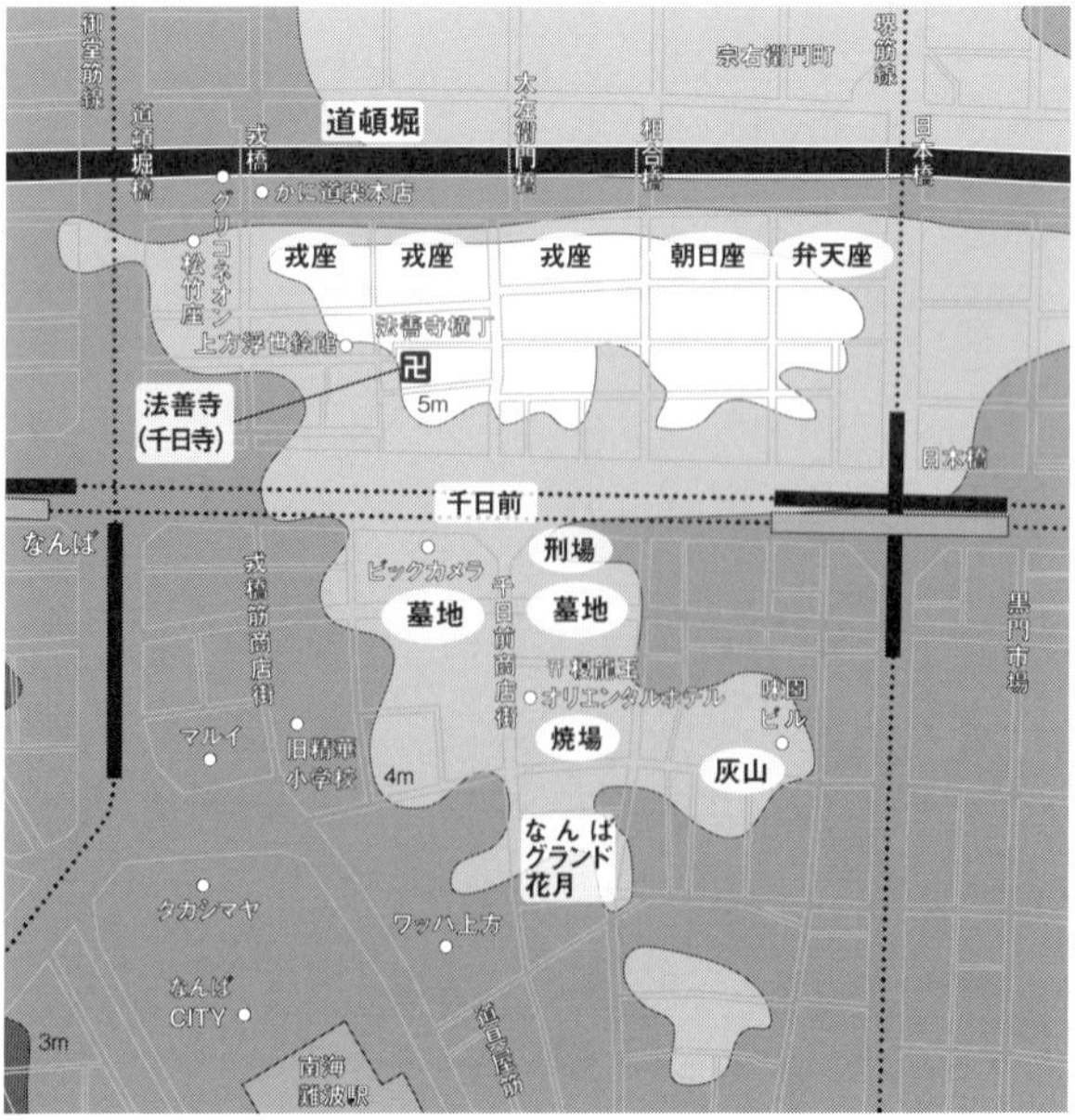

昔の千日前を重ねる

☆奈良三輪山麓の穴師村を拠点とする柿本一族が葬儀に深く関わっていたことは折口信夫・白川静の示唆による。穴師は古墳期にもたらされた新しい宗教思想をになった人々である。

法善寺近くの墓地

古代の埋葬に、大量の丹生《にう》（水銀）が必要だったからである。遺体を納める瓶や石棺の底に、真っ赤な色をした丹生を敷き詰めることで、魔除けにするのである。土木工事に長けていた穴師は、同時に山中に水銀の鉱脈を見つけ出す、「山師」の知識と技術を持つ、鉱山技術者でもあった。こうして、墓守集団のなかからは、石を扱う土木の技術者と、水銀を扱う鉱山の技術者が輩出した。

ソフト面での墓守たちの活躍もめざましい。墓守集団は、長期間続く「モガリ」の間、ずっと死体のそばに付き添っている。そこで、死を悼む挽歌を歌うのである。挽歌は古代日本の詩歌の原型になった。なかでも、三輪の穴師村を拠点としていた柿本集団からでた「人麻呂」たちのつくった挽歌は、抜きん出てすばらしかった。日本の言語芸術は、こうして墓守集団の才能によって、飛躍的な発達をとげた。

これらの墓守族は、技芸者として成功すると、しだいに墓地とのかかわりを失っていった。ところが、聖《ひじり》と非人《ひにん》と呼ばれる墓守人の一群は、それから後もずっと墓地に住み着いて、古代以来の墓守の仕事を忘れなかったのである。

聖は、葬式の儀式面のプロフェッショナルである。聖はもともと仏教とは、あまり関係がない。ほんらいは「日知り」と言って、暦や天体の運行の知識をもった、村の宗教者のことをさしていた。彼らは先祖霊の管理者でもあったから、渓谷の墳墓地などに住んで、そこに「ティラ」を営んだ。ティラは埋葬地の意味で、のちのちそこに「寺」が建つことになった。

そして、最後が死体の処理と管理の仕事である。墓守集団の受け持つ仕事のなかで、じつはこれがいちばん基本なのであるけれど、プロフェッショナル化してから以後は、それ専門の墓守の地位はがいして低かった。のちには「非人」などという、あまりありがたくない呼び名さえ与えられることになったが、じつは彼らは「聖なる技芸」に巧みな、古代の集団の末裔につながる者として、深遠なる来歴を持つ人々だったのである。

墓守は、このように山師や庭師からはじまって、聖や非人にいたるまで、死の周辺に発達したさまざまな技術と芸能を、一手に引き受けていた人々なのである。お能にしても歌舞伎にしても、日本が世界に誇る技芸のほとんどは、埋葬儀礼のまわりから生まれている。死の感覚が日本の芸能を育んできた。墓守の系譜を考えることなしに、日本の芸能や技芸の歴史は語れない。

聖から芸人へ

そういう芸能と技芸の、本質的なむすびつきが、大阪にはほとんどむきだしのかたちで、表面にあらわれている。とりわけミナミには、人類学者を驚喜させるものが、ごろごろと転がっている。

墓守は死を取り扱う職人である。葬式と埋葬の儀式をとおして、まだ生きている人は、自分を死者と切り離そうとする。愛情深かった昔の人にとって、死者との切り離しは、哀切きわまるものだったけれども、そうやって切り離しをおこなわなければ、生者の世界は保たれないというのも、また現実だ。そこで人々は、死や死者に関わることを、できるだけ日常からは、遠ざけておこうとしたものである。

ところが、墓守から生まれた聖や非人たちは、人々が自分たちの世界の「外部」に遠ざけたものの身近で、仕事をする職人だった。千日前のように、墓地は町はずれのブッシュに設けられることが多かった。そこは、ふつうの人たちにとっては、世界の内側に組み込まれた外部をあらわす場所だった。ネクロポリスとは、世界の内側にある外部なのである。

考えてみれば、芸能というものも、本質では「世界の内側に組み込まれた外部」なのではないだろうか。内側の世界では、表に出してはいけないとされているものを、巧みに口に出して、表にさらしてみせたり、タブーのかかっているもののカバーをめくってみせたりする。上手な話芸で、聞いている人たちの意識を、死者の世界に誘い込んだりする。はらはらどきどきさせて、死の領域に接近してみせては、また無事にこちらの世界に戻ってこさせる。芸能の魅力は、じつに墓地の構造にそっくりである。

興味深いことに、大阪ではそういう芸能が、しばしば墓地を舞台にして生まれるのだ。上町台地の生玉《いくたま》（生國魂）神社の境内で、最初の落語と言われる「彦八ばなし」が、演じられた。この神社は裏が険しい崖になっていて、そこには大きな墓地が広がっている。そして、漫才はと言えば、ネクロポリスの上に開かれた千日前を、揺籃《ようらん》の地とする。

墓地から演芸の繁華街へ、聖からお笑いの芸人へ、そこには一貫した思想が流れている。芸能の王とは、なにあろう死なのである。

千日前法善寺の神

処刑場から見世物へ

千日前法善寺の向かい側、墓地への入り口近くに設けられていたのが、処刑場だった。明治になって、公開の処刑が禁止になるまで、ここでは多くの罪人の処刑がおこなわれていた。

ふだんはもの寂しいこの界隈に、処刑がおこなわれるという日になると、たくさんの見物人が群集した。処刑される人のパーソナリティにもよるが、ときおりその場は、華やかなショーのような雰囲気を呈した、と記録されている。

たとえば、千日前の刑場で最初に首を切られたのは、大阪中を騒がせた七人組の兇賊《きょうぞく》だったが、この連中が奉行所に申し出た要求は、なかなかに豪勢なものだった。まずは衣装である。七人が七人とも、華やかな芝居衣装で悪党人生の最後を飾らせてほしい、と願いでた。

寛大な奉行所の手配によって、彼らが身にまとったのは、目も綾《あや》な芝居衣装だった。白浪五人男を思わせるような派手な四天《よてん》伊達巻の衣に、重ね草履を高々とはき、織物丸縫の帯を後ろで大きく蝶々に結んで、道頓堀筋《どうとんぼりすじ》をゆるりゆるりと、役者のような足取りで練ってきた。

これには、見物衆も度肝を抜かれた。兇賊たちの心根の伊達ぶりを褒めそやすもの、粋な計らいのできる奉行所の懐の深さに感心する声などなど、どう見ても、犯罪者の処罰の場所とは思えない空気

が、その日の道頓堀から千日前にかけての通りには満ち満ちていた。

刑場に到着して準備が整うと、七人は災難よけのお守りである千匹猿を首に掛けてもらい、顔隠しをされて、そろそろと順番に首切り場へ案内されていった。ここで辞世の句が、声高々と朗唱された。最初の囚人の一句、「雨あられ雪や氷と隔つれど落れば同じ谷川の水」（これは他人の句の盗用らしい）。辞世を三遍唱えたところで、歯切れもよく、首切り役人に「さあ、お頼み申します」と呼びかけると、手慣れた役人の手で、ポンと首がはねられた☆。

処刑されるものたちは、道頓堀の芝居小屋で演じられている悪党物の芝居を模しているのだけれど、見物人には、芝居小屋のはたんなる芝居だけれど、こっちのほうは芝居よりもずっとリアルな、むしろ宗教的な荘厳さにみちた、ほんものの儀式のように、感じられていた。たくさんの見物人の目を釘づけにした処刑ショーを、たんなる政治的な見世物と考えてはいけない。そこに噴出しているのは、人類の心の奥にひそんでいる、残酷な「古代性」にほか

☆このあたりの記述は南木生「五十年前の千日前」（上方郷土研究会『上方』第十号、一九三一年）による。

ならないのだ。

聖なるミナミ

処刑の原型は、古代の供犠(サクリファイス)の儀式である。昔の人たちは、見えない神を一瞬見えるものにしたいがために、サクリファイスの儀式をつくった。この儀式の形式が、そのまま刑罰としての処刑として、生き残ったのである。

サクリファイスの儀式では、まず犠牲として神に捧げられる人間や動物を、選ばなければならない。身体のどこかに、なにか特別な印がついていたりすると、最高の犠牲として尊ばれる。サクリファイスされる人間も動物も、ありきたりの存在であってはならないからである。犠牲者は美しく飾られて、儀式の場に臨むのである。

供犠台にのせられる前に、犠牲者を社会から切り離す儀式が執り行われる。犠牲者はもう人の社会に属するものでもなくなって、神の世界に吸い上げられていく「最後の瞬間」を待ち受けることになる。異様な静けさがあたりを包み込む。その刹那、神官の手にした刀や斧が、犠牲者に振り下ろされる。

その瞬間に、見物人たちは「見た」のである。超越の世界の空の天井が、わずかに開いて、そこから神が姿をあらわし、犠牲者の魂をむんずとつかんで、超越の世界に引き上げるのを。その瞬間ののち、ふたたび天井は閉ざされて、神々の姿は見えなくなる。

この瞬間に神を「見る」というよりも、たしかに神が「見えた」と信じるために、人類はサクリファイスの儀式を続けた。シャーマンのような特殊な才能をもった人なら、幻覚のなかで神を見ることもできたのだろうが、サクリファイスは、見物人のみんなが、その場で神を「見た」という瞬間を共有できるために発明された、残酷な神聖装置だった。

近世の社会では、この古代的なサクリファイスの儀式から、宗教性を抜いて、刑罰をあたえる方法として、その形式が利用された。犠牲者になるのは、犯罪を犯すことによって、社会の外に決定的に（つまり死をもって）追放されなければならなくなった人々であり、古代の神官の役目を果たすのは、墓場の聖職者の末裔である非人たち、そして、儀式のおこなわれた祭の庭が、刑場に姿を変えたのである。

明治の文明開化の世の中になって、千日前の刑場はなくなり、その跡地には、寄席や見世物の小屋が林立した。私たちは、そこに驚くべき歴史の一貫性を発見することになる。

驚異の怪物たちを見世物にすることで、興行人たちは古代人のように、人々に世界の縁（へり）を見せようとしていた。人間の世界はここで終わり、その先には言語道断の異界が広がっている。サクリファイスの犠牲者と同じように、見世物にされた怪物は、世界の天井が開いて、一瞬間だけ超越の神が顔をあらわすかも知れない、という期待に応えようとしていた。

まことにミナミは、古代宗教の精神の生き残る、聖なる土地である。刑場から見世物へ、そしてお笑いの王国へ。ここはいつも世界のへりなのだ。驚くべきはミナミの一貫性である。

地上からちょっとだけ離れて

明治七（一八七四）年の政令で、千日前の墓地は廃止と決まり、跡地は市街地に開発されることになった。この墓地に並んでいた墓は、天王寺村に開かれた阿倍野《あべの》墓地に、まとめて移住させられた。

こうして千日前には、灰山と寺と火葬場の跡だけを残して、広々とした空き地が残されることになった。このもの寂しい千日前に、まっさきに進出したのが、見世物小屋である。処刑場の跡地に見世物の小屋が建つというのは、まったく理屈にかなっている。見世物の元祖と言えば、お寺でおこなわれる御開帳であるが、そのときには、ふだんは秘仏として御厨子《みずし》のなかにしまわれている仏様の像が、扉を開いて御開帳されるのである。

日常生活では隠されている秘密の光景を、扉を開いて見せてくれるのが、見世物である。その意味では、生きている者の世界のなかに、突如として死が出現する瞬間を見せる処刑も、秘仏の御開帳も、化け物や怪物の見世物も、みな同じカラクリで出来ている。人間という生き物は、自分の認識力の限界領域でおこる、さまざまな驚異の出来事を見たいばかりに、わざわざ遠くの悪所や名刹にまで、足を運んでいくのである。

歓楽街としての千日前は、お笑いではなく、まず見世物で有名になった。ここで忘れてならないのは、藤原重助《じゅうすけ》という葬儀屋の息子の功績である。この男が、千日前で見世物を興行として成功させてくれたおかげで、千日前と言えば墓地という定評が薄らいで、新しい歓楽街への発展がはじまったからである。

重助という人、口八丁手八丁のいたって調子の良い切れ者で、出入りの坊の聖たちをうまく口車にのせて、心中で有名な笠屋《かさや》三勝《さんかつ》の法事にかこつけ、表向きは法善寺御開帳と謳って、心中の場面を演出する見世物を興行し、大当たりをとった人物である。その後も重助は、つぎつぎと新機軸の見世物を打ち出し、千日前が大阪一のエンタの街に成長するきっかけをつくった。

自転車とパノラマ館

しかしこの男は根っからのアイディアマンであった反面、金儲けにはあまり興味がなく、市街地開発が順調に進みだすような頃になると、すっかり落ちぶれてしまっていた。新しいことにしか興味のない人であったから、営業的な成功などには、あまり心を引かれなかったからである。

その重助の目に、ある日のこと、輸入がはじまって間もない自転車という存在が、とびこんできた。重助は天才的な興行師の勘で、こいつは千日前にふさわしい商売ものになる、と直感した。急いで金をかき集め、三輪自転車を何台か買い入れ、旧墓地の入り口にあった極楽橋のたもとで、日本初の貸自転車屋を開業した。私は千日前と自転車を結びつけた、このときの重助の不思議な直感に、ひどく惹かれるのである。

千日前から難波へ

まだ自転車がもの珍しかった頃、貸自転車屋は大繁盛した。道頓堀の辻から極楽橋まで、自転車に乗って往復するだけのことであるが、人々は不思議な新感覚を味わうことができた。

自転車に乗ると、絶妙な距離で、地上からフワッと浮き上がることができる。ペダルを一漕ぎすると、自転車は軽快に走り出し、まわりの景色は、どんどん後ろに流れていく。こうして自転車に乗った人は、地上を歩いている人々の生態やまわりの景色を、地上から少し浮き上がった場所から、フワフワと浮遊する状態を保って、空中から傍観することができる。

自転車がもたらした新感覚の秘密がここにある。自転車に乗ることで、人は地上の生活から離脱した感覚を味わうことができる。完全に地上生活から離脱してしまうと、ほんものの死者になってしまう。ところが自転車に乗ることで、人々は生きたまま「プチ離脱」を果たす快感を味わうのである。しかも自転車が走っているのは、灰山へと続く千日前道。

「自転車に乗れば、あなたはほんの少しだけ死者の感覚を味わうことができます」というのが、貸自転車業を成功させた、藤原重助の発見だったのではないだろうか。そして、あらゆるエンターテインメントの秘密も、そこに潜んでいる。エンターテインメントに夢中になっている間、人は日常の心配やわずらわしい人間関係から、しばしの間、プチ離脱を果たすことができる。そのとき、人は地上からほんの少しだけ浮き上がった場所から、自分をとりまいている地上世界を見下ろす「目」を、手にいれることができるが、その「目」はじつは死者の視線と同じ構造をしているのだ。

この自転車の生み出す「離脱の感覚」と、そっくりな仕掛けでできているのが、もう一つのミナミの名物であった「パノラマ館」であった。パノラマの仕掛けは巧妙にできていた。建物の内部の壁に景色や戦闘の場面などを描いた絵を張り巡らし、その前に画中のものと見分けのつきにくい実物やはりぼてを置いて、見る人を中央の展望台に立たせるのである。これで、歴史上名高い戦闘の場面などを、適度な上空から見下ろしている感覚をつくりだそうとした。

　パノラマの仕掛けによって、地上にくり広げられている戦闘のシーンを、上空から見ているのは、じつはたったいま死んで、身体を離れたばかりの兵士の意識にほかならない。死んだ兵士は、生を離脱することによって、ようやく静かな心で、人間たちの営みを、地上から少し離れて、傍観していることができるようになった。そういう死者の視線を体験させることで、パノラマという娯楽は、観客にプチ離脱の快感をあたえようとしていた。

　だから、エンターテインメントの都は、千日前のようなネクロポリスと処刑場の廃墟の上に生まれる必然性があったのである。「地上からちょっとだけ離れて」、それがエンタの神のキャッチフレーズである。

萬歳《まんざい》から漫才へ

　上本町の荒物屋の主人であった吉本吉兵衛《きちべえ》が、芸人道楽が嵩じて、家業をほったらかしの末、妻せいの勧めもあって、天満天神境内に寄席経営を始めたのが、明治の末年のこと。それから経営は順調にのびて、桂派とか三友派といった、落語主流の守旧派をしだいに圧倒していった。吉本興行部（現在の吉本興業）のはじまりである。

　落語に軽口、俗曲、踊りに琵琶や奇術などを混ぜ込んだ、いわゆる「色物」を得意とした吉本は、大阪落語の中心地の一つであった法善寺横丁に乗り込んで、老舗の金沢亭を手に入れると、そこを「南地花月」と名づけて、彼らの檜舞台とした。当時はあの狭い横丁に、たくさんの寄席がひしめきあっていた。

エンタツ・アチャコ

この南地花月の檜舞台に、一九三〇年のこと、花《はな》菱《びし》アチャコと横山エンタツのコンビがデビューした。この二人、もともとが「萬歳《まんざい》」の出身であった。その頃の萬歳は、「仁輪加《にわか》」と呼ばれる軽口コントに、音頭や新内節の音楽的要素を加え、踊りもすればハリ扇で叩きもするという、いたって雑駁《ざつぱく》な芸能だったが、もとはと言えば、三河萬歳や秋田萬歳などを兄貴分とする、古代中世以来の神事芸能からの分かれである。

萬歳師は、独特の衣装をまとい、鼓などの楽器を手にして、舞台に登場した。ところが、アチャコとエンタツの舞台衣装は、サラリーマンのような背広姿、楽器もなければ、歌も踊りもやらないで、ただただ「喋《しやべ》くり」に徹したのだった。のんびりした謎かけごっこもしない、コテコテの大阪弁も使わない。「君」と「僕」のかけあいで、ポンポンポンとハイテンポの喋くりの連続である。

「漫才」が古い「萬歳」の世界に、殴り込みをかけたのである。殴り込みを演出したのは、吉本せい率いる吉本興業。落語も含めて、古くからの芸能は、ここ千日前の寄席において、新しいタイプの芸能からの、奇襲攻撃を受けていた。とはいえ、観客の意識はまだ旧式になじんでいたので、アチャコとエンタツの舞台などは、はじめの頃はボロカスにこき下ろされた。

「喋くりだけの萬歳なんてあるかァ、へっこまんかァ、軽口聞きにきたんちゃうどォ、早よ萬歳せんかァ」

それでもめげずに、アチャコ・エンタツは彼らの喋くり漫才を続けた。背後で彼らを支えていたのは、プロレタリア文学運動の作家やジャーナリストたち。のちにはそこに「現代大阪漫才の父」である秋田実も加わった。考えようによっては、彼らの漫才はプロレタリア芸術の一翼を担っていた、とも言える。

この芸能戦争は、私たちもよく知るとおり、吉本興業の圧勝に終わる。歴史はつねに勝利者の側の視点から描かれる。そのために、私たちはいつも、歴史の半面しか知らされることがない。萬歳が漫才にとって代わられることによって、いったい何が消え去り、何が変わらずに残ったのか。それを、勝利者のまなざしとは別種の視点からも、考え直してみる必要がある。

民主的な南方からの神々

太夫《たゆう》と才蔵《さいぞう》の組み合わせで演じる、古くからの萬歳の芸能は、神々の来訪の様子をイミテーションしたもの、と言われている。日本の古い神々には、高いところから垂直に降りてくるタイプと、海の彼方や洞窟の奥から水平にあらわれてくるタイプとの、二つのタイプがいた。北方の大陸からこの列島にやってきた人々は、垂直系の神々を信仰していたが、南方の島伝いに渡ってきた人々の心には、遠い海の彼方からやってくる水平系の神々が、生き続けた。

海の彼方から水平に渡ってくる神々のことを、折口信夫《おりくちしのぶ》という民俗学者は「まれびと」と呼んだ。「訪問者」という意味である。このまれびとの神は、よく二人一組であらわれた。一人の神はいかめしいまじめな様子で、人々に大事なことを伝達しようとした。ところが一緒についてやってくるもう一人の神のほうは、どことなく不格好で、まじめな相方の神様の伝えたことに、いいかげんな混ぜっ返しをして、意味をこんがらがらせようとする。

萬歳は、古代からのこの南方系の神々の訪問の様子を、さらにおもしろおかしく真似した芸能である。自分の神聖性を人間の世界よりも高い世界から供給する北方系の神々とちがって、南方系のまれびとの神は、「遠くからやってきた」ということだけが、神聖のよりどころであるから、もともとがいたって民主的な性格をもっていた。

しかも、神様でありながら、「正しいこと」を言うだけでは不十分と考えて、「正しいこと」には裏もあり、世界をいちがいに「正しいこと」だけで運用するのは無理があると伝えようとして、まれびとの神はいつも「正しいこと」を言う神と、それを混ぜっ返す神のコンビで、出現してきたのだった。

まれびとの神は「福神」とも呼ばれた。まじめな神は、ものごとに秩序をもたらすことはできるが、それだけでは生命力は衰えていってしまう。そこへ生命力は過剰しているけれど秩序が足りないという、混ぜっ返しの神がいっしょになると、この世に真実の豊かさがもたらされる。そのため福をもたらす神の中には、どこか悪魔的な神の姿が、隠されている。

この神様コンビの構造を、そのまま生かして、萬歳芸は生まれたものである。萬歳は太夫と才蔵がコンビになり、まじめそうな太夫の芸を、そばにいる才蔵がいちいちデフォルメして応答するのだ。

萬歳のなかには、まだ古代的な宗教性が残っていて、太夫と才蔵は喋くるだけではなく、楽器を奏で、おめでたい歌を歌い、こっけいなしぐさで踊った。そして観客のほうも、萬歳芸人の背後に、古代以来の福神様を感知して、気持ちを豊かにしたのである。

アチャコとエンタツの漫才コンビは、この萬歳の構造を壊すことによって、そこから新しい「幸福感」を引き出してみせたのである。萬歳が漫才に変わったとき、ほんとうの現代がはじまった。吉本興業の革命性の秘密は、ここに潜んでいる。

エビスの記憶

同じ寄席の出し物を構成している関係上、いまではすっかり曖昧になってしまったが、漫才と落語はほとんど共通点のない、別々のところに生まれ、別々の発達をしてきたものである。

落語は、仏教の「説教」から発達してきた。仏教のお説教では、導師が高壇に登って、集まった善男善女に仏の教えを説く。はじめのうちは、聞いている相手の能力などおかまいなしに、ずいぶんと高級な説教が平気でおこなわれた。

ところが仏教が庶民化するにつれて、同じ教えを説くのでも、わかり易いエピソードなど交えながら、面白おかしい説教を上手にする導師のほうに、人気が集まるようになっていった。そうなると、導師のほうも話しぶりに磨きをかけて、ぐんぐんとタレント度を増していくようになり、説教の集まりはさながら演芸会のような、打ち解けて華やいだ雰囲気に包まれるようになった。

そのうちに、お寺とは関係なしに、講釈や説教を芸として持って回る連中も、あらわれてきた。最初のうちは因果応報を説く話題が多かったが、しだいに仏教からも離れて、自由な話題をそれぞれの語り口で、面白く語るようになった。そういう歴史の果てに、高壇ならぬ高座に登って、話術も巧みにこの世の真実を語る、落語家というものが出現してきた。

ところが、漫才の起源は、およそ仏教史とは関わりのない、別のところにある。それは環太平洋をめぐる民族移動の歴史のなかに潜んでいる。漫才の原型は、萬歳という古くからの芸能にあるが、その萬歳にはさらに古い原型があって、それは南方の島々を伝って、私たちの先祖が海の民としてこの日本列島に渡ってくるときに、いっしょに携えてきた古代の神々のお祭りの記憶に、根ざしている。

南方的な海民の神様は、時を定めて、海の向こうからやってくる「来訪神」である。目に見えない神社の神様とちがって、来訪神ははじめから、人間の肉の目で自分らの姿が見えるように、不思議な仮面をかぶり、植物でできたゴージャスな緑の衣を身にまとって登場する。手にはハリ扇ともファロスとも見える棒のようなものを握り、身体を揺すって踊ったり、不思議な呪術のことばを歌ったりもする。

会津萬歳（小沢昭一『日本の放浪芸』白水社）

この神様は、遠方の見知らぬところから来る神という意味で、「ヱビス」とも呼ばれたが、このヱビス神がやってくると、日本人の先祖たちは「富」や「幸」を連れてきてくれると言って、とても喜んだ。ヱビス、別名をヒルコ（蛭子）とも言い、小さな身体に障害を抱えた、笑う神でもあった。

ヒルコは未熟児のままに生まれた神である。自然の懐から人間の世界に送り出されてきたのに、人間の文化や秩序にはおさまりきらない、過剰した部分を抱えていた。そのために、ヒルコの身体はぐにゃぐにゃと定まらず、幼子のように無邪気に笑っていたかと思うと、人間たちの秩序の世界を凍りつかせるほどに恐ろしい、真実の言葉をしゃべってもみせた。

南方的な来訪神は、自然の神であり、死の領域の神である。そのためにどこか悪魔的な感じもする神だったが、そういう魅力的な神と接触するたびに、海民たちは富と幸が増殖したような気持ちになれた。この神の記憶が、日本人の心の深層部に、深くしまいこまれてきた。萬歳という芸能は、その深い記憶から生まれてきた。

不条理の萬歳

遠くから来訪する神であるヱビス＝ヒルコは、子孫たちに人倫を説く先祖であると同時に、カオスをかかえた自然神でもある。昔の人は、こういう神を迎えることで、自然からのエネルギーを受け取るとともに、それに秩序をあたえて、人間にとって役に立つ富に変えようと思っていた。来訪神のなかには、二種類の神が仲良く対立しながら、共存していた。

萬歳は、こういう神秘的なりたちをした神のお祭りのなかから、宗教的な部分を取り除いて、見て楽しめる面白い芸能に作り替えたものである。萬歳師たちは、誰にでもわかり易くするために、来訪神のなかに潜んでいる二種類の神を、太夫と才蔵に分裂させて表に出し、この二人に掛け合いをさせることで、世の中をほっこりさせる福神の効果だけを、ちゃっかりいただこうとした。

こうして、あの萬歳のスタイルが決まっていった。はでな衣装に身を包み、手には鼓を持って、チャカポコチャカポコとにぎやかに囃《はや》しながら、人家の門口に立って、これでもかというぐらいおめでたい言葉で、相手を誉め上げるのである。太夫さんは威厳があり、才蔵のほうはなんとなく剽軽《ひょうきん》な身振りで、太夫さんの言葉をちゃかしたり、混ぜ返したりする。その様子を、笑いながら見物しているうちに、どこからか自分の家に幸福が舞い込んできたような、不思議な感覚がわいてくる。

太夫と才蔵の、この組み合わせが、おめでたい感覚をつくりだしていたが、もとはといえば、原型であるエビス来訪神のなかにもセットされていた、カオス的な生命力が、人を笑わせ、癒しているのである。この神は、海の彼方からやってきた。萬歳のなかには、この古い記憶が残存していて、お正月になるとどこからともなくやってくる芸人たちの来訪に、人々は不気味で魅力的な「聖なるもの」を感じ取っていた。

落語が「高い座」から語りかけてくる、理性的な笑いの芸であるとしたら、萬歳とその近代の末裔である漫才は、どこか遠くからふらっとやってきて、不条理なカオスの力で笑わせて去っていく、一種異形の芸である。この海民系の不条理の芸が、もともと海の底であった大阪のミナミで花開いたことには、なにかとてつもなく深い意味が隠されているのではないか。

シャーマン・吉本せいの選択

「今日では、神秘はむしろキオスクに宿る」

十九世紀末のフランスの大詩人マラルメのことばである。現代では、教会堂の祭壇に神秘を見つけようとしても、無駄である。観光地となった聖地に出かけてみても、そこにはもはや何もない。現代では神秘はむしろ、新聞売りのスタンドの一隅に発見される。何気ない日常の光景のなかに、天使は何気ない格好をして、姿をあらわしている。

大阪にほんものの現代があらわれた時代、マラルメのことばどおり、神秘はミナミの繁華街の、何気ない寄席の舞台の上に出現した。遠い海の彼方からやって来て、人々に幸福と富を約束して去っていった神の記憶は、海民の開いた都市である大阪に、低い通奏低音のようにうなりを発しつつ、生きながらえていた。

それは長い間、萬歳という古い愛敬芸能として伝えられてきたが、大阪に現代がはじまろうとしていた時代、その生命力はすでに尽きていた。しかし、異界から来訪する神が、人間に伝えようとしていた神秘は、新しい時代がやってきても、死に絶えることはなかった。それどころか、現代のはじまりを迎えて、神秘の主はむしろ高揚感を感じていたのである。

古い神の衣装は脱ぎ捨ててしまおう、手に持つ楽器も扇ももういらない、踊るからだも封印してしまおう、残されたのはただ口だけ、その口から放たれることばの力だけで、何気ない日常のまっただなかに、神秘を出現させてみせようではないか。

その神秘の主の選んだのが、吉本せいという女性シャーマンだった。せいは持ち前の勘で、自分のなすべきことを知っていた。彼女は、古い海民の神の願いを聞き入れて、萬歳に革命をおこそうとした。最初に登場した革命児が、アチャコとエンタツであった。彼らは物部守屋の首が埋まっている玉造村からやってきて（ここが古代の笑いの発祥の地であることは、第一部の「四天王寺物語」に紹介したとおりである）、千日前の舞台に、新しい笑いを炸裂させた。

舞台に立ったアチャコ・エンタツのいでたちには、もはや古代の神の来臨を感じさせるものは、なにも残っていないように思えた。儀式のなごりを残すはでな衣装のかわりに、サラリーマンの着るような画一的なスーツをまとい、そのからだからは音楽も踊りも奪われて、単調な労働者のしぐさばかりが残った。

上方方言との強い一体感もなくなって、土地へのしばりから解放された都市生活者の軽快さで、二人は、自分たちのまわりに粉末か粒子のようになった死のイメージを、散布していたのだけれど、彼らの「漫才」が、じつは死の世界から栄養を得ていることに気づくものは、ほとんどいなかった。まさに、キオスクに出現する現代の神秘にふさわしい、みごとな偽装ぶりであった。

来るべき漫才

ここから現代の笑いの芸の歴史がはじまったと言っても、過言ではない。この革命は、大阪に起こる必然性があった。

この土地に最初に到着した海民は、未熟と不具性を内面に抱えた神を、深く信仰していた。海民たちは、流動する水の上に生きてきた人たちだけあって、固い台地の上に立派に出来上がった世界をあがめることは嫌いだったが、世界がカオスのなかから生成してくるのをながめるのが、好きだった。固定した意味はちっとも面白くないけれど、意味が生まれたり、壊れたりするプロセスには、大いに関心があった。そのあたりが、農民との大きな違いである。

ここから、大阪に独特な言語コミュニケーションの発達がおこった。意味の中身を伝え合うのではなく、意味らしきものを伝え合っている、そのプロセスのほうに重点がおかれた。意味の固い層の下

横山やすし

を流動している無意識の流れを、ひょっと会話のなかに紛れ込ませる技に、高い評価をあたえた。とうぜん、会話は笑いにあふれることになる。笑いのおかげで、きっちりした意味などは吹き飛んでしまうけれど、笑うことで、意味よりも重大なことが伝わる、というフロイト流の考え方が、大阪人のなかに育っていたのである。

漫才は、こういう大阪の言語コミュニケーションの文化の上に華開いた、現代の神秘なのである。イザナミとイザナギの神話が語っているように（その神話の舞台は淡路島である）、宇宙のかたちや秩序や意味は、すべてカオスのなかから生まれ、カオスのなかに崩れさっていく。その様子を演じた古代の儀式を遠い先祖とする漫才は、自分の体内深くに、生まれ出てくる子供の抱える未熟さや、この世でうまく行動できない不具性や、死の近くにいるものたちへの愛情を、セットされている。だから、漫才が炸裂させる笑いには、ひそかに毒が含まれることになる。

しかし、横山やすしは早死にし、東京に出てきた松本人志は、テレビの解毒作用にやられて、いまでは息も絶え絶えだ。吉本興業の若手お笑い芸人は、雨上がりの森のなかのキノコのように繁茂しているけれど、毒を期待して食べてみても、調子がいいばかりで、しびれはいっこうにやってこない。

漫才のなかで、何かが決定的な変化をおこしてしまった、という噂は本当なのではないか。来訪神から萬歳へ、萬歳から漫才へと、神秘の神の器でありつづけたこの芸能から、あきらかに何かが消えかかっている。

いまから八十年前に、千日前の寄席にはじめて出現した、現代の神秘は、もはやいまの漫才のなかには、宿っていないのかもしれない。キオスクのつぎに、神秘はどこにあらわれるのだろう。私は狂おしく、つぎの時代の漫才、つぎの世界の神秘の器である、おそらくは別のかたちをしているにちがいない、来るべき「漫才」を求めている。

すばらしい新世界

モダニズムの夢

上町台地を走る四天王寺参道を西方に外れると、そこは崖になっていて、崖の下は「荒陵《あらはか》」という古代の地名にふさわしい荒地になっていた。崖沿いには大きな岩がゴロゴロところがり、葦原のそこここには大小の沼地が散在していた。ほとんどの土地は、零細な個人の私有地になっていた。

明治の末年に近くなって、そこを大阪土地建物株式会社が取得した。この土地会社は、そこに一大テーマパークを建設しようという、いかにも大阪らしい破天荒な計画を抱いていた。そうして出来上がった歓楽郷には、はじめ「新巴里《パリ》」や「第二千日」という名前がつけられそうになったこともあるが、結局は「新世界」という命名に落ち着いた。この名称がしめすとおり、新しい歓楽郷のテーマは、「モダニズムの夢」なのであった。

モダニズムは古い世界との縁を切る、という意味を持つ。古い世界をつくっていた社会の仕組みや因習を壊して、まっさらな更地の上に新しい世界をつくる、というのがモダニズムのもともとの理想である。そしてその新しい世界は、完璧な人工的設計にもとづいて、建設されなければならない。古い時代の自然は没落して、これからは人工の自然を楽しむ時代がやってくる。テーマパークは、新しい時代をまず遊びをとおして先駆けする場所として、先進国の都市につぎつぎと出現していた。

通天閣

そういうテーマパークが日本でつくられるときには、まずまっさきに大阪につくられなければならないだろう。なぜなら、日本の都市のなかで、大阪くらいパリに似ているところも少ないからである。パリはセーヌ川の中州につくられた市場から発達して、ヨーロッパ大陸でまっさきにモダニズムに突入した都市である。大阪もまた淀川河口に堆積した土砂がつくった「八十島」の上につくられた、根っからの商業都市として、近代の資本主義とは、すこぶる相性が良かった。

それにこの都市の土台をつくった海民や渡来民は、もともと古い世界と縁を切って、ここに自分たちの新世界をつくってきた人たちである。長い封建制のなかで、すっかり絆や縁にがんじがらめの世界ができあがってしまったとはいえ、自由な無縁世界への夢が、大阪人の心の奥には生き続けていた。そんなわけで、大阪のモダニズムは、ただの新しいもの好きの東京のモダニズムに比べると、いっぽん筋の通った本格だったのである。

そんな大阪の夢見ていたモダンの歓楽街が、千日前のさらに南方の荒地に出現したのである。そこにはパリのエッフェル塔によく似た通天閣があり、ニューヨークのコニーアイランドそっくりなルナパークもあり、そこから放射状に広がる道の両脇には、数えきれない程の寄席や劇場や映画館やレストラン、食堂、バー、飲み屋などが林立した。

はじめのうちこそ新巴里をめざして、人工美を誇っていたはずのこのテーマパークも、たちまち大阪人の無意識の欲望を吸い込んで、またたく間にゴチャゴチャのカオスモスに変貌してしまったけれど、「モダニズムの夢」の空間をめざした、初期のけなげな思いは、いまでもじんじんと私たちに伝わってくる。

新世界の精神分析

しかし、新世界はあくまでも「モダニズムの夢」のパークなのであって、「モダニズムの現実」とは、あまり関係はもっていない。夢は抑圧された無意識が、夜になってむくむくと立ち上がってきて、奇妙なイメージをかりて、自分をあらわそうとする心のメカニズムである。新世界という夢のパークでは、抑圧されていた無意識が、未来のイメージを借りて、現実から離脱しようとしていた。

その意味では、新世界にはむしろ、新しい時代になって解放された、大阪人の無意識の新式の造型をみるべきである。じっさい、新世界を構成する奇抜な建築物やデザインのなかには、フロイトが見たらさぞや大喜びしたであろうような、裸の欲望のかけらが、無数にまきちらかされている。そこでしばらくの間、新世界のつくりのなかに露呈している、大阪人の心の精神分析を楽しむことにしよう。

まずはなんと言っても塔である。象徴的にも意味のある塔としては、丘の上に建てられる塔と、窪地に建てられる塔の二種類があって、それぞれちがった意味をおびている。丘の上に建つ塔は、あきらかに天空と地上をつなぐ橋を意味していて、形からいってもこれは独り立ちの男根を連想させる。

大阪で言えば、四天王寺の仏塔、東京で言えば、東京タワーや上《うえ》野《の》寛永寺《かんえいじ》五重塔などが、これにあたる。

窪地に塔が建てられる場合、男根である塔のまわりを、湿気をおびた土地が包み込む形になる。そのため、天空と地上をつなぐと言うよりも、男女の交合のさまが連想されることになる。丘の上に建つ塔が顕教的ならば、窪地の塔は密教的な意味をおびる。

東京で言うと、権力が建てた上野寛永寺五重塔に対抗して、庶民たちが力をあわせて建てた、いまはなき谷中《やなか》五重塔がこれにあたるかも知れない。谷中村は窪んだ谷地にあって、まわりは広大な墓地になっていた。この住人たちが墓地のはずれに建てた五重塔は、寛永寺五重塔に比べると、ずっと女性的な潤いをたたえていた。それは、天に向かって建つ塔が、女性的な湿気に包み込まれていたからである。☆

新世界のジオラマ

それならば、我が通天閣はどうだろう。名前を見ると、あきらかに天空と地上をつなぐ橋としての、気宇壮大な心意気がしめされている。しかし、この塔を上町台地の崖の上から「見下ろした」とき、それが湿気をおびた女性的な場所からそそり立った、太くて短い、愛敬のある男のものであることは、明白である。

湿った通天閣

後ろを振り向いて、四天王寺五重塔を「見上げる」と、そのことはますます実感されるのである。

☆幸田露伴『五重塔』（岩波文庫）は、この問題をテーマにした小説である。

通天閣からの眺望

上町台地の崖際に立つと、後ろに四天王寺五重塔、前方の崖下向こうに通天閣が見える。同じ塔でありながら、二つの塔はあきらかな違いを感じさせる。

四天王寺五重塔は、創建者であった聖徳太子がそう願ったように、「太陽に近い」ことに意味を持つ塔である。そのために四天王寺の仏塔は、「乾いた」印象をあたえる（第一部の「四天王寺物語」を参照のこと）。

それに比較すると、通天閣は沼地から咲き出した蓮の華のように、「湿っている」のを感じる。じっさい通天閣の建つあたりは、長いこと沼だった。その沼から、通天閣はまるで水生植物のように、天をめざして生え出している。

通天閣は、女性的なものの真ん中を貫いてこの世界に出現する、まだ皮をかぶって湿った部分を残している、子供のペニスをあらわしているのではないか。もっと言えば、それは胞衣（胎盤のこと）をかぶって生まれたばかりの、新生児の精神を象徴しているのではないだろうか。

通天閣は、新しいモダニズムの世界に生まれ出るはずの、「子供」としてのペニスなのである。いやモダニズムそのものが、既成の秩序を壊す子供の精神から、インスピレーションを受けた運動である。そのモダニズムの新世界を象徴する通天閣が、男の子のものを連想させたとしても、少しも不思議ではない。

そうなると、この塔のマスコット的な存在として、「ビリケン」という精霊の像を選んだ人たちの想像力は、そのものずばり人類的な普遍性に触れていたことになる。たしかにビリケン像を着想したのは、アメリカの女性アーティストだったであろうが、その像を思いついたとき彼女の想像力は「子供の姿をした精霊」をめぐる、人類の心の奥深い謎に、触れていた。そして、大阪人はそれをことなげに、通天閣とくっつけたのだった。

こういうことが、「大阪の神秘」なのである。大阪人はモダニズムに浮かれまくっていながらも、アフリカやアジアの精神的古層との、たしかなつながりを保ちつづけている「人類」そのものである。こういう神秘は、東京にはほとんど見出すことができない。大阪アースダイバーの醍醐味は、こういうところにある。

タイシとビリケン

ミナミの守護神になったアメリカ産のビリケン神には、じつは大阪らしい原型がある。それは神話的存在としての「聖徳太子」である。聖徳太子が庶民の厚い信仰を集めたのは、なにも厩戸皇子と言われた方が、古代きっての政治家で仏教の護り手であったからではない。聖徳太子はまさに「タイシ」であることによって、つまりは「永遠の子供神」であることによって、神話を好む庶民の思考に、絶大な魅力を発揮したからである。

子供の姿をした神に、昔の日本人は、この世と異界との間の媒介者を見ていたのである。生まれたばかりの子供は、柔らかいぐにゃぐにゃと定まらない身体をしている。半分はまだカオスのなかにつかっていながら、もう半分の自分は、人間の世界に顔を出して、にこにこと笑っている。そのために子供には霊的な世界の波動を、まだよく感じ取る能力が残されている。子供にたいするこういう認識をもとにして、子供神の像がつくられた。

　そういう子供神は縄文時代からすでに存在していて、さまざまな姿で思い描かれた。素っ裸のまま、というのが一般的だが、なかには胞衣で全身を覆っていたり、頭の先までを長い包皮で包まれている子供のペニスの姿で描かれるものもある。

　庶民の神話的想像力のなかの聖徳太子は、まぎれもないこのような子供神の一人であった。そのため、北陸各地の「太子堂」に祀られている太子像などは、衣冠束帯《いかんそくたい》で髭を生やしたあの聖徳太子ではなく、真っ赤な腰巻きだけを腰に巻いた、まったくの幼児といってもいい裸の姿で造形されている。子供神としての「タイシ」とは、死者や霊の世界との媒介者であり、職人の技芸をもたらした文化神であり、人の世に富をもたらす福神なのである。

　四天王寺にはその聖徳太子がおわします。それならば、四天王寺から崖下に見下ろされてきた沼地に、新時代を画するモニュメントとして立ち上がった庶民の塔、通天閣のマスコットとしては、別の形態をした「タイ

（右）ビリケン（左）太子像（『聖徳太子信仰の美術』大阪市立美術館監修、東方出版）

シ」のフィギュアが必要とされたのは当然である。

神話的思考が一貫性をもつために、この新しいタイシも、素っ裸であるのが望ましい。全身の形は、子供のペニスを連想させるものでなければならない。福徳をもたらす子供神として、体中から笑いがこみあげているような像でなければならない。

このような要請に、アメリカ産のビリケンがみごとに応えた。たしかに素っ裸のビリケンは、包皮に包まれた子供のペニスのようでもあり、足の裏をくすぐると、柔らかい幼児の笑いとともに、幸福の波動があたりにまき散らされる。

ビリケンはキリスト教の伝統（大きな羽根に赤ちゃんの顔のついた智天使《ケルビム》）と、異教の伝統（胞衣や包皮に包まれた子供の精霊）を合体して、女性アーティストの性的妄想に出現したものである。そのビリケンが、新時代に出現したタイシ神として、りっぱに大阪のアースダイバー的血脈に連なっていったのである。

ミナミの胎蔵界曼荼羅《たいぞうかいまんだら》

航空写真で見る大阪は、西成《にしなり》も東成《ひがしなり》も、どこもかしこもごちゃごちゃとしていて、自然にできたスポンテニアス（自生的）な都市という印象を受ける。しかしそうは言っても、ここにも計画的に設計されたことのある、三つのエリアがある。

一つは上町台地であり、ここには北端部に古代の王宮や石山本願寺や大坂城など、政治宗教の重要な施設がつくられてきた。私たちが「大阪のアポロン軸」と呼んだラインに沿って、南北に大きな道路が走り、四天王寺が臍の部分を固めている。大阪の背骨にあたるエリアである。

墓地から望む通天閣

もう一つは、古くから「ナニワ」と呼ばれてきたエリアで、八十島をつないでできた大きな島に、東西南北をきちんと区割りして、広大な商業地域がつくられてきた。船場や島之内がここの中心であり、経済活動の活発な、大阪の心臓部にあたるエリアである。

さらにもう一つの計画的設計エリアが、混沌の「ミナミ」につくられている。巨大な墓地と荒野しかなかったこのあたりが本格的に開発されたのは、時代が「モダン」に入ってから。計画的エリアはそこのまんなかに残された沼地を中心に、新興の開発業者によってつくられた。通天閣と呼ばれる塔を中心にして、放射状に広がっていく構造をした、夢の歓楽街新世界がそれである。

最初の着想では、パリやニューヨークのミニチュア版をめざしたのであろうが、じっさいに出来たのは、沼地から生え出た蓮の華（放射状に広がっていく花びら）と、そのまんなかを貫いて、にょっきり天に向かって突きあげる金剛杵《こんごうしょ》との組み合わせからなる、まぎれもない胎蔵界曼荼羅《たいぞうかいまんだら》の構造になっていた。そしてその曼荼羅に、煩悩まみれの大阪人類たちが、住み着いたのである。

密教の曼荼羅には、男性原理をあらわす金剛界《こんごうかい》曼荼羅と、女性原理をあらわす胎蔵界曼荼羅の二種類がある。この宇宙のあらゆるものごとは、渦巻くカオスのなかから形が生まれてくることによってつくられる。このうちの「カオスの生み出す力」に焦点をあわせたのが胎蔵界曼荼羅で、「秩序をつくる形」の側面を強調したのが、金剛界曼荼羅である。

宇宙そのものは、カオスの力と形が合体してつくられるが、現実世界のものごとは、人に男と女が分かれてあるように、どちらかの側面がより強くあらわれているから、世界のありようをしめす曼荼羅も、二種類に分かれて描かれることになる。胎蔵界曼荼羅では、生命を生み出す女性の器官を蓮の華に喩え、そのまんなかにビリケンならぬ大日如来がにょっきりと座して、その結合部から豊かな現実世界を産出している。

こう考えてみれば、新世界は大阪の「秘部」をあらわすエリアなのだ、ということになる。このことは、視覚的にもすぐにわかる。このエリアに入り込んだ人々は、ここで自分の無意識と出会い、日常世界では禁じられている光景を盗み見し、おいしいものを好きなだけ食べ、いろいろな手段で自分の身体を喜ばすことができる。ここは悦楽のために開かれた街なのであった。

ところで、身体のうちで秘部だけが、ほんものの悦楽を味わうことができる。しかもほんとうの悦楽を体験することができるのは、女性の身体だけであるから（男の身体はほんとうには悦楽を体験できないようにつくられているが、そのことは女たちには秘密にされている）、大阪の秘部である新世界は、女性的な胎蔵界曼荼羅として、つくられていなければならない。そのことは、ここをつくった当の本人たちも、気づいてはいなかったかも知れないが、じっさいに新世界はそのような構造に、出来上がっている。

ここで、私たちのアースダイバーの探求にくりかえしあらわれてきた、おなじみの主題が、どこよりも印象的な姿をして、再登場してきたのに気がつく。それは都市における、死とエロティシズムの密接なつながりだ。ミナミがもと広大な墓地を開発してできた繁華街であったことを、思い出そう。そのミナミのはずれに、新世界という胎蔵界曼荼羅は出現した。生命と死とエロティシズムが一体となった曼荼羅である。

荒陵に咲く花

四天王寺の崖下にある、古代に荒陵と呼ばれた一帯は、荒波に削られ続けた海岸線の跡である。大きな岩石が露出し、地形は複雑に起伏して、とても人の容易に近づける場所ではなかった。茶臼山には古墳が築かれ、その近辺は横穴式の墓地群が点在していた。明治の末頃にその荒陵で、内国勧業博覧会が開かれ、その跡地に新世界が建設されたが、それ以前には、湿地帯が広がっていたような場所である。

中世には、そんな荒陵のはずれに、飛田《とびた》と呼ばれる大きな墓地があった。この墓地はおそろしく由緒が古い。そしてここに、のちになって令名高き飛田遊郭がつくられた。面白いことに、この飛田遊郭は、大正時代になると、新世界と呼ばれた歓楽街とひとつながりのエリアとして、大阪の男たちには意識されていた。

飛田遊郭のロケーションには、「死＝エロティシズム」という強烈な結びつきがしめされている。新世界は荒陵一帯から発せられている、その死とエロティシズムの波動の強い影響下に置かれた。原因はあきらかである。なにあろう新世界じたいが、同じ原理で出来ているからである。

新世界は女性の悦楽の原理を表現した、胎蔵界曼荼羅の構造から、無意識の影響を被っていたが、それはまっすぐに死やエロティシズムに結びついていく。死に行く人は、この世のものでない、どこか遠いところへ「行く」。悦楽の絶頂で女性の意識も、身体を脱出して、どこかに「イク」。死と悦楽という二つの現象は、どこかへイクことにおいて、人間という生き物のなかでは、同じなりたちをしている。

こうして大阪人（男？）の想像力のなかで、新世界から荒陵の飛田にかけての広い領域が、大阪の秘部として、ひとつながりのエリアをかたちづくっていった。

ディープな大阪

最後の庇護の場所

四天王寺は上町台地の上にある。その四天王寺が、大阪ミナミに広がる低地のアースダイバー的構造を、完全に決定しているこの不思議。

古代から今日にいたるまで、荒陵と呼ばれたあたりから、釜ケ崎《かまがさき》を含むかつての今宮村まで広がる広大な地域が、時代ごとのプロレタリア（無産者）に向かって、やさしく胸襟を開いていた。こんなことは、他の都市にはめったにおこらなかった。大阪にこのような愛隣的現象がおきたのは、崖の上に四天王寺が建っていたためである。

四天王寺ははじめ森ノ宮にあったが、のちに荒陵に移されて、壮麗な仏教寺院のたたずまいを誇っていた。この寺は、古代河内戦争の敗者である物部守屋の霊を鎮めることを、隠されたもう一つの目的として建てられたため、死をまぬかれた物部氏の一部は、四天王寺の周辺に住み着いて、雑役をとおして寺に奉仕する下級僧として、生きのびることを許されたのであった。

荒陵には、重い病気にかかった人々を収容する悲田院《ひでんいん》が設けられた。そればかりか、五重塔の脇にあった引声堂《いんしょうどう》の床下には、古代末期になると、土地を捨てて逃亡した浮浪人や、病気のために村に住めなくなった人々が、住みつくようになっていた。こうした人々は、物乞いをしなければ生きていけない、いわば古代のプロレタリアであった。彼らは夜には四天王寺の床下に眠り、昼は村々に物乞いに出かけた。四天王寺は、そうやって無産者たちをまもっていた。

　そういう床下住人の群れのなかに、俊徳丸という若者がいたことを思い出していただきたい。今日でも河内音頭最大のヒーローであるこの物乞い人の活動範囲を、説経本や浄瑠璃本などから推測してみるに、荒陵から合邦辻あたりまで広がる、広いエリアをおおっていたことが想像される。合邦辻とはいまの新世界の近く、そこから少し足を延ばせば、西成・釜ヶ崎の近辺にたどり着く。そうすると、四天王寺居留のプロレタリアにとってこのあたりまでが、聖徳太子建立の寺院の霊力が、直接に及んでいるエリアだったことになる。

（上）釜ヶ崎（下）今宮戎神社

　近世には、荒陵にあった古代以来の飛田（鳶田）墓地と新しい千日前墓地は、ひとつながりの霊域と考えられていたために、荒陵一円をおおっていた、四天王寺の放つプロレタリア庇護の霊力は、千日前界隈にまで及ぶことになった。そのためか、近世のはじめに大量に出現した流民の群れにとって、千日前墓地も愛隣的区域として、かっこうの流入地となった。もともとここには大きな非人村があったため、公民権さえ奪われてしまった人々にとって、大阪ミナミは、自分らの生存のために地上に残された、わずかな土地となったのだった。

徳川期にキリスト教の信仰が厳しく禁止されると、千日前墓地には、公民権を奪われ非人に落とされた、たくさんの「転びキリシタン」が流れ込んできた。ことに、女性の転びキリシタンが多かった。信仰者であることを暴露されて転んだこれらの女性たちは、在所に住むことを許されなかった。

悲田院町

女性たちは流れ流れて、千日前墓地にたどり着き、そこで非人の男を見つけて夫婦になることができた。☆

古代には重い病によって、近世には信仰によって、流民化しプロレタリア化せざるを得なかった人々にとって、広い意味での荒陵の土地は、最低ぎりぎりの暮らしぶりとはいえ、生命をつなぐことは可能にしてくれる、最後の庇護の場所となってくれていた。大阪には古代以来、けっして狭くない領域にまたがって、このような愛隣的区域が形成されていたが、その精神的な中心には、いつも四天王寺の存在があったと言える。

見えない空間

こうして私たちの前に、地図に描き込まれることもなく、ことばにされることもないが、確実に実在している、「見えない」もう一つのア

☆『道頓堀非人関係文書』（岡本良一・内田九州男編、清文堂出版）による。

ースダイバー的地層の存在が、浮かび上がってくることになる。
それは東の端に四天王寺を配し、上町台地が古代の海に崩れ落ちていた崖沿いの荒れ果てた土地(ここが狭い意味での荒陵の土地である)をとおって、飛田の古代墓地(ここの一角に旧飛田遊郭があり、縮小したとは言え、いまでも営業中である)に至り、そこからさらに北は千日前墓地界隈から、南は西成・釜ヶ崎にわたって広がっていく広大な空間である。今日の動物園前や新世界なども、すべてこの空間に属している。

市街区域がいちじるしく拡大した現在の感覚で言うと、大都市大阪のまんなか近くに、まことにけったいな空間が広がっており、それがこの都市に独特の感触というか臭いのようなものを醸《かも》している。この空間の特徴を一口に言えば、プロレタリア的なものをすすんで受け入れる、愛隣的受容器としての働きにほかならない。

この空間は地層のように、都市の表面からは見えない地下に隠されている。しかし、大阪に住む人々はことあるごとに、この空間の実在を感じ取らざるをえない。真夏の釜ヶ崎に日雇い労働者たちの暴動が起こるたびに、アースダイバーはこの見えない空間の強度にみちた振動を感じる。見えない空間全体が、発熱しているのだ。

同じ夏の時期に、河内の村々では、河内音頭にあわせて声も高らかに俊徳丸の悲劇が歌い上げられているが、その悲劇の物語を最初に作り歌った人々は、四天王寺に住まいするプロレタリア芸人化した、下級の僧たちであった。その歌には、財産をもち土地をもって、安心な世界を生きる市民たちに向かって、あなたがたの味わっている幸福も、薄い板子の上にくりひろげられている危うい綱渡りにすぎず、板子の下は地獄だと語られている。四天王寺に中心をもつこの空間は、現世の幸福についての真実を映し出す、おそるべき鏡なのである。

飛田新地

「あいりん地区」の形成史

大阪最大のディープ地帯である西成・釜ヶ崎（行政的な言い方をすれば「あいりん地区」）の形成の歴史をたどり直してみると、それがいかに深く、鳶田（飛田）墓地の存在と結ばれているかが見えてくる。釜ヶ崎は、鳶田墓地の拡張として形成されたと言っても、過言でないのである。

釜ヶ崎は鳶田と今宮村のあいだにある。今宮村は、古くから海民の住んだ由緒のある漁村で（天皇に魚貝を献納する、供御人に選ばれていたこともある）、海の富の神さまであるヱビス神を祀った神社で、よく知られている。

これにたいして荒陵の鳶田には、四天王寺の墓地が広がっていた。この墓地には、処刑場も付属していて、千日前墓地わきの処刑場が比較的軽い犯罪者用であったのにたいして、社会的重罪を犯した人たちが、ものものしい雰囲気のなかで刑を受ける場所だった。

千日前墓地がそうだったように、鳶田墓地の周辺にも、たくさんの非人が住んでいた。非人と呼ばれた人たちは、もともと古代の墓守の系譜に属する、由緒正しい人々である。彼らは古代には、死の儀式の専門家として、墓づくりや葬送儀礼を担い、さまざまな特権をもつ聖なる人々であった。

ところが古代社会が解体してくると、これらの人々の運命は激変していった。死の領域の仕事をつかさどる聖なる人々という価値づけから一転して、死の穢れに触れることを職業とする賤しい人々と、見なされるようになった。中世になると、墓守たちの一部は、いまの警察にあたる検非違使《けびいし》の配下に組織されて、犯罪捜査や罪人の処刑にかかわるようになった。

飛田の飲食店

古代の墓守の末裔たちはまた、葬送儀礼のプロとして、たくみに詩を詠んだり、舞を舞ったり、歌を歌う芸能者でもあった。墓場とは、古い生命が朽ちて、その屍体から新しい生命が生まれ出てくる、偉大な転換の場所でもある。そのために、死者を送る芸能とともに、豊かな富や生命が無から生まれてくるさまを描く、いろいろな祝歌やおめでた舞なども、得意のレパートリーだった。

こうして、古代において死の儀礼の専門家であったこの人々は、近世には警察機構の末端に組織されて、犯罪捜査をおこなったり、罪人の処刑を担当させられたりするグループと、おめでたい季節がやってくると、華やかな衣装や楽器を身につけて、全国各地に散っていく芸能者のグループとに、変貌していった。古代にさまざまな特権をもっていたこの聖なる人たちは、近世には常民からさげすまれる存在に変わってしまった。

鳶田から釜ヶ崎へ

鳶田は古代以来、連綿と続く歴史をもつ大墓地らしく、明治維新まで、周辺にたくさんの非人を住まわせていた。彼らの仕事は、警察関係と芸能関係とに二分される。警察関係の仕事としては、犯罪者の捜査と追跡、捕縛した犯罪者の護送、夜警、罪人の預かりと牢屋の警護、刑場での実務一切を担当した。浮浪者や乞食の取り締まりも、この人たちの仕事であった。社会がなりたっていくために必要な、警察機能の最下部をになっていたとも言えるし、社会とアウトローとのあいだをつなぐ、媒介者の働きをしていたとも言える。

この制度は、明治維新でいったん解体させられるが、そうはいっても伝統の力は根強く、ついこのあいだまで、大阪府警の深層部には、アウトローとの媒介機能というものが、いきいきと保たれていた印象がある。

鳶田の周辺から出稼ぎに出た芸能者には、萬歳《まんざい》、節季候《せきぞろ》、大黒舞、乞胸《ごうむね》などさまざまあったが、がいしておめでたい芸能（愛敬芸能）を得意とした。古代の宗教者の末裔らしく、祝餅をつくって配るのもこの人たちであったし、筮竹《ぜいちく》を使った吉凶の占いや、古墳埴輪の系譜に連なる土人形の制作なども、得意芸のひとつだった。

明治の末年に、千日前と難波新地《なんばしんち》を巻き込んだ大火が起こると、それまで新地にあった遊郭が、鳶田墓地の一角を更地にした場所に、移転させられることになった。そうなると、ますますこの地域は、ディープな雰囲気を醸すようになった。この地域を仕事や生活の場所にする人々は、「自分の身体以外には売るものを持たない」という意味では、まぎれもない「プロレタリア（無産者）」であった。

無産者の究極は、死者にほかならない。この世でどんな財産を貯め込んだ人でも、死んでいくときは、たった一人、すべての財産をこの世に置いて、丸裸であの世へ旅立っていかなくてはならない。墓守という仕事は、無産の原理の究極である死の領域と、この世の人々との媒介をおこなうことにあった。その意味では、墓守の系譜に属する人々こそ、現世にあって無産の原理にいちばん近い世界を生きていた、プロレタリアの原型のような人々であった、と言えるのではないだろうか。

ところが近代産業は、新しいタイプの「近代プロレタリア」を、大量に生み出していった。単純労働をおこなう、低賃金労働者の大群である。疲弊した農村を出てきた彼らは、力仕事か単純労働しかできなかった。彼らは職人とちがって、ものづくりの技能を、時間をかけて習得することができないまま、いきなり都市へ押し出されてきたからである。ところが大量生産をめざす近代産業は、こういう労働者をこそ、自分のために必要としていた。その人々が、大阪ではこの鳶田に引きつけられたのである。

釜ヶ崎。大正時代。(『今宮町志』今宮町)

殖産興業のかけ声とともに、鳶田の周辺に、近代産業の象徴のような、大きなマッチ工場ができた。ここにたくさんの若い女性や少年からなる、未熟練労働者（職工）が集まってきた。彼らは鳶田周辺にできた劣悪な住宅街に住んだ。こうして、プロレタリアの原理に浸透された区域が、鳶田の西方に、ぐんぐんと広がりはじめていった。そのさきに、鳶田世界の拡張として、釜ヶ崎が出現したのである。

世界と運命の転換点

大阪ミナミの低地に形成された、プロレタリアの受容器とも言える「愛隣的空間」は、大きさから言っても、じつに広大である。それは千日前墓地から鳶田（飛田）墓地や阿倍野墓地までを包含する、ミナミの大半の地域をおおう広い領域に及んでいる。かつてその一角に、名護《なご》町と呼ばれる町があった。

この町は住吉大社を通って四天王寺のある上町台地に続く、紀州街道の両脇に出来た細長い形をした町で、別名を長町といった。名護町はいまの新世界の近くを抜けて、上町台地の崖の下まで続く街道沿いの町である。そして、そのはずれあたりに、合邦辻とよばれるジャンクションがあった。

合邦辻は、私たちにはもうすっかりおなじみの、俊徳丸の物語で重要な役割を演じる。俊徳丸伝説を浄瑠璃仕立てにした『摂州合邦辻』では、このジャンクションで、俊徳丸の運命に大転換がおこるのである。

この話では、俊徳丸に毒を盛って盲目にした、継母の玉手の父親の名前が「合邦」となっている。合邦はその昔は大名のなかに数えられるほどの武士だったが、いまは世を捨てて、あばら屋暮らしをしている。前歴が立派すぎたつけを払っているのか、いまは「念仏踊り」を得意芸とする、願人坊主《がんにんぼうず》に身を落としている。

玉手の俊徳丸にたいする横恋慕はすさまじく、みかねた父・合邦に刺し殺されるが、苦しい息の下での告白に、これまでの自分のおろかな行為は、じつは継子である俊徳丸を敵の手から守るために、仕掛けた偽りの恋であり、自分の肝臓の生き血を飲ませれば、俊徳丸の病も癒える、と言い残し、みずから鳩尾《みぞおち》を切り裂いて死ぬ。その血をすすった俊徳丸は、たちまちにして病は平癒、運命の大逆転を開始していくのである。

現代の臓器移植事件をも連想させる、このおどろおどろしいお話が、人形芝居で初演された当時、観客のうちのほぼ全員が、合邦辻がどういうところであるかを、よく知っていたはずである。合邦辻は名護町のはずれにあった。名護町を走る街道の両側には、たくさんの木賃宿が立ち並び、そこに当時の日雇労働者にあたる「力役者《りきえきしゃ》」たちが、多数住み着いていた。力役者は油を搾ったり、米を搗《つ》いたり、酒つくりの現場の単純作業に従事しながら、木賃宿街にたむろしていたのである。木賃宿とは、薪代(木賃)だけで泊まれる、という意味の、きわめて安価な自炊宿のことだ。

この木賃宿街のはずれ、上町台地を見上げる崖道のとっつきに、合邦辻というジャンクションがあった。そこは、重い病を得た俊徳丸のような物乞いや、合邦のようなプロレタリア化した願人坊主や、あるいは非人と呼ばれる人々がたくさん集まって、野宿する場所となっていた。彼らは、四天王寺の引声堂床下とここを寝泊まりする場所として、物乞いの活動をおこなっていたのであろう。

『摂州合邦辻』や名護町を舞台とする『新版歌祭文《うたざいもん》』などの書かれたのが十八世紀の後半、その頃この合邦辻を含む名護町一帯は、ミナミに広がる広大な愛隣的空間のなかでも、とりわけ人間的ヴァラエティの豊かな、活気あふれるプロレタリア地区として、異彩を放っていた。芝居の台本作者や役者たち自身も、この地域をすみかとしていたのかも知れない。そうでなければ、合邦辻のような場所を、世界と運命の転換点とする発想は、なかなか生まれにくい。大阪ミナミに広がる愛隣的空間は、この名護町界隈を、活気の中心としていたのである。

エリアクリアランス

ところがこの名護町に、近代国家をめざす日本の矛盾が、しだいにあらわとなりはじめていた二十世紀のはじめ、大激震が走ることとなる。こともあろうに荒陵の地（茶臼山からいまの新世界にかけての土地）を選んで、第五回内国勧業博覧会が開催されることとなり、名護町の街道表に立ち並んでいた、「不潔住宅」の取り壊しが命じられたのである。エリアクリアランスに襲われ、行き場を失った名護町の住人は、今宮村の方面へと流れていった。

この頃からいっせいに、大阪都市部の「スラム」の撤去が進行するようになる。千日前墓地跡の大スラム、鳶田の墓地と遊郭の周辺に広がっていたスラム群なども、つぎつぎと取り壊され、更地になったところには、日本橋《にっぽんばし》筋が新しく整備され、そこには市電が明るいチンチン音を響かせて、走り回るようになった。

名護町中心部（いまの日本橋電気屋街）を追われたドヤ街（木賃宿街の別名である）は、今宮村の一角にあった「釜ヶ崎」に、ふたたび集結するようになった。今宮村は海民が拓いた古代の港と、その守り神であるヱビス神を祀った神社で知られた村である。釜ヶ崎はそこの海に突き出した岬のあった場所である。塩を焼く釜があったので、釜ヶ崎と言われたのであろう。かつては、松林の並ぶ風光明媚な土地で、風流な大阪人にはレジャーの地として、知られてきた。

そこへ、名護町を追われたプロレタリアの住居群が、大挙して流れ込んできた。千日前や鳶田方面からも、つぎつぎに釜ヶ崎に向かっての、スラムの移動がおこなわれた。こうして、現代の愛隣的空間の中心地である、西成・釜ヶ崎が誕生したのである。大正から昭和へと、日本資本主義の命運を映し出すネガのようにして、釜ヶ崎はドヤ型スラムとしての発達をとげていく。

都市の表面からは、たしかに名護町や千日前や鳶田や広田の木賃宿街やスラム街は、撤去されてしまったかのように見える。しかし、そんなことでは、かつて四天王寺が魔術の網を投げかけるようにして、ミナミに敷設しておいた愛隣的空間は、消えたりはしなかった。釜ヶ崎から飛田、新世界、天王寺公園、美術館、植物園、ジャンジャン横丁へと続く大きなミナミの世界は、親しみあふれる同じ周波数をもった、無産者の波動を放出し続けている。

人類型都市構造

二十世紀に入って、大阪の「愛隣的空間」のかたちは、ダイナミックに変容をとげていった。力の流れを集めるアトラクターとなったのは、こんどは釜ヶ崎である。ここに、おもに二つの方角から、スラムやドヤという目に見える近代的なかたちをとって、無産者の原理が流入してきた。

一つの方角は鳶田（飛田）墓地の周りに形成されたスラムからで、ここには都市に流れ込んできた農村人口からなる、産業プロレタリアの大群が住んでいた。このスラムが拡大して、西成の西方に広がっていき、釜ヶ崎のあたりで別の方角からの流れとつながった。

流入のもう一つの方角は、いまの日本橋筋にまたがって延びていた名護町（長町とも呼ぶ）の、大規模な木賃宿街からである。ここに住んで日雇いの力仕事に従事していた「力役者」の大群が、博覧会

手配師たちが日雇い労働者を集める、釜ヶ崎の風景

や新世界計画や道路整備などのために、住む場所を奪われ、釜ヶ崎に追い立てられてきた。彼らは「エリアクリアランス」のせいで、否応なく、釜ヶ崎に移住してこざるをえなかったのだ。

釜ヶ崎はこののち、不死身のドヤ街として、しぶとい生命力を保ち続けることになる。釜ヶ崎にはあらゆる不正が横行した。そこでは早い時期から、労働者と手配師とが対立しあっていた。手配師は日雇いの労働者を雇い主に仲介することで、マージンを得ている人々で、手配師のさじ加減で、仕事の需給などどうとでも操作できるものであったため、労働者は彼らから理不尽な収奪を受けた。

警察もけっして労働者の味方はしなかった。それどころか、暴力で弾圧した。それに怒った労働者たちは、真夏の釜ヶ崎で、くりかえし暴動を起こした。このとき、愛隣的空間のかかえる矛盾は炸裂し、はげしい闘いが幾度もくり広げられたが、やられても、やられても、この不死身の空間は、むっくりと起きあがってきた。四天王寺にプロレタリアのための最初の愛隣的空間が誕生して以来、大阪ではいちどたりとも、その空間じたいが「クリアランス」されてしまうことはなかった。

人によっては、華やかな市街部からそんなに離れていない区域に、こんなけったいな世界が、しかもけっこうな広さにわたって広がっていることを、大阪の恥部だと考える向きもおられるようだが、アースダイバー的見地からすれば、これこそ大阪が誇りとすべき、人類型都市構造（普遍的な人類そのものの、野生の心がつくりだした都市という意味である）の一端にほかならない。

愛隣的空間は、古代から現代まで、一貫して大阪の都市構造の重要な部分を担ってきた。どんなに大阪という都市が大きくなり、どんなにきれいでおしゃれになっていっても、形を変えながらも、愛隣的空間は不死身の生命力を発揮し続けてきた。

ミナミの栄誉

そのおかげで、大阪という都市は、「思想」をもつことになったのである。都市としての東京に、思想はない。ところが大阪には、それがある。もしも家というものが思想をもつとしたら、その思想は、その家の馬鹿息子の生きざまが表現する、と昔の人は言ったものだ。それとよく似て、都市の思想は、そこにある愛隣的空間のありようが表現する。大阪はそれを、ほかのどの都市よりもくっきりと、表現しているのである。

都市は、人類の心のなかに潜む「無縁の原理」から、つくりだされてきた。土地や財産や家柄に固く結ばれた、共同体の世界を離脱した人々が集まって、都市というものが生まれた。はじまりは市場であったから、都市住民の原型は、商人である。成功した商人は、財産をつくり、都市のなかに新しい有縁社会をつくっていった。

松乃木大明神の猫塚

しかしその都市には、商人よりももっと即物的に無産・無縁の人々も、流れ込んでくる。都市の奥底を流れている無縁の原理にひかれて、ほんもののプロレタリアたちが、都市に住み着くようになるのである。プロレタリアたちは、都市が無縁の世界などではなく、都市の中心メンバーである市民が、分厚い意味や地位や富の蓄積に守られながら暮らす、有縁な安全システムであることを、思い知らされる。こうして都市に流入した、ほんものの無産・無縁の人々は、しだいに私たちの言うところの愛隣的空間に、押しやられてくるようになる。

こういうプロレタリア的な人々にたいして、大阪という都市は（大阪の行政が、ではない）、生存のための受容器をあたえ続けた。古代では仏教が、その役目を担った。仏教の教えの本質は、財産や社会的地位などの「有産の原理」を、否定し去るところにある。もともと仏教の教団は、有縁・有産の地位を捨てて、無産の原理との接触点に、進んででかけていこうとする人々で、なりたっていた。仏教者というのは、社会の境界にたたずんで、社会とその外にあるものとを媒介しようとする生き方を、実践する人たちのことを言う。この意味で、聖徳太子の精神につながる四天王寺が、大阪最初の愛隣的空間の拠点となって、古代のプロレタリアの受容器となった理由は、よく理解できる。

近現代になってからは、ドヤ型スラムとして成長していた釜ヶ崎で、キリスト教の修道女たちが、文字通りの愛隣的実践に、我が身をささげている。イエス・キリストの神は「無の神」であり、現世では財産を捨てた無産者のなかにこそ、この無の神の息吹を感じることができる。こう考えた修道女や修道士にとって、釜ヶ崎は最高の修行場であると同時に、神の祭壇そのものであった。

俊徳丸から産業プロレタリアまで、大阪はつねに、有産・有縁の社会の外に押し出された人々が、ぎりぎりの生活条件とはいえ、ともかくも生存していくことのできる大きな受容器を、都市のなかにセットし続けたのである。愛隣的空間の存在は、じつにミナミの栄誉である、とアースダイバーは思う。

ジャンジャン横丁のデュシャンたち

通天閣から動物園前駅まで続く細長い通路、通称ジャンジャン横丁の両側には、たくさんの飲食店が立ち並び、いつもわさわさとざわついている。ところが、ある一角に近づくと、その喧噪がフッと止んで、そこだけ恐ろしいほどの緊張感にみちた、静寂に包まれている場所に行き当たる。この横丁の名前とともに知られた将棋倶楽部が、そこにある。

あたりの喧噪とは一線を画して、その静けさのなかで、ひたすら脳内ニューロンを活発に動かしている人々の目は、一心不乱に将棋盤を見つめ、頭のなかで、可能なかぎりの数の未来の状況を、シミュレーションしている。この人たちの心は、いまここにはない。いま目の前にある盤面の駒の配置から、未来の結末を予測しているから、彼らの心は現在と未来と過去がひとつに溶け合った、瞑想の空間で遊んでいる。

　ここには、ミナミの愛隣的世界でおなじみの、安酒にひたっている人もいないし、場当たり的な偶然にゆだねられたギャンブルであるパチンコにも、心を引かれない人々が集まっている。ジャンジャン横丁の喧噪をくぐって、将棋倶楽部に足を踏み入れたとたん、労働者たちは（労働しないでブラブラしている者たちも）一転、「考える人」に変貌する。しかも、ときに命がけで思考する人へと、変貌していくのである。

　有名な三桂《さんけい》クラブを筆頭に、この地区にはいくつかの将棋倶楽部がある。そこはミナミでほとんど唯一の、精神集中とコンピューター的思考のための場所となっていて、パソコンやらスマートフォンやらとはあまり縁のない「棋士」たちが、コンピューターそこのけの正確さで、脳を作動させながら、闘いに没頭している。そう、まるで「騎士」のように真剣に、ミナミの

ジャンジャン横丁

棋士たちは静かに、盤上の戦争を戦っているのだ。

愛隣的空間は底の部分が超薄でできていて、その底の部分から、無と死の領域からの鼓動が、生々しく神経に伝わってくる。市民たちの暮らす外の世界では、この底の部分が、財産や地位や幸福の幻想などをぶ厚く積み重ねた、安定層でおおわれているから、そこで暮らす市民たちは、無や死の領域からの鼓動を、めったに聞き取ることがない。ところが、ミナミのこの地域では、その鼓動が、たえまなく、低い地鳴りを続けている。

薄皮一枚で無と死に触れている世界として、ここは戦場に似ているのかも知れない。そのために、愛隣的空間で暮らす人々の心は、ふつうの暮らしをしている人たちとちがって、ふだんの人生が戦争モードに近づいていく。薄皮の向こう側に、ヒタヒタと迫り来る無の力に対抗しようとして、人々は気を大きくするために、酒を飲む。しかし、酒や安易なギャンブルなどに満足のできない、激しい心をもった人たちは、この空間のなかで、いっそう高度な戦争に出て行く。

武器を持つことは禁じられているから、彼らは将棋の駒を手に握る。そして将棋倶楽部に用意された将棋盤という戦場に、頭脳だけをたよりに、踏み込んでいくのだ。裏将棋の世界が、そこにくりひろげられる。ジャンジャン横丁出身の棋士たちのなかからは、しばしば「修羅の棋士」が出現した。彼らは、文字通り、命をかけて将棋を指した。その異常なまでの真剣さを生み出していたのが、愛隣的空間のもつ特異な超薄型構造にほかならない。

アンフラマンスなミナミ

二十世紀の大芸術家マルセル・デュシャンは、晩年にはほとんど作品を作らずに、チェスばかりや

（上）串揚げ（下）大人のおもちゃ屋

三桂クラブ

っていた。チェスと芸術は同じもの、というのが彼の考えであった。

デュシャンという人は、芸術を無との境界面でおこなわれるゲームである、と考えていた。ごく薄い膜で無や死と隔てられている「アンフラマンス（超薄い）」の空間で、無の鼓動を聞き取りながらでなければ、真実の芸術は生まれえない。それと同じ仕組みで、チェスができているのを、この人は見抜いていた。

しかし、こんなすごいことを考えられるのは、西洋の天才ばかりかと思いきや、どっこい同じ思想のもっとエレガントな表現を、ミナミの将棋界の英雄がおこなっていた。愛隣的空間のさらに周縁、堺・舳松《へのまつ》村出身の不世出の棋士、名人阪田《さかた》三吉《さんきち》の残したことばである。

「このレンコンの糸の上でダンスができるかナ——何をアホなて？　心の世界のことや。おのれをなくす、つまり自分というものが空中に消えてなくなれば、十四貫五百のこの身体も糸の上に立てるはず。そやろ。将棋も同じや。おのれにとらわれ、勝敗にこだわってるうちはあかん。アテは五十年間、この無心の心で将棋を指そうとし、苦しんできた」(『いまに生きる　なにわの人びと』朝日新聞社)

阪田三吉のこのことばを、たんなる精神主義と受け取ってはいけない。ここには、レンコンの糸という「超細」の概念をもって将棋の本質が語られている、と同時に、彼が生まれ育ったところの愛隣的世界の構造がもたらす、生存の感覚から生まれた哲学が、みごとに語りだされている。

無や死の鼓動を、子供の頃から肌身で感じて育ったこの人は、将棋というゲームのなかに、よく似たアンフラマンスの感覚を、感じ取っていた。将棋は生死薄膜の上でくりひろげられる、必死の戦争ゲームであり、このゲームの本質を知る者は、ただ愛隣的世界の出身者である自分だけで、市民世界出身の将棋指たちには、それが深いレベルで理解されていないように、阪田三吉には思われた。

こう考えてみると、阪田三吉や彼のあとを追ったたくさんの「修羅の棋士」たちの思考や生きざまの意味が、いまや私たちにもはっきりと見えてくるのではないだろうか☆。将棋は、ミナミの世界の芸術なのである。

☆『反骨の棋士　阪田三吉——その栄光と苦難の道』紬松歴史資料館。宮崎国夫『修羅の棋士』幻冬舎アウトロー文庫。

間奏曲

これから「大阪アースダイバー」は、第四部に入る。これまでに、大阪という都市の見えない奥にあって、この都市の現実の姿を生み出している、抽象的な仕組みが、しだいに明らかになってきた。大阪は東京のような、古代以来の地形の束縛を受けながら、発達してきた都市とは、なりたちがちがう。東京は、広大な武蔵野台地に複雑に低地が入り組んだ地形上に、人間の思考を投影してつくられた都市であるから、現実の地形と抽象的な構造とが、たいがいの場所で重なりあっている。ところが、大阪は類例の少ない「形状記憶都市」（この命名は平松邦夫元大阪市長によるものである）であるから、大昔の神社やお寺が、そのままの場所に立っている、というケースのほうが、むしろ珍しい。

ことに現代の都市プランナーそこのけの大胆さを発揮した秀吉によって、難波王朝の跡であろうが、古代以来の地主神の神社だろうが、名だたる名刹であろうが、容赦なく移転させられ、そのたびに都市の姿は、ゴム鞠のように、変形につぐ変形をこうむってきた。

おまけに、ここでは都市の活気の中心部が、もとからあった地形の上にではなく、アースダイバー感覚で言えば「ごく最近になって」、海中から出現した「島」の上に、形成されてきた。八十島とも呼ばれるそうした島々は、淀川が流し込んでくる泥によって、めまぐるしくその姿を変えてきた。

こんな具合に、大阪はたえず変化をとげ、古い地形に束縛された部分などは、古代に大きな岬をなしていた上町台地の周辺にすぎないのである。しかし、それでも大阪には、一貫して変化しにくい深層の構造がある。ゴム鞠をどんなに変形させても、おおもとの場所のつながりが、ほとんど変化しない。大阪は東京のような「ソリッド都市」とはちがって、柔らかい幾何学である「トポロジー都市」なのだ。

鳥は地上に舞い降りる

大阪は三つのトポロジーの組み合わせでできている。古代につくられた方向座標が、まず最初の骨格を決めた。上町台地の形にそって、南北を走る軸と東西を走る軸が、この都市の方向感覚を決めたのである。私たちは南北に走る軸を「アポロン軸」と呼び、東西に走る軸を「ディオニュソス軸」と呼んだ。

太陽の移動は東西軸にそっておこり、この軸には生と死の循環をめぐる観念が、まつわりついている。南北軸は権力の観念に関わり、そのせいで岬の突端部分には、権力を象徴する施設が、いくつも建てられた。この方向軸は、上町台地とむすびついているから、ソリッドな感覚を大阪にもたらしている。

ところが、その軸の脇あたりに生まれた「ナニワ」は、もともとが形状不定な島々の上につくられた世界である。しかもここを拠点として街をつくった町人たちは、もとはと言えば海民出身の商人である。

商人は商品を移動させることによって、儲けを得ようとする人々である。ナニワには莫大な商品が集められ、そこから江戸や地方へと送り出されていった。ナニワ世界を縦横に走る水路にそって、ゆったりと水が流れる。人間の世界では、商品と貨幣がめまぐるしく流れていく。権力というのは、ものごとを固定しておこうとするが、商人の世界では「流れ」が生命だ。こうしてナニワには、上町台地の上の軸線をもとに、世界のことを考える人たちとは、まったく別種の世界がつくりだされていった。

しかし、大阪が「ミナミ」の世界をもつことがなかったとしたら、ここがこれほどに人間味にあふれた、ユニークな都市となることはなかっただろう。上町台地上には、権力のための基地がつくられてきた（のちその機能の大半が、中之島に移る）。ナニワには莫大な富のストックとフローがおこなわれた。しかし、ノーストックのミナミには、無産者のための広大な愛隣的空間と、無意味に向けて開かれているお笑い芸能のための拠点が設けられた。

お笑いは、世界を無意味なことに接触させることで、活性化させる力を、もっている。四天王寺から釜ヶ崎までつながっていく愛隣的空間では、さまざまなタイプのプロレタリアたちが、この都市で生き抜いていく、ささやかな空間を与えられてきた。いずれにしても、ミナミには、無に接触しているという感覚が、充満している。

こういう地帯を、自分のなかにセットしてあることによって、大阪は権力や富だけでなく、無と死の原理を抱え込んで、ひとつの全体性を持ったのである。大阪的全体性は、ほかの都市にはなかなか見いだせない。ミナミが開発の遅れた低地にあったというだけでは、こういうことは起こらなかったろう。問題は四天王寺の存在なのである。

四天王寺は「アポロン軸」と「ディオニュソス軸」の交点にあって、無の原理から発する慈悲の波動を放つ寺として、無産者のための愛隣的受容器の役目を、歴史的に果たしてきた。その思想は崖下に広がるミナミを、大きな網で覆い、近現代になってもその思想の力は、消滅しなかった。大阪が他に類例のない、人類的都市としての全体性を手に入れたのは、おそらくそのためだろうと、アースダイバーは推測する。

アースダイバーが鳥であることを、思い出していただきたい。上空を飛んで、世界を俯瞰することによって、その都市をつくっている原理を、大づかみにすることができる。そして、ここから急降下をはじめる。街路樹や家の軒先にとまったり、水辺を流れにまかせて泳いだり、地面をつついて虫をひっぱりだしたりして、大阪を近距離から観察するのである。

第四部　アースダイバー問題集

土と墓場とラブホテル

崖地と粘土

上町台地はかつて大きな岬だった。岬には海からの波が打ち寄せ、岩石もあらわな崖をなしていた。そのような崖が、台地をぐるりと取り囲んでいたので、低地に人が住めるようになってからは、いくつもの坂道ができた。このような崖地ほど、アースダイバーの研究にとって、興味深い場所はない。

そういう場所にかぎって、古い来歴をもつ人類的な心の動きの痕跡が、残されているものだからである。都市のアースダイバーを続けていると、かならず一度は出会うことになる「問題」ばかりを集めて研究するこの第四部は、まず大阪最大の岬であった、上町台地の崖めぐりから始まる。

手始めに、松屋町《まつやまち》駅（地下鉄長堀鶴見緑地線）に降り立ってみよう。ここは古代岬の、ちょうど真ん中あたりにあたる場所だ。

駅を出ると、広い松屋町筋（「まっちゃまちすじ」と呼ばれている）が、崖下に沿って南北に走っている。崖はなだらかにならされているところが多いが、ところどころで急な坂道ができていて、自転車などで行くと、上町台地に登りつくのは、なかなか一苦労である。

この町が変わっているのは、道の両側がずらっと並んだ人形の卸問屋のビルで、埋め尽くされてい

松屋町筋の人形店

ることである。店頭には雛人形から五月節句の武者人形まで、色とりどりの人形が並ぶ。ここはかつて有数の人形の生産地であり、多少衰えたとはいえ、いまでも関西に名高い人形問屋街となっている。

こんなに町並みがきれいに整備され、そこに人形問屋のビルが建ち並ぶようになったのは戦後のことで、どの大店《おおだな》も創業はその頃ということになっている。しかし、戦前まではもっと雑然とした様相を呈していたこの町には、たくさんの小規模な人形づくりの職人たちが、集まり暮らしていたのである。なぜこんなところに、人形職人が集住したのか。それには、アースダイバー的にもじつに興味深い、こんな歴史がある。

船場や島之内も含めて、大阪の主要な土地は、みな海から「わきあがってきた」由来をもっている。淀川が運び込む砂の上にできた島々をつないで、ナニワの土地は形成されたのだ。そのために、ナニワの土地では、粘土はほとんど採取できない。洪積地である上町台地でしか、粘土は取れないのである。とくに崖地には、粘土を多く含んだ土が露出していた。

この粘土を含んだ土が、あるときから急に重要な意味をもつことになる。大阪は「夏の陣」で、いったん焼け野原になってしまった。生き残った大阪の庶民はみな、家康が豊臣家にたいして仕掛けた戦争を、道理の立たない不義の行為として、恨みと軽蔑のまなざしで見下していた。家康は勝者にはなれたが、大阪庶民の蔑視の眼を、恐れなければならなかった。そこで、戦後のアメリカよろしく、大量の資金を投じての大阪復興が、徳川家の手によって、鳴り物入りで進められることになった。

建設ラッシュがはじまった。大量の屋根瓦の需要が生まれたが、なにぶん砂地の多い大阪では、粘土の採取地は限られていた。そこで眼をつけられたのが、いまの松屋町から瓦屋町《かわらやまち》にかけての、上町台地西辺の崖地だった。この土地が、その頃天王寺のあたりで瓦を焼いていた寺島藤右衛門《てらしまとうえもん》という瓦職人に、請地として払い下げられ、この地を拠点として、瓦の大量生産が開始されたのである。

あわいの人形

各地から瓦職人が、この地に集まってきた。彼らは、「ノバク」と呼ばれる広大な粘土採取地の周辺に、粗末な家を建てて住みついた。職人たちは、内職として、手隙なときに素焼きの人形をつくった。その人形が面白いというので、だんだん評判になり、職人のなかから瓦を焼くのをやめて、専門の人形職人になるものがでてきた。こうして、「ノバク」の北の周辺、いまの松屋町筋近辺に、人形を作って売る小店《こだな》が、たくさんできていった。

泥をこねて、形をつけてから火を通すと、そこに人形があらわれる。人形には生命はない。しかし、人間の想像力とは不思議なもので、こんな土塊から成形された人形に、生命が宿っているかのような、微妙で不思議な感覚が発生するのである。もとは素焼きの表面に色をつけるだけだったのが、布の着物を着せられるようになると、その不思議な感覚は、さらに増幅する。人形の表情がクールであればあるだけ、そこには非生命と生命との妖しい合体が起こっているような気持ちになってくる。

このような感覚は、おそらく古墳の周囲に立ち並べられた埴輪をつくっていた、古代の職人にも感じ取られていただろう。アモルフ（無定形）な泥に人のフォルムをあたえるだけで、そこにはもう生

松屋町とラブホテル街と渡辺村

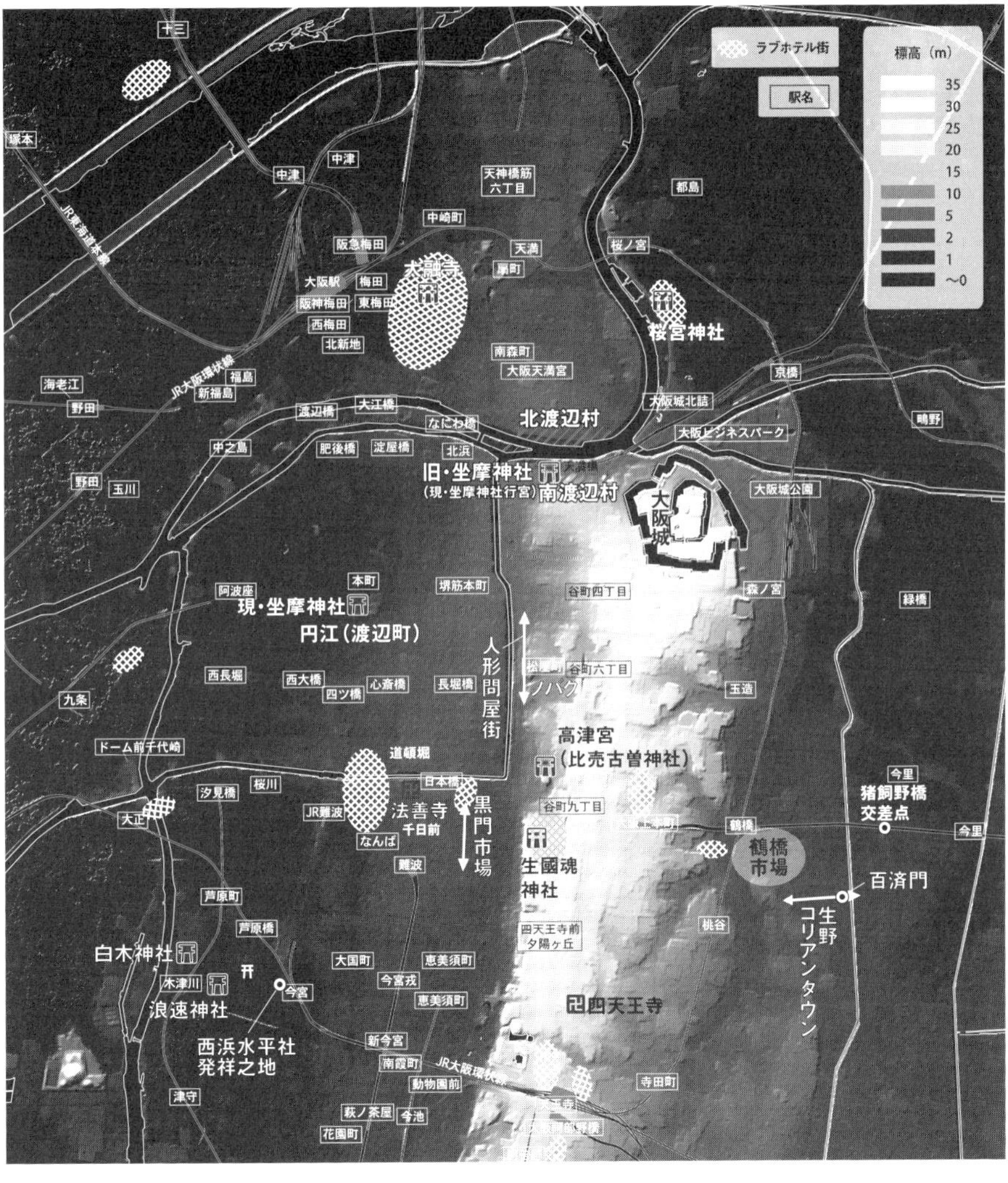

と死の中間状態（あわい）が発生できる。人形はこのように生と死のインターフェイス空間を想像的に造形する技芸なのであり、その技芸の最初の開発者は、日本列島においては古墳築造の職人たちであった。じっさい、今日に残る素焼き人形の産地の多くは、古代における有力な古墳の周辺に分布している（一例をあげると、京都の伏見稲荷大社である。ここは古代にはたくさんの墳墓の集まっていた渓谷であり、その周辺に、有名な素焼きの「伏見人形」をつくる職人たちが住んでいる）。

古墳をつくる技術と、瓦を焼く技術の間には、深いつながりがある。ことによると、二つは同じ系統の職人の伝統に、由来するのかも知れない。そうすると、後の世に松屋町筋に住んだ瓦職人たちの間から、自然に素焼きの人形がつくられはじめたことには、なにかとてつもなく深い意味がはらまれているように見えてくる。

崖地そのものが生と死の入り交じった、インターフェイスの空間をつくりなしているからである。その崖地から取った粘土で瓦を焼き、人形をつくる。人間のやることは、脈絡がないようでいて、そのじつ深いレベルでは、太い一貫性を持っている。大阪では地下鉄の駅を出たとたんに、こんな不思議な空間に出会うことになるのである。

マテリアリストにしてアニミスト

土はすばらしいマテリアリスト（唯物論者）である。土にはすばらしい解体能力がある。生きているあいだ、たえまなく感情や思考をわきたたせていた身体は、土に包まれて、ゆっくりと分解をはじめる。

土のなかで生きている微生物は、埋葬された人間の身体を、なんの思い入れもなく解体して、ただのモノ（物質）に戻してしまう。世界の支配者とはじつはモノなのであるが、そのことを、土の解体力がまざまざと教えてくれる。

土はまた偉大なアニミスト☆でもある。人が粘土をこねて、人形をつくると、ただの土くれに息が吹き込まれ、感情をもっているかのような、不思議な存在へと変貌していく。そのため、そばに人形がいるだけで、命のないモノと生命とが妖しく合体した空間が、自分に寄り添っているような感じになる。

こんなぐあいに、土は感情や観念をクールに飲み込んでいくマテリアリストであり、同時に、非生命に生命の息吹を吹き込むアニミストでもある。大阪ではその土が、上町台地の崖に露頭していた。そのおかげで、瓦屋町から松屋町筋にかけての粘土露頭地帯には、アニミズムのお使いである人形作りたちが、たくさん住み着いていたわけである。

ところが、そこから南へ少し下っていくと、こんどはマテリアリストの本性をむき出しにした土が、人間たちの骸《むくろ》を解体して、ただのモノに突き戻していく、大いなる作業にいそしむようになる。崖には墓地が開かれて、そこの土はクールなマテリアリストのふるまいをしてきた。

上町台地の西方の崖に沿って、広大な寺町《てらまち》が広がっている。秀吉の時代に、ここが寺町と定められて、たくさんの寺が集められたが、それよりもずっと以前から、このあたりの崖沿い傾斜地は、墓地だった。西の海に沈む夕日に照らし出された崖には、たくさんの横穴古墳が掘られていた。古墳の時代のあとには、直に土中に遺体を埋める墓も掘られた。そうした古代の墓地を削って、近世の墓地がつくられた。寺はそういう墓地の付属物だったのである。

ここでは冷厳なモノの掟が支配している。人の心はいつか滅び、身体は解体されて、モノに帰する。ところが、この寺町の墓地地帯の一角には、ネオンの色もあざやかなラブホテルが、林立するの

☆土や草木など、あらゆる自然物にスピリット（精霊）が宿っていると考える人々。

である。冷たいモノの掟が支配する墓地空間のまっただなかで、どん欲な恋人や疑似恋人たちが、肉体の官能を味わいつくそうとして、熱い吐息を交わしている。墓地のなかのラブホテル、これはたしかに異様ではあるが、よく見かける光景でもある。

人はなぜ、墓のそばを好んで、愛を交わそうとするのか。東京アースダイバーの研究ですでにおなじみの、「墓場とラブホテル」のテーマである。この現象は、東京でも名古屋でも博多でも、いたるところで観察することができる。しかしここ大阪では、性愛と墓地がほかの都市には見られないような、あっけらかんとした感覚で、ほかの土地にないような独特のむすびつきをしめす。この領域の問題を、アースダイバーはたいへんに好んできた。

恋のマテリアリズム

上町台地上で、ラブホテルの密集している地帯は、寺町の一角、生玉（生國魂）神社の界隈である。この神社は、大阪でももっとも由緒の古いところで、夕陽丘、四天王寺と地続きの場所にある。古代には「生島足島《いくしまたるしま》」という強力な神霊が、上町台地の突端あたりに住んでいて、「生命力に満ちた、充実しきった霊力」を発揮していた。その神霊に仕える御巫《みかんなぎ》は、河内王朝以来の重要な宮廷巫女でもあった。いわば、アニミズムの元締めのような神霊であった。その神霊をまつる生玉神社である。

ところが、豊かな緑に包まれたそのアニミズムの元締めの神社の背後にまわって、裏の崖下を見下ろしてみると、そこには、累々と続く墓地、墓地、墓地。ここでは、モノに霊力を宿らせるアニミズムと、生命あるものをただのモノに連れ戻そうとするマテリアリズムが、ひとつになっている。

ホテル MYTH

その周辺が、大阪市内きってのラブホテル街となっている。ホテルの立地条件を見てみると、どう考えても、もとは墓地だったところを更地にして建てた、とおぼしき物件が少なくない。なぜ、恋人や疑似恋人は、こんな場所で愛を交わすのを好むのか。

秘密を解く鍵は、大阪の生んだ天才、近松門左衛門の心中物のなかにひそんでいる。死に向かって突き進む恋人たちが、死に場所を求めてさまよう道行きのロケーションは、しばしば深い森であったり、墓地であったりする。もうすぐ、二人は自分の命を断って、静かなモノの世界に入っていこうとしている。二人をそこへ導いていったのは、世の掟に許されない性愛の歓喜だった。愛というよりもそれは恋であり、たがいを恋いこがれる衝動に、我が身を投じていった果てに、二人は生命と価値を飲み込んでいく死に、飛び込んでいった。

性愛には、愛を物質に突き戻してしまう、マテリアリズムの力がひそんでいる。愛はことばの力によって支えられている。ことばは強力だけれど、かならず語りつくせない空虚をつくりだしてしまう。空虚はことばの運命なのだ。そこで、愛のことばがつくりだすその空虚を埋めようとして、二人は性愛の行為を執りおこなう。二人はそのとき、モノに変化していこうとしている。モノに向かうことで、観念が埋めることのできない空虚を満たそうとしている。

墓地とセックスは、だからもともとてもよく似た構造をしていることになる。どちらも、観念を無化してモノ化してしまう、マテリアリズムの力を秘めている。人形から墓地へ、そして墓地に囲まれたラブホテルへ。上町台地西崖沿いには、一つの一貫したテーマが、展開されている。その一貫したテーマを、奥底で支えているのは、崖に露出した土のはらむ、マテリアリズムの力である。

ホテルはリバーサイド

最新の「大阪ラブホテルマップ」の類いを開いてみる。

まず、郊外の高速道路インターチェンジ近辺にできた新しい物件などをはずしてみる。このタイプのホテルの

(右) 安居天満宮 (左上) 坂の中腹にある清水寺 (左下) 生國魂神社参道

発想のもとは、アメリカのモーテルにある。そういうホテルは、先住民たちのアースダイバー的知識を知らないでつくられているために、場所の力をまったく利用できていないケースがほとんどである。日本のラブホテルでもこのタイプのものには、道路設計をした役人や土木関係者の無知が根本原因となって、場所の力が作用していないところが圧倒的に多い。そのために、たいていはただの「機能」として利用されているにすぎない。したがって、アースダイバーにとっては、問題外としてよい。

ラブホテルというものは、究極のサービス業をめざしているものでなければならない。それゆえに、そこがたんなる「機能」を越えたものを提供できなければ、本物とは言えない。そうするとわれわれが注目すべきは、アースダイバーの視点から見ても、特別の磁場を形成しているようなところに立地している、ラブホテル群ということになる。

そういうラブホテル街は、大阪の場合、大きな川の土手沿いや墓地周辺に集中しており、あとは昔の遊郭跡が歓楽街になったあたりにも、たくさんつくられていることが、例のマップからもよくわかる。面積あたりの集中度は比較的に高く、それぞれがお土地柄や歴史のようなものを反映していることが歴然としていて、東京などと比べてみても、大阪がこういうことに昔から大いに情熱を注いできた、まことにお盛んな土地柄であることが知られる。

まず歴史の古さということから言えば、大川べりということになろう。このあたりはその昔、海民出身である傀儡《くぐつ》の集団が住み着いて、そこの女性たちが遊女として、盛んに春の商売をしたあたりである。海民の性愛はつねに流水とともにあった。寄せては返す波のような、揺りかごで揺すられているような感覚が、流れる水のそばにいると、からだの奥に伝わってくる。そのため、いまでも川沿いにできるリバーサイドホテルには、こういう古い身体の感覚が生き残っている（井上陽水の『リバーサイドホテル』には、その感覚が見事に表現されている)。

現在の大阪で、川の土手沿いにあるラブホテル街を探すと、十三《じゅうそう》と桜《さくら》ノ宮《みや》ということになるが、残念ながらどちらも比較的に浅い歴史しかもっていない。まずは十三であるが、このあたりが工場地帯に開発されるようになったのは、一九六〇年代に入ってからで、飲食店の立ち並ぶ界隈の先に、あやしいネオン街がつくられた。工場地帯のそばの川べりであるから、リバーサイドホテル特有のロマンティシズムは、あまり期待できない。なんとなく、男女関係も「水に流して、はい、さようなら」といったムードの地帯である。

それよりも注目すべきは、桜ノ宮ラブホテル街である。与謝蕪村のふるさと、毛馬《けま》村の一角にある毛馬桜之宮公園の奥に広がる、古典的なムードをたたえたリバーサイドのホテル街である。ここは、明治になって対岸に造幣局がつくられ、そのなかにそれはみごとな桜並木が植えられて、年に一度、桜の季節になると一般公開されるようになってから、一段と発達することとなった。

造幣局の桜並木の「通り抜け」は、大阪庶民の春の一大イベントとなった。桜の樹の下に死体が埋まっているからかどうかはわからないが、狂気のごとき生命力を、薄紅色の花弁から噴出させている、爛漫の桜並木を通り抜けているうちに、明治時代から多くの大阪人はここでもよおした。うかうかと桜に見とれているうちにはやときは夕暮れ、対岸には料理茶屋やら連れ込み宿やらの明かりがちらほら。こうして、墓地のかわりに桜の樹が、恋人や疑似恋人を、リバーサイドの恋の宿に誘い込んだのであった。

桜→死体→(したい?)→墓地、という連想は、とうぜんのように私たちを、アースダイバー問題集の第一問題である、墓場とラブホテル街のテーマにいざなっていく。

自由恋愛のメッカ

このタイプのアースダイバー的ラブホテル街は、上町台地上の生玉（生國魂）神社界隈と、曾根崎《そねざき》新地《しんち》の一角にある名刹、太融寺《たいゆうじ》界隈のラブホテル群に極まる、と言える。生玉神社のあたりの様子についてはすでに少し詳しく報告したから、今回は太融寺周辺のそれに、関心を絞るとしよう。

曾根崎あたりは、「新地」と呼ばれる歓楽街ができる前は、天満のはずれの農村にすぎなかった。ここに江戸時代の初期に遊郭を中心とする歓楽街ができ、しばらくして、内本町《うちほんまち》平野屋の若い手代徳兵衛と蜆川《しじみがわ》天満屋の遊女お初との、有名な心中が起こり、これを近松門左衛門が『曾根崎心中』につくって大ヒットとなった頃より、曾根崎あたりには、「死へ突き進む恋」をめぐる、ロマンティックな雲がいつもたなびいているようになった。

太融寺はその曾根崎きっての名刹であり、『曾根崎心中』でも生玉神社と並んでこの寺は重要な役割を果たしている。今日この寺の門前にたたずむと、周囲を取り囲むラブホテルのネオンの輝きに圧倒される。門前を一歩外に出ると、そこはすでにホテルの入り口で、少数の真剣な恋人たちにまじって、微妙な距離感を保ちつつ、わざとらしく親しげな会話を交わしながら、手際よくホテルの入り口をくぐっていく、多数の疑似恋人たちの群れに出会うことになる。

近松の時代には、恋人同士の自由な恋愛は、社会からの脱走を意味し、それはおたがいの死へつながっていた。しかし、社会という網状組織の力が弱まり、粒状の個人に還元された現代の私たちは、通信ツールを駆使して、パートタイムの疑似恋人を得ては、こうして墓場の上につくられた性愛ハウスのなかに入っていく。テンションも高く愛のためなら死もいとわなかった、かつての恋人たちの強烈な生き方のことを、昔の墓場の上で行為にふける現代の疑似恋人たちは知るよしもなく、ただ性愛の資本主義化が仕掛ける幻想の海の波の上を漂っていくのである。

ラブホテルとディズニーランドの深層

連れ込み宿の時代からいちじるしい進化をとげてきた日本のラブホテルは、経済成長期に入って、さまざまな試行錯誤の道に踏み迷いながら（ローリングベッド、SM仕様等）、ついに「ディズニーランド意匠」にたどり着くことによって、安定した発展の道を歩むようになった☆。その後小さなモデルチェンジを積み重ねながらも、この意匠は、今日でもラブホテルのひとつの主流をなしており、おそらく今後も変わることのない定番として、生き延びていくだろう。

じつは日本特有のラブホテルなる施設とディズニーランドとの間には、隠された深いアースダイバー的関係がある。墓場とラブホテルの深層でのつながりを探求してきた私たちは、ここにディズニーランドという新しいアイテムが加わったとしても、少しも驚かない。なぜなら、ディズニーランド意匠の中心をなしている、中央ヨーロッパ中世のお城というイメージの深層には、「墓場とラブホテル」の主題にまっすぐつながっていくものが、隠されているからである。

白雪姫やシンデレラの物語のほんとうの主人公は、じつは山の上のあのお城である。毒リンゴを食

中世ヨーロッパ風のラブホ

☆井上章一『愛の空間』（角川選書）による。

べて仮死状態になった白雪姫は、大地の精霊であるドワーフたちに見守られながら、何年も生と死の中間状態をさまよっていた。そこへ現れた王子の口づけで「目覚めた」白雪姫は、王子に連れられてお城の住人となっていった。

私たちはこの王子をふつうの国の王子さまだと考えて、白雪姫の幸福に思いを馳せがちである。しかしもしも、この王子が死者の王国の王子であったとすると、白雪姫はこの世で目を覚ましたのではなく、死の王国のお城に迎え入れられた、ということになる。白雪姫は、半分は死の世界の住民であるドワーフと、長年一緒にいたわけだから、それは十分にありうる話である。

シンデレラのお話を考えてみれば、「ディズニーランド＝死の王国のお城」説は、もっと説得力をもってくる。シンデレラは「灰をかぶった少女」の意味をもつ。中世の頃までの人たちは、カマドを死の領域への入り口とする、神秘的な考えをもっていた。そのために、年がら年中灰まみれになって、カマドのそばで働いている少女は、この世と死の世界を行ったり来たりできる、能力を身につけるようになったのである。

シンデレラの継母や姉たちのような、ふつうの生者の暮らす村は、お城のそびえる山の麓に設定されている。山頂のお城は、特別な機会でもなければ、生者が容易に近づけるところで

（上）曾根崎新地アーケード（中）曾根崎お初天神（下）毛馬桜之宮とラブホテル

はなく、まして王子の結婚相手となることのできる少女は、生と死の領域を結ぶことのできる、シンデレラ以外にはありえなかった。「シンデレラ」という名前が意味を持つためには、どうしてもそのお城は死者の国のものであり、王様も王子も死者の国の頭領と考えなければならない。

こんなふうに、ディズニーランドの広場の中央にそびえるあのお城は、じつは死者の国のものなのである。生身の肉体に縛られていない死者は、自由に空間を飛び回ることができるし、飢えや老いの恐れもないから、そこは尽きることのない豊かさに満ちた、絶対静止の世界である（その象徴がピーターパンだ）。

老いも若きも、そんな世界へでかけて、遊び戯れたいと願っている。ディズニーランドのことを考えると、私は「生の目的は死である」という、フロイト博士のことばを思い出す。

ラブホと野生の思考

ディズニーランドはこのような死の王国のイメージを、地上に再現した施設である。だからそこでは、人は永遠に若く（幼く）、病気もなく、チリひとつ落ちておらず、汚物はたちまちにして処理されて見えなくなってしまう。その構造は、じつに墓地とよく似ている。

どんな激情の人生を歩んだ人でも、いったん四角四面の墓石の下に入ってしまうと、きちんとしたたたずまいに納められてしまう。そこではもう時間の進行は停止しているから、悩みに苦しめられることもなく、子孫の心がけさえよければ、墓の周囲には雑草も生えず、チリも落ちていない清潔さを保っていることができる。このような墓地のありようを補助線に引いてみると、日本のラブホテルの進化が、どうしてディズニーランド意匠にたどり着いていったのか、およその道筋は見えてくる。

かつての日本人の無意識のなかで強力に作動していた、死と性愛の結合がしだいに弱くなってきたとき、ラブホテル経営者と特殊建築家たちは、それこそ無意識の勘で、アメリカ産のディズニーランドの意匠を借用することで、じつに巧妙なやり方で、ラブホテルに死と性愛の主題をよみがえらせることに、成功したのである。ラブホテル関係者とは、まことにあなどりがたい人々ではないか。この人たちの無意識のなかでは、いまも「野生の思考」がいきいきと活動を続けている。

かつて青カンを好んだという日本の恋人たちは、近代の浸透とともに、しだいに子宮を連想させる洞窟のような空間に籠ることを好みだし、そこからさらに進んでディズニーランド風な死者の王国のお城へと、嗜好を進化させていったが、そこには一貫して死の空間という主題が貫かれている。もはや野原が自然そのものでなく、売買と開発の対象となっていった近代では、恋人たちは自分たちが熱望している自然との接触場所を、人工の密室に求めざるをえなくなった、とも言える。

性交中の男女のからだの動きは、人形じみた機械的運動に変容していく。人は、モノに変容するために、性交をおこなう。そのために、今も昔も、性交する恋人たちは、無意識のなかで死の領域に近づいていくことになる。大阪においてはじつにあからさまなかたちで露呈されている、「墓地とラブホテル」をめぐるアースダイバー的テーマは、それゆえ現代でも人間世界の重大問題にふれているのである。

カマドと市場

敵が味方に変わるところ

シンデレラの運命は、彼女が全身灰まみれになって、カマドの前に座り込んで、料理仕事に打ち込んでいたことで決められた。カマドではいろいろなものが、大きな転換をおこすのである。薪は火となって燃え、灰となって崩れる。鍋のなかの水は煮立って、生のものが調理されたものへと、姿を変える。カマドはかつて家の中心におかれて、そこで食材も人生も、転換をおこしていた。

現代の家から、決定的に失われているもの、それはカマドのようにこの世界に転換をおこす力をもった装置の存在である。スポーツ番組とヴァラエティを流し続けるテレビは、みんなの注意を逸らして、いまある世界の秩序に転換がおこったりしないようにするために機能している。教育は子供が自分でものを考えたりしないためのものである。

こういう装置ばかりが発達してきたおかげで、現代人からはシンデレラのように生と死の領域を行ったり来たりできる能力も、この世の仕組みを少しでもよいほうに変化させようという意欲も、奪われてしまっている。家の中心から、カマドがなくなったことで、私たちの世界からは、じつに多くのものが失われた。

さて、「都市のカマド」といえば、それは古来から市場ときまっていた。マーケットともバザール

黒門市場の鮮魚店

とも呼ばれる市場は、じっさいカマドと同じように、さまざまなものの転換がおこる場所である。市場に運び込まれたいろいろな食材は、そこで交換されて、家庭の台所へと持ち込まれる。大地と海がもたらした恵み（贈与物）は、市場でお金に換算されて交換されるが、家庭の台所で調理されて、みんなの健康をささえる恵みに姿を変える。都市を大きな家に例えれば、たしかに市場はそこのカマドにあたっている。

古い時代の市場のことを、アースダイバーの目で調べてみると、そこがカマドと同じような、転換のおこる場所であったことがわかる。昔の人は、戦争が終結して、和平が結ばれることになると、いままで敵同士だった部族が、それぞれの領土の境界に市場を開いて、物品の交換をはじめた。結婚の相手を捜すことも、市場でおこなわれた。

古いことばでは、市場のことはよく「敵が味方に変わるところ」と呼ばれた。いままで外の世界のよそ者と見られて、警戒されていた潜在敵が、いったん市場のなかに入ると、身内に変わる。じつは経済行為というのは、このような転換がおこる空間である市場を通過してからでしか、おこなわれないものなのであるが、現代のような金融中心の経済では、市場のもつこのような転換の機能が、すっかりマヒしてしまっている。お金に転換の能力がないからである。家の中心からカマドが失われたように、都市の経済は転換機能をもった市場というものを、すっかりなくしてしまった。

世の中で「市場経済」と呼ばれているものは、じっさいには市場ほんらいの転換機能をなくしてしまって、ゾンビのようになってしまった市場でおこなわれている、倒錯的な経済にほかならない。「グローバル」にまで規模を拡大した、そのような倒錯経済の時代が、いま音をたてて終焉に向かおうとしている。私たちは、都市にもういちど、ほんらいの働きを備えた、カマド的市場を取り戻す準備を、はじめなければならない。大阪にはそのとき必要になるはずのヒントが、たくさん生き残っている。

転換の門

東京からやってきた私にとって、大阪でのなによりうれしい発見は、そこに転換装置であった頃の記憶を保っている、そのような市場がまだ健在であることを知ったことである。私は、黒門《くろもん》市場のことを話そうとしている。

いまでは「大阪の市場」と言えば、黒門市場と鶴橋《つるはし》市場と相場がきまっている。この二つの市場の繁盛ぶりに比べると、天満《てんま》青物《あおもの》市場や、雑喉《ざこ》場《ば》魚市場や、木津《きづ》市場など、かつて公許の市場であったところは、だいぶん影が薄くなってしまっている。ところがいまに隆盛をきわめている鶴橋市場などは、戦後にできた最近のものであるし、黒門市場にしても、古い時代の「なにわ繁盛記」の類いにも、その名前を見出すことができないほど、「格下」の市場だったことがわかっている。

黒門市場は十九世紀の前半に、はじめて出現している。日本橋筋の北のはずれに圓明寺《えんみようじ》という寺があり、この寺の黒い山門の前あたりに、あまり品のよくない小さな市場ができたのがはじまりである。日本橋の北のはずれ、と言えば、本書第三部にしばしば登場した、あの長町（名護町）の一部のことをさしている。長町は木賃宿の立ち並ぶ大きなスラム地帯で、日雇い労働者や芸能者のみならず、夜鷹や盗っ人まで、たくさんの下層プロレタリアの住みついていた、ディープな町であった。この町のはずれにあった寺の黒い山門の前が、黒門市場発祥の地である。

ここに、岸和田や堺方面からの魚商人が、屋台の店を開いた。「堺魚商人」とよばれるこの人たちは、大阪のまともな市場に出入りすることができなかった。とくに最大の魚市場である雑喉場の商人たちとは、なんども争いをおこして、そのたびに閉め出しをくらわされていた。そこで彼らが目をつけたのが、圓明寺黒門前の広場であった。

この山門は、まことに「転換の門」であった。江戸時代、処刑の決まった囚人は、天満にあった獄舎から引き出されて、船に乗せられ、水路をたどって道頓堀の二ツ井戸のあたりで上陸した。そこからは馬の背にくくられて、千日前の刑場に向かうことになるが、その途中、圓明寺の鐘楼の下を通り、黒い山門をくぐることになっていた。山門をくぐると、千日前はすぐその先である。

黒門こそは、この世とあの世の境界を象徴する、みごとな道具立てだった。この門で人の生きる社会が終わって、その先にはあの世が待ち構えている。なにわのまともな市場を閉め出された堺商人たちは、この黒門前の広場に目をつけた。不運続きの堺魚商人は、そのとき期せずして、市場＝転換のおこる場所という、市場の原初的な意味に立ち返る選択をしたのである。今日の黒門市場の隆盛を思うとき、このときの選択に秘められた意味の重さに、私は軽い戦慄をおぼえる。

海に直結した魚市場

堺魚商人が売れ残った魚を持ち寄ってきて、あまりぱっとしない商いをしていた黒門市場が、一躍人気を高めるきっかけとなったのは、「蛸宗《たこそう》」という魚屋の出現だった。蛸宗の主人は、店の入り口に大きな釜を置いて、そこに沢山の蛸を放り込んで茹でては、道行く人に安い値段で切り売りした。

名護町を背後に抱えるこのあたりには、力仕事の労働者が多かったせいもあって、安い茹で蛸は飛ぶように売れた。車引きは口に蛸をほおばりながら、大八車を引いた。丁稚たちも帰り道を曲げて黒門市場に寄っては、好物の蛸を買い求めて、物陰でこっそり食べた。

蛸宗の茹で蛸は大阪の大評判となり、それにつられて、黒門市場の名前が知れ渡るようになった。それまで「格下」の庶民市場という扱いしか受けてこなかった黒門市場が、この頃から大阪庶民にもっとも人気のある食品バザールとしての発展を、しめすようになった。蛸宗の主人山口宗吉《そうきち》氏は、黒門市場発展の礎をつくった英傑として、市場の一角に銅像が建てられている。

蛸宗の成功の秘密は、大釜を店頭に置いて、そこで入荷してきた蛸をつぎつぎに茹で上げるという、漁師が浜でやっている野生的な料理のやり方を、都市のまんなかで実演してみせたところにある。市場とはものごとが転換をおこす場所である。水揚げされたばかりの海の幸を、その場で煮たり茹でたり焼いたりする漁師料理は、市場というものの本質を、あらわしているとも言える。

魚市場は海に直結していて、そこから引き上げられた魚が、すぐさま店頭に並べられている、という直接感覚が魅力になっている。あいだにいろいろな仲介を入れないで、買い物にやってきた人たちに、まぢかに海につながっているような感覚をあたえるところが、市場の独特な魅力である。蛸宗はこういう市場の原初の構造を、巧みな演出で表に引っ張り出してみせ、それによって、黒門市場を大阪の「市場のなかの市場」に、引き上げることに成功したわけである。

市場とスーパー

『楢山節考』で有名な作家・深沢七郎が、『庶民列伝』（新潮社）という本のなかで、「庶民」の特徴をいくつも列挙しているが、それを見ていると、庶民というのは、人間と自然がひとつながりになっている感覚をもって生きている人たちのことを言う、というのがわかる。

たとえば、庶民はおならの話題のような、下品なことでも平気で口に出すのを好む、と深沢七郎は言う。それは庶民がことばをしゃべる口と、おならをする肛門とのあいだに、優劣や上下をつけないからである。口からは食べ物も食べる。それはいずれ、肛門を通過して外に出る。こんな具合に人間のからだは自然そのものであるのだから、口は上品で肛門は下品という、優劣はつけられない。だから、ことばは上品で、おならは下品とは言えない。ふたつはひとつながりの自然なのである。

　深沢七郎の説を参考にしてみると、「庶民はなぜ市場が好きか」という問題への解答が、自然に見えてくるような気がする。庶民は食べることで自分たちの身体に入れる食材の出てくる土地についての、直接的な感覚を保っていたい、と考えるので、市場で買い物をするのを好む。食材は土地からの贈り物であり、それをありがたくいただくのが、人間のまっとうな生き方であるとするなら、出所もわからない外国産の食材やら、信用もできない人たちが心をこめないでつくったものを、自分の口に入れたくないという、庶民は潜在的な反TPP派である。

　黒門市場のようなほんものの市場では、自然のもたらす富と経済の交換が直接に出あって、転換をおこしている。そこで売られている魚も野菜も、もともとは太陽のエネルギーと海と大地がいっしょになって生み出した、自然からの贈り物だ。ここのような野生的な市場では、自然のおこなう贈与の

茹で蛸フィギュア

現場である海や畑と、そこからの作物がお金を仲立ちにして交換される現場とが、直接に触れ合っている。だから庶民は、市場の向こうに、海や土の広がっているのが感じられるような、そういう市場で買い物するのが好きである。

ところがこの自然との直接的なつながりが、スーパーやデパートの食品売り場からは失われてしまっている。そこで売られている魚や野菜は、「お里が知られないように」きれいに洗浄され、清潔にラップされて、店頭に並ぶ。原発事故がおこる前は、野菜の産地や生産者の顔も、まったく見えないことが多かった。野菜がどんな土で育ったのか、魚がどんな海で捕まえられたのか、牛や豚がどんな風にして育てられて肉になったのか、そういう情報をできるだけ消費者にあたえないようにするのが、スーパーやデパート食品売り場の戦略だった。

そのために、都会でも地方でも、すべての食材が自然からの贈り物である、といういちばん大切なことが見えなくなってしまっている。まるで野菜も魚も肉も、はじめからお金で交換のできる食材として存在しているかのような錯覚が、みんなのなかに浸透してしまった。そうなると、人間と自然のつながりが断たれたまま、消費がおこなわれる。深沢七郎風に言えば、スーパーやデパートの食品売り場でばかり買い物をしているような人は、もう庶民ではないということになる。

黒門市場のようなほんものの市場が生きている大阪は、やっぱり庶民の町だなあ、とアースダイバーはうれしくなる。いくら巨大な都市に成長をとげても、人間と自然がいろいろな場所でひとつながりになっている大阪は、あいかわらず庶民の町なのだ。そしてそのことは、人間の世界の質がどんどん貧しくなっていこうとしている現代、ますます輝きをもちはじめている。

大阪の地主神

生玉神社と坐摩神社

落語家の桂三枝（文枝）らが呼びかけて、上方落語の寄席発祥の地に、このたび顕彰碑が建てられた（二〇一一年十月）。大阪の落語が、はじめて常打ちの小屋をもったのが十八世紀（寛政年間）のこと、ここで「桂」一門のご先祖ともいうべき、初代の桂文治《ぶんじ》が大活躍をした。現代の歴史学者の研究によって、その寄席発祥の地に比定されたのが、アースダイバーではすでにおなじみの坐摩（「いかすり」と読むのが正しいが、いまは「ざま」で通っている）神社の境内である。

このニュースは、なかなかに感慨深い。この国ではじめて「落語」ということを創始したのは、上町台地にある生玉（生國魂）神社境内で語りの興行をはじめた「彦八」という人物であった。生玉神社は、その名の通り、生きた霊魂（生タマ）を操ることに巧みな、古代の巫女が神懸かりするための施設であった。つまりそこは、典型的なシャーマニズム系神社であり、そのために、時代が下ると、芸能力をさずけてくれるありがたい神社として、浄瑠璃から歌舞伎までの幅広い芸能者の信仰を集めるようになっていた。彦八はその神社で、「彦八はなし」という新しい語りの芸能を、はじめたのである。

彦八の創始した新しい語りの芸は、それから長い年月をかけて、落語と呼ばれる芸能に成長をとげ

寄席発祥の地の石碑がある坐摩神社

ていった。そしてついに初代桂文治のとき、はじめて常設の寄席をもって興行のできる一人前の芸能として、認められるようになった。そのとき桂文治とその取り巻きが選んだのが、よりによって坐摩神社の境内だった、というところが、私たちの関心を引き寄せるのである。

坐摩神社境内を寄席の敷地に選んだその決定は、おそらくは無意識のうちに、なされたものだろう。しかし、その無意識の決定には、強力なアースダイバー的論理が働きかけをおこなっている。落語が生玉神社境内ではじまったものならば、それが一人前の芸能にまで育ったことをしめす寄席設立の地は、どうしても坐摩神社の境内でなければならなかったのではないか、というのが、庶民の心の見えない深層の地層を探る、アースダイバーの推論である。

これまでの話を読んできた読者は、芸能者という人々が、きわめて鋭敏なアースダイバー感覚の持ち主であるという印象をお持ちだろう。彼らは感覚と思考の「一次産業」従事者のような人たちであるから、大地からの呼びかけの声を、農民や漁師とはちがうやり方で、鋭く聞き取る能力をもっていた。その能力によって、噺家たちは、生玉神社と坐摩神社と自分たちの秘められた関係を、こっそりと知ったのである。この二つの神社に保護されてきた「大阪最古の地主神」の呼び声に応えて、噺家たちが吸い寄せられてきた。大阪では、地主神は落語をとおして、自らの思いを庶民に告げてきた。

この「大阪の地主神」の節で、私が語り出そうとする話は、大阪の大地の底にひそんでいる、見えない力にかかわっている。その力は人々の心に働きかけて、現実の歴史をつくりだしてきた。そういう見えない力のもっとも深い地層に、これからの話は触れようとしている。大阪という社会のつくりかたやそこの文化の特徴をなしているものの本質に、その力は深くかかわっている。ところがそれはめったに表立って語られることはない。

その力が「差別」という、大阪の抱える難しい問題に触れているからである。しかし、いやしくも大阪の文化や心性の古層を探求してきた私たちが、その問題を避けて通ることはできない。アースダイバーは、自分にしかできない独自のやり方で、この取り扱い困難な問題に、取り組んでみようと思う。

イカスリの神

現在では、生玉神社は天王寺区にあり、坐摩神社は船場に鎮座している。大阪の古い神社は、なんども移転を余儀なくされているので、もともとの土地とのつながりが見えにくくなっているが、この二つの神社だけは、古代の土地神としての記憶を、はっきりと記録に残している。

この二つの神社は、とても古い来歴をもっている。古代の上町台地上に、「河内王朝」と呼ばれる皇統が、都を営んでいた五世紀の頃、その宮殿のなかに、「イクシマ・タルシマ（生島足島）」と「イカスリ（坐摩）」という二つの巫女集団がいたことには、すでに何度か触れてきた。この巫女たちは、海中から生成する島々の行く末を守るための「八十島祭祀」を執り行っていたらしいが、二つの巫女集団のあいだには、霊能にかかわる微妙な違いがあった模様である。

イクシマ・タルシマの巫女集団は、文字通り、自分たちの眼前に海中からつぎつぎと出現しつつあったたくさんの島々の、安全なる誕生を祈って、祭をおこなった。海上を渡って大阪湾にたどり着いた古代の海民集団にとって、宇宙のはじまりは島の生成で表現されていた。彼らは上町台地に拠点を築く以前は、長いこと淡路島に拠点をおいた。そこで、イザナギとイザナミによる島生みの神話が語られていた。

海民にとっては、きれいなかたちをした島ができることと、円満具足の子供が生まれることとは、同じ意味をもっていた。大阪の地に都をもった古代の王朝の祭祀には、この海民的な感覚を充満させた、島生みの神話と儀礼が採用されていた。イクシマ・タルシマの

坐摩神社境内

巫女たちは、自分たちがまさに生まれでようとする島そのものに化身して、きれいなかたちをした島の出現を促そうとした。

ところが、イカスリということばは、「ここに居ることを知る」という意味を含んでいる。生成するのではなく、イカスリの神霊は、自分がすでに、もともと、ここにいた、と言っている。イクシマ・タルシマの神霊が、海中からナニワの島々を出現させるとするならば、イカスリは盤石の上にすでに居た神霊なのである。つまり、イカスリの神霊は大阪湾に突き出た唯一の細長い洪積台地である、上町台地の地主神そのものであった、と言っていい。

ツゲ一族の娘たち

「坐摩さん」と言えば、大阪の人が誰でも知っている神社で、現在は船場の西にあたる中央区渡辺に鎮座している。しかし、これは秀吉による大坂城改修にともなって、もといた場所からの移転を強いられたもので、旧鎮座地は、天満と船場を結ぶ天神橋の近く、いまの石町《こくまち》の一角を、広く占領した場所にあった。

ここが石町と呼ばれたのは、旧坐摩神社の境内（現在は「御旅所」と呼ばれている）に、「神功皇后の鎮座石」という巨石があるからだ。ステンレスの台に覆われてしまってはいるが、この石はいまでも昔と同じ場所にある。神功皇后の話はあとから付け加えられたエピソードとしても、この話が女神の出産にかかわる古い神話にもとづいていることは、ほぼまちがいがない。聖なる巫女が、太陽の光をはらんで、神の子供を出産するという神話である。この世に神聖な力が出現する様子を、古代の人は、大地のなかから見事な石があらわれることとして、表現しようとしたのである。

旧坐摩神社の御旅所

こういう不思議な考えが、神社のロケーションにも、はっきりとあらわれている。石町にある旧坐摩神社と、上町台地上にあった古代河内王朝の王宮を結ぶ線を、生駒山地のほうに伸ばしていくと、高安山にぶつかることになるが、その高安山に冬至の日に最初にあらわれた太陽は、まっすぐ旧坐摩神社に光を届けるように、配置されている。つまり、旧坐摩神社のあった場所では、かつて、冬至の日に最初に光を迎える儀式がおこなわれ、その光を受けて巫女が神の子供を生むというファンタジーが語られていたと、推察される。

その場所に祀られていた霊が、「イカスリ」と呼ばれたのである。イカスリ＝居所知、ここに居ることを知る、という意味である。ここに、河内王朝の重要な聖地が設けられ、ツゲという一族から特別に選ばれた娘たちが、イカスリ御巫《みかんなぎ》として、「大宮地之霊《おおみやどころのみたま》」というものをお祀りしていた。イカスリ御巫は、都が奈良に移ってからも、宮中では重要な存在であり続けた。彼女たちとペアーになるイクシマ・タルシマの巫女が、国土としての島々の誕生を見守る役目を果たしていたが、そうして生まれた国土とその上に建てられる家＝宮の霊を、イカスリ御巫が祀っていた。

イカスリには、二重の意味があった。イカ

スリには宇宙の中心である大宮の霊が祀られているが、同時にそこは太陽の子供としての王子が生まれる産屋でもある。この大宮＝産屋は、特別な構造をしていなければならなかった。『古事記』には、そういう神聖な宮は、大地を深く掘って、そこに太い宮柱を立て、屋根には高々とチギ（千木、またはヒギ）を上げなければならない、と書かれている。天に向かってY字形に開いたチギをもつ、伊勢神宮などでおなじみのあの形である。☆

大地の奥にひそんでいる潜在力が、現実の世界にあらわれるときには、我が身をひねって位相を変え、そこからY字形に世界に向かって広がっていく、という古代建築の考えが、ここにははっきりと表現されている。

どんな建物も大地とひとつながりであって、はじめて正しい建築となる。あらゆる生が死とひとつながりであるのと、それは同じである。古代人は、建築を出産と同じ仕組みで考えていた。建築のなかには、空間として考えることもできなければ計算もできない要素が、組み込まれていなければならない。これは、現代建築から完全に失われてしまった考え方である。

大地の霊である地主神と、その地主神の上に建てられる宮が一体となったもの、それがイカスリの霊であった。イカスリの霊は、自分のなかにひねり（ツイスト）をはらんだY字の構造を含んでいる。これはいかにも、大阪人の地主神にふさわしい霊ではないだろうか。私たちはこれまでにも、大阪人の心性のなかに、こういうひねりの構造を発見してきた（第三部「萬歳から漫才へ」～「来るべき漫才」など）。

そのことは、大阪人の会話や芸能のなかに、はっきり見てとることができる。都市の構造のなかにも、それが発見できる。大阪人の心は、イカスリの霊と同じ構造をしている。その意味でも、坐摩さんは、大阪でいちばんの、ほんまの地主神の住まう神社なのである。

☆大和岩雄「坐摩神社」：『日本の神々３』（白水社）、中沢新一『野生の科学』（講談社）参照。

このイカスリの霊と結びついて、私たちが語り出そうとしている物語の主人公である「渡辺氏」が、登場してくる。この大阪の大地の霊を守ってきたのが、ほかならぬ渡辺の一族なのである。

渡辺一族の登場

船場の石町にある旧坐摩神社の鎮座地は、古くは新羅系の渡来人と推定されるツゲ（都下、闘鶏などと書く）氏の所有地であった。大川をはさんで、南北の両岸が、ツゲ氏の土地だった。そしてツゲ氏がイカスリの霊をお祀りする神主の役目も果たし、少女からなるイカスリ御巫団もツゲ氏から出ている。

このツゲ氏が、平安時代の後期には「渡辺」と名前を変えている。由緒ある古代的な名前を捨てて、「渡し場あたりの人」という平凡で、中世的な呼び名に変えたわけである。名前は変わっても、彼らがイカスリの霊の神官家であることに、変わりはなかった。坐摩神社宮司としての渡辺家は、現在にまでおよんでいる。

その頃からひんぱんに、「摂津の渡辺」とい

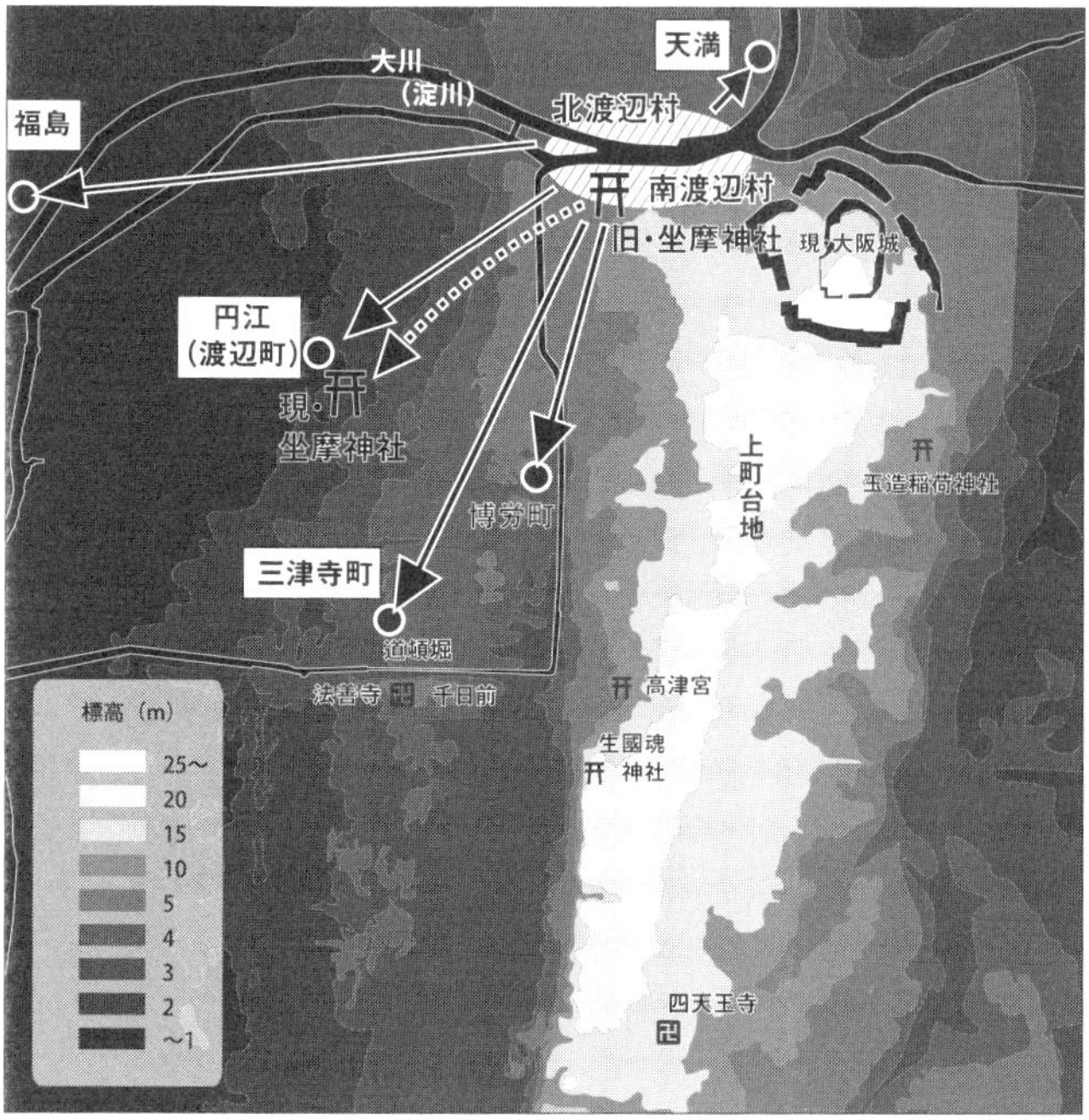

渡辺村の移転

う名前が、歴史の表舞台にあらわれてくるようになる。宗教者としてではない。摂津渡辺を根拠地とする武士団「渡辺党」の活躍によってである。渡辺氏から出た武士たちは、宮中の滝口という特別な場所に駐屯して、宮の警護をおこなっていたが、大江山の北の山中に住む縄文系種族の動向が不穏だと言えば、源頼光《みなもとのよりみつ》指揮のもとに討伐戦にかり出され、そこで「酒呑童子」なる鬼を退治したという話に仕立てられて、京中の評判となった。こうしてイカスリ神官家である渡辺から出た渡辺党は、中世のはじまりの時期に、源氏の一員として、政治の表に躍り出てきた。

水軍武士団へ

中世までの西国武士は、水と関係が深い。河川をはさんだ土地とか、水源地を背後にもった里などが、好んで彼らの根拠地になった。奈良の三輪山に沿って流れる初瀬《はせ》川（長谷川）の流域には、有名な「長谷川党」という武士団が出ている。

宮中でも武士たちの控え所は、「滝口」と呼ばれた。滝口は、文化の華とも言うべき宮中の裏にあって、自然との通路になっている場所である。ここを控えの場所としている武士は、貴族にとっては、いわば半身が自然につながっている「サテュロス神（半獣神）」のような存在だった。自然の神秘な力は、流水をとおして、文化の世界に流れ込んでいたが、そこで「つなぎ」の役を果たしていたのが、武士だったのである。

私たちの渡辺党も、その例外ではなかった。渡辺氏の前身であるツゲ氏は、新羅出身といいながらも、きわめて海民的性格が強く、古代の大阪で最大の港であった渡辺津《わたなべのつ》を拠点としていた。この港は、いまの天神橋と天満橋の間にあって、多くの外国船もここに寄った。イカスリの霊を祀る坐摩神社を中心として、勢力を大川沿いに伸ばし、彼らは武士団を形成するようになっていた。

海民的な性格の強い渡辺党は、強力な水軍をもつ武士団に成長した。水軍は水にのって、自在に移動していく。渡辺党の息のかかった水軍は、瀬戸内海から北九州あたりまで、広範囲に影響力をふるっていた。のちの時代の海賊の多くが、渡辺党の流れに関係をもっている。

長谷川党や渡辺党のような、西日本に発生した武士団の多くは、水との深い関係からもうかがわれるように、もともと海民的な性格が強く、海民が開いた都市と結びついた「都市的武士団」である。それにたいして、鎌倉幕府以後の封建主義は、農業をおこなう土地を土台にしていた権力である。そのため室町・戦国時代に入ってから、渡辺党のような都市的性格をもった土着の武士団は、しだいに振るわなくなる。

大阪に大きな城を築いた秀吉は、足下に土着の武士団が勢力を残していることを、快く思わなかったから、渡辺氏にたいして締め付けを厳しくしていった。これに耐えられなくなった渡辺氏嫡流は、大和国（現在の奈良県）に拠点を移すこととなり、古代以来の名流もあっけなく歴史の表舞台から消えてしまう。

南渡辺村と北渡辺村

問題はあとに残された傍流に属する渡辺一族の、大阪における運命であった。秀吉は坐摩神社の移転を命じた。これは、古代のツゲ氏以来、彼らが住み慣れた土地を離れなければならないことを意味していた。そしてこのときを境にして、渡辺氏ははっきりと南と北の二つの渡辺集団に分かたれ、それぞれがまったくちがう運命を歩むようになったのである。

渡辺一族は、大川をはさんで、北の天満と南の船場に別れ住んで、その間を立派な渡辺橋が結んでいた。南渡辺村には（旧）坐摩神社があり、近くには本家嫡流の屋敷もあって、地位の高い武士や神官やその家族が住んでいた。これにたいして、天満側の北渡辺村は、中世の頃から、武士団の「兵《へい》站《たん》」拠点として、発達するようになっていた。

武士団というのは、ひとつの大きなマニュファクチュア（工場制手工業）のようなものである。武士の活動のいちばん華々しい場面は、戦場での闘いにあるが、それだけでは武士団は動いていけない。食料や武器のような兵站部門がちゃんと整っていないと、大掛かりな戦争を遂行することはむずかしい。物資の調達から武器鎧兜や馬具にいたるまで、闘いに必要な道具類は、自分たちで整える必要があったから、武士団にはかならず、専門の職人の集団が付き添っていたのである。

とくに、武具と馬具には、大量の動物の皮（革）を必要とした。鎧の部品をつないでいたのは、丈夫な革のヒモであったし、馬の鞍にも靴にも、革が必要だった。そのため武士団には、かならず革製品をつくる職人が、付属していなければならなかった。職人たちは分業体制をとっていたから、ひとつところに集まって住んだ。そういう武具づくりをする職人の村が、北渡辺村にあった。

北渡辺村には、「キヨメ」と呼ばれる人々も住んでいた。中世には大きな神社には、かならずこのキヨメと呼ばれる下級の神職がいたものである。キヨメは書いて字のごとく、穢れを清めるという仕事を、神社でおこなっていた。神社などというものがいまのような形で出来上がる以前の古代の宗教では、穢れたものを呪術の力で払い落とし、清められた状態に戻すという呪術行為が、たいへん重要な役目を果たしていた。古代人は、「新生」や「再生」を重視したから、病気や災害などに見舞われたあとは、世界を一新して、新しい気持ちで立ち直っていくために、さかんにキヨメの呪術をおこなっていた。

穢れを清めるためには、キヨメの呪術者たちは、自分でも穢れたものに近づかなくてはならない。ところが、平安時代になって確立してくる神社の神道の儀礼では、上級の神官たちは、けっして自分から穢れたものや穢れた状態に、近づいていこうとはしない。むしろ、徹底した清浄をもとめて、穢れを遠ざけていようとする。大昔には、どんな神官もキヨメの呪術をおこなっていた。それが、だんだんと神官とキヨメに分解をおこして、キヨメは下級神職として、神社に隷属するようになっていったのである。

坐摩神社に属するキヨメの集団の居住地が、北渡辺村であった。キヨメは死んだ牛馬の死体のかたづけなども仕事としたので、同じ村に住む皮革職人とも近い関係にあった。北渡辺村に住む人々は、武士団渡辺党のいわば下部構造を支える重要な働きをしていた。

秀吉は渡辺一族の勢力を解体するにあたって、坐摩神社を含む南北の渡辺村そのものの移転を命じた。南渡辺村の移転先はすぐにきまった。問題はしかし、奥深い伝統を抱えた北渡辺村の処遇であった。

区別と階層差

秀吉による大坂城築城にともなって、河内王朝以来の由緒ある坐摩神社も、他所への移転を命じられることになった。このとき大川をはさんで南北に広がっていた渡辺村も、天満や福島や博労《ばくろう》など五ヵ所に、分散移転されることになったが、このうちもっとも大きな集団は、現在の坐摩神社の所在地である、円《つぶら》(圓)江《え》に移住することになった。いまの船場の西部にある渡辺町のあたりである。

ここにははじめ、坐摩神社の神官家を含む南渡辺村の住人と、渡辺党の武士や皮革職人や神社付属のキヨメ集団などで構成された北渡辺村の住民が、いっしょに移住していった。南北渡辺村の住人は、その後二つに分かれて、それぞれがまったく異なる運命を歩むことになるのであるが、近世はじめのその頃まではまだ、マニュファクチュア共同体として、一つの村にまとまっていたのである。

差別ということが、まだ制度化していない時代だった。もちろん、武士と皮革職人、神官とキヨメのあいだには、区別や階層差は存在したはずである。しかし、あからさまに住むところを引き離したり、蔑視の対象にしたりということは、まだなかったし、ましてそれを制度に固めてしまうことは、おこなわれていなかった。区別と階層差をはらみながら、武士団は皮革職人やキヨメを含む全体で、共同体をつくっていた。

それにそもそも、武士というものが登場した頃は、武士はもろもろの「職人」のなかの一つという扱いを受けていた。武士は殺生の技に巧みな職人に、すぎなかったのである。武士は猟師などと同じように、流血にまみれた「穢れた」仕事に従事する人々とみなされていた。いでたちひとつとってみても、動物の革でしつらえた武具を身にまとい、血を恐れず、平然と他人の命を奪うことができる職人である。殺生の職人である武士と、死んだ動物の皮を剝ぐ別の職人とのあいだに、さしたる違いは感じられていなかったはずである。

しかし、その武士が権力に近づくようになると、殺生の技に巧みな職人としての本性は、文化的な装いをすることによって、しだいに隠蔽されるようになった。たとえ流血にまみれた「穢れた」仕事ではあっても、武士がふるう暴力のなかから権力が出現するようになれば、殺生の技にも後光が射してくる。権力のまわりには「御威光」がまとわれて、人々の目はくらまされる。

こうして暴力から生まれた権力は正当化され、殺人の技芸は聖なる領域にまで、高められた。そしてそれと呼応するように、武士はいままでのマニュファクチュア集団の仲間だった皮革職人たちを、穢れた仕事に従事している人々として、距離をとろうとするようになった。殺人の技芸は聖なるものであっても、動物を殺して皮を剝ぎ、肉を取る行為は穢れているという、まことに倒錯した考え方である。

皮革職人には「エタ」という差別的な呼称があたえられ、縁組みをしない、居住地を分離するなどの、あからさまな差別を受けるようになった。エタということばは、狩猟用語の「餌取《えと》り」から転じたものと考えられている。「皮革職人は猟師に近い」というわけであろうが、そういう武士こそ出自をたどれば、まぎれもない猟師である。

神社付属のキヨメたちも、エタのカテゴリーに入れられて、差別を受けることになった。キヨメは、大地と神聖なものとのインターフェイスの領域を管理する、神社にとって重要な仕事を受け持っていた。とくに、イカスリの霊のような、地主神の霊力が地上に向かって吹き上げてくるのを、Y字の回路を使ってうまく制御するためには、大地に触れているキヨメの任務は、とても重要なのである。死や血の穢れを自分に引き受けて、浄化する呪術に巧みなのが、キヨメたちであったからだ。

中世までの神道には、こういうキヨメの機能が、どこでもきちんと組み込まれていた。ところが、近世になると神道は、この大地の霊につ

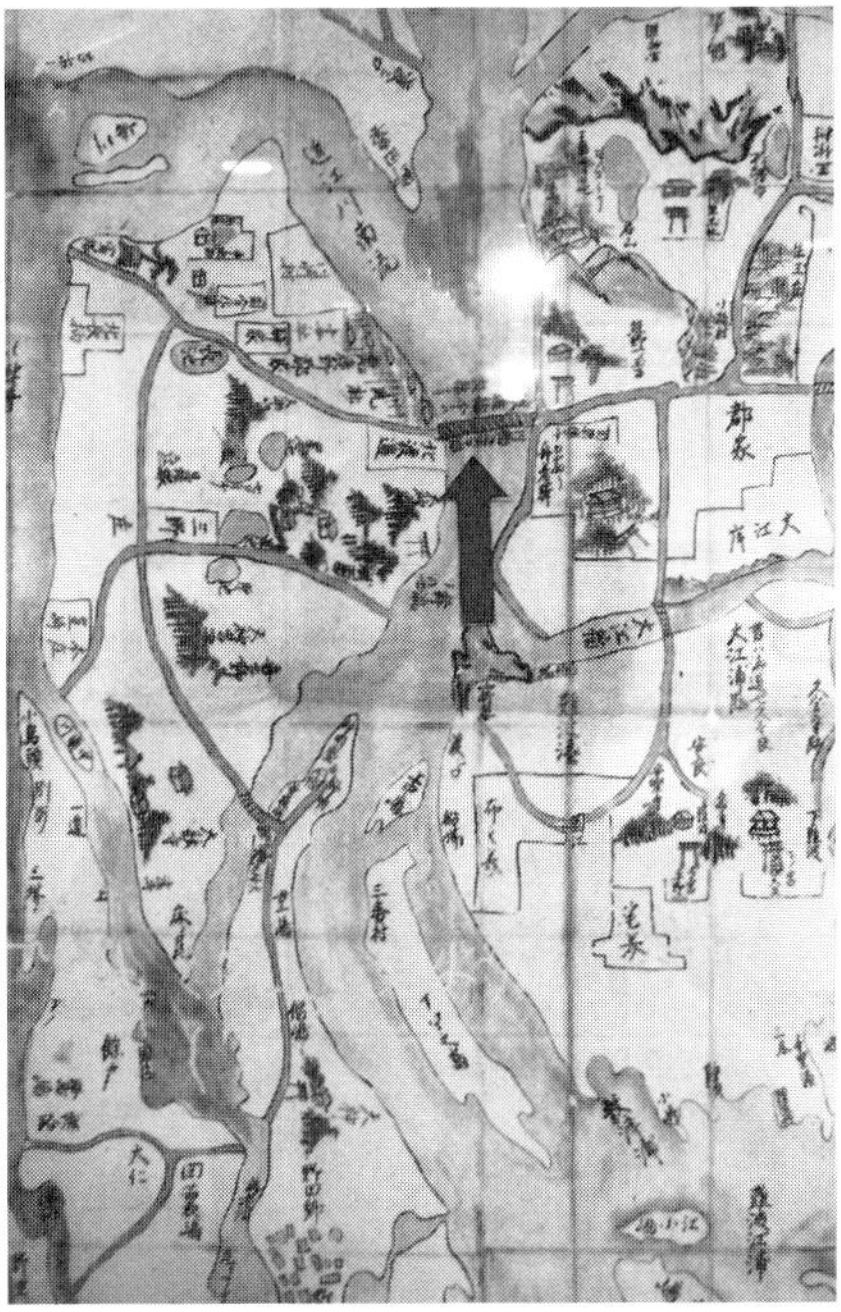

渡辺村の古地図

ながりをもつキヨメの技を、自分から切り離すようになる。神道は古代的なＹ字の回路を捨てて、単純きわまりない清浄の考えのまわりに、近世型の神道をつくりあげていった。キヨメは宗教の世界でも、厳しい差別を受けるようになった。こうして、古代宗教以来のキヨメという職能は、分解させられて、そのなかから芸能者が発生するとともに、多くがエタ身分に組み込まれていくようになった。

さまよえる北渡辺村

大阪の地主神である坐摩神社といっしょに、移転を強制された南北の渡辺村は、まず円江にいっしょに移った。ところが、ここで、それまでは意識の表に出すことがはばかられていた近世的な差別の意識が、南渡辺村の住人のあいだに、むらむらとわきあがってきたのである。北と南の渡辺村のあいだは、それまで大川が隔てていたから、どちらの住人も、差別を意識しないで暮らしていることができた。それが船場の一区画を「渡辺村」のものとしてあたえられたとたん、自分たちは北の連中とは違うという意識が、露骨にあらわれるようになった。

おそらくは、皮なめしの工程で発生する臭いのことなどが、議論の皮切りになったのではないかと思われるが、新しい坐摩神社を中心につくられる「新渡辺村」の中心部からは、多数の皮革職人やキヨメ集団を含んでいる北渡辺村出身のものを遠ざける、という施策が取られるようになった。

これには、坐摩神社神官をはじめとする南渡辺村の有力者たちによる、権力への働きかけが功を奏したのであろう。北渡辺村出身のもの、ここには下級武士や下級神官や職人が含まれていたが、彼らにあたえられたのは、移転地の北西に残された小さな一画にすぎなかった。

しかし、それは北渡辺村の住民とその子孫たちが、体験することになった受苦の歴史のはじまりにすぎなかった。彼らは、その後数十年にわたって、難波のディアスポラ（流浪）の民として、西成各地への移住を繰り返さなければならなかった。

くり返される強制移住

同じ坐摩神社の氏子でありながら、南渡辺と北渡辺の住民は、封建社会のなかで、まるで違った運命をたどることとなった。南渡辺の住民は、移転された新しい坐摩神社の周辺に住んで、船場の市民というポジションに、すんなりおさまった。ところが、北渡辺の住民のほうは、村ごとまとめての移転を、何度も強制されて、なかなか居所が定まらなかった。

夏の陣で燃えてしまった大坂城が再建されることになり、城下町づくりが進むと、皮革を扱う職人や神社に付属していたキヨメと呼ばれた人々は、しだいに市街地から遠ざけられて、離れた農村部に彼らだけの村をつくるよう強制さ

浪速神社

れるようになる。その結果、天満や福島や博労に散らばって生活していたこれらの人々は、いったん道頓堀の外側の一区画に集められ、北渡辺出身の人々が中心となって、そこに新しい「渡辺村」をつくらされることになった。

しかし、そこはひどい湿地帯で、とても暮らせるものではなかった。渡辺村の人々は嘆願をくり返して、ようやく十八世紀のはじめ頃（元禄十四年）、木津村領内（西成区・浪速区）への移転が認められ、数年がかりの作業の末に、ここに渡辺の人々は安住の地を得ることとなったのである。イカスリの霊に守られた渡辺の里を出て以来、すでに百年を越える月日が経っていた。

旧十三間堀川

北渡辺村の人々は、くり返される強制移住の間も、けっして彼らの「坐摩神社」を手放すことはなかった。坐摩神社の祭神であるイカスリの霊は、大阪の大地に住まう最古の地主神である。地主神を祀る儀礼には、かならずキヨメの神官たちの働きを必要とする。Y字をひねって、大地の力がこの世界に現れるためには、どうしても自然の過剰した力（これが穢れの本体である）を払って、秩序の世界に組み込む儀礼が必要だが、これには穢れに触れながらそれを清浄な状態に転換する能力をもった、キヨメ集団の働きがなければならなかったからである。その意味では、大阪の地主神・坐摩神社の、古代的な神社としての重要な部分は、キヨメの人々を主体とする、北渡辺村の住民が担っていたと言える。

こういういきさつで木津の渡辺村（以後、渡辺村と言えば、こちらを指すことにする）には、坐摩神社そのものを名乗ることは許されなかったとはいえ、坐摩神社の境外末社として浪速神社が設けられることになった。御祭神は、イカスリの神をはじめとして、坐摩神社の祭神とまったく同じである。布団太鼓と呼ばれる独特のだんじりを繰り出して、盛大におこなわれる夏の祭の祭日も、同じ日である。浪速神社は十三間堀川の東側にあり、周辺には皮革の鞣《なめ》しや加工にたずさわる職人が、多数住んでいた。浪速神社の境内には、神功皇后御鎮座石にそっくりの聖石まで置かれて、ここが坐摩神社のほんとうの移転場所ですよ、と言おうとしているようにも感じられる。

ところが十三間堀川の西側には、白木《しらき》神社という別の神社が建っている。北渡辺村はもともと大川のほとりの、新羅江という場所にあった。渡辺氏の先祖は新羅出身のツゲ氏であると言われていたから、この新羅が白木に変わったわけである。この白木神社は、皮革職人であるカワタたちからは、あまり支持されていなかった。この点から推測するに、こちらの神社の支持者たちは、大阪の地主神であるイカスリの霊を超えて、遠い先祖に立ち返ろうとしているわけで、北渡辺村の住民がもともと、複雑な構成をしていた事情を反映しているように見える。

太鼓の村

渡辺村の人々は、日々の生活の場では厳しい差別を受けて、屈辱を耐え忍ばなくてはならなかったが、自分たちが大阪の地主の霊であるイカスリの祭祀者の末裔であり、誉れある武士団渡辺党の一員であった歴史が、彼らの誇りを支えていたし、経済面でもこの村の活動は、ときとして武士や町人や農民をしのぐほどの、力量を見せた。この村はカワタとして差別されてはいたが、けっして貧困では

太鼓店

なかったのである。

じじつ、かつて大川べりの渡辺津《わたなべのつ》を支配していた時代にかたちづくられた、全国各地の皮革職人や商人たちとの絆は、差別体制が固まってくるようになると、ますます強固になっていった。九州や四国の諸藩から船で運ばれてくる大量の動物の原皮は、渡辺村近くの港に荷揚げされた。海外からの原皮も、渡辺村に集められる仕組みが、整っていった。生駒山麓に点在するカワタの村々も、鞣した革は渡辺村に出荷した。

渡辺村はそれ自身が、大きなマニュファクチュアのように組織立てられ、そこで優秀な鞣革や高級皮革製品に加工された。平和な時代が長く続いて、農村の生活が安定してくると、村祭が盛んになってきた。祭には太鼓が欠かせない。そこに目をつけた渡辺村の職人は、伝統の技術を生かして、新時代にふさわしい太鼓の製作をはじめた。こうして、全国の村々に、渡辺村製作になるすぐれた太鼓が、行き渡っていくことになる。

太鼓は、大地の霊を呼び覚ますための、人類最古の楽器である。アフリカには、地面に穴を掘って、その上に革を張って、太鼓をつくる人々がいる。太鼓を打つことによって、地面の奥に潜んでいる大地の霊を呼び起こして、人間の世界に元気をあたえてもらおうというのである。その意味では、太鼓という楽器そのものが、ツイストをはらんだＹ字の構造を潜ませている。

イカスリの霊を震わせ、こちらの世界に引き出す古代の技術に巧みであった、坐摩神社の下級神官の末裔である渡辺村の人々のつくった太鼓が、とりわけすぐれた音色を発したのには、深いわけがある。大地の霊に忠実な生き方を選んだために、渡辺村の人々は社会的な差別を受けることになったが、大地的なものへの忠実さのゆえに、彼らがつくりだす太鼓は、格別な妙音を発するのである。

解放運動

渡辺村は江戸時代をつうじて、皮革製造と卸し業の中心として、じつに活気にあふれた地域だった。この村は「役人村」とも呼ばれていた。対岸の月正島《がっしょうじま》に処刑場があり、刑罰にかかわる役人のような仕事を、渡辺村の人たちがまかされていたためである。ふつうは、このような仕事は、墓地と関係の深い非人とよばれる人たちがおこなうことになっていたものであるが、渡辺村の住民は武士団の末裔であったためか、例外的に、罪人の生死の管理も受け持たされていた。

大阪の町火消しとしても、渡辺村の人々はめざましい活躍をした。火事が起こると、火事場装束に身を包んだ渡辺村の人たちがまっさきに駆けつけて、火に巻かれながらの消火作業をおこなうのである。

昔の人には、地震や火事は「聖なる出来事」だった。自然のなかに潜んでいる力が、人間の世界に吹き出してくる現象が、地震や火事であったので、その現場に踏み込んで、火の力と格闘することのできる人間は、異常な力能をもった「力者《りきしや》」でなければならない、と考えられた。大江山や羅生門の鬼と闘った武士を先祖に持つ、渡辺族のような末裔こそ、このような力者にふさわしい人たちだった。彼らは自然の力に近い世界を生きていたがゆえに、市民社会からは、むしろ差別されたと言える。

しかし、差別された人々の形成していた社会は、自然の原理に近いものであったから、当時の市民社会よりもある意味では自由なつくりをしていた。封建社会は容易なことではびくともしない、ピラミッドのような階層社会をつくっていた。これにたいして差別された人々の生きていたのは、ネットワーク型の水平社会だった。階層社会では、人や物の動きは、狭い範囲に限られている。ところが、ネットワーク型の被差別社会では、人も物も水のように流動できる。彼らの多くが、海民出身の先祖を持つ人たちであることを思い出そう。

そのために、カワタの人々の通婚圏などは、農民のそれに比べると、まことに広大だった。各地には有名な仲人婆や仲人爺がいて、生駒山麓の村の若者の嫁に、瀬戸内海沿いの村や北九州の皮革商人の娘を引き合わせるなどという離れ業を、軽々とこなしていた。差別されて、制度の外に生きていたおかげで、むしろこの人たちは、より生命の原理に近い社会をつくっていたともいえるのである。

そのために、明治維新によって差別の撤廃が謳われるようになると、渡辺村は「解放」実現へむけて結集していく、全国からのすさまじいエネルギーの渦の中心となった。「全国水平社」の大阪の拠点がこの村に置かれることになった。立ち上げの講演会は渡辺村の浄土真宗徳浄寺を会場としておこなわれた。その日はまるで、長いこと抑圧されてきた大地の霊が咆哮しているようだった。今日「同和」と呼ばれている解放運動が、大阪においては、イカスリの霊を守ってきた渡辺の民の末裔の住む村で開始されたということ自体に、深いアースダイバー的意味が潜んでいる。

「同和」の未来

かつての差別は、おもに生業によるものだったが、差別された人々の仕事を見てみると、それが荒々しい自然に、直接触れながらおこなわれている技であることがわかる。人間の社会は、血や死のような過剰した力にあふれているものに接触することを恐れ、それを「ケガレ」として、遠ざけておこうとする。ところが、皮革の製造や染色の仕事では、直接に動物の血や植物の「体液」に触れなければならない。

市民の世界は、そういう自然の体内に隠されている力に近づくことを恐れたのである。古代・中世の世界では、自然の荒々しい力に触れる、こういう仕事はまだ差別されていない。それが近世の市民社会ができてくると、自然に直結した自分の下半身を、差別して分離しようとする傾向が、発生してくる。それを制度として固定したのが、江戸時代の封建体制だったが、こ

水平社発祥之地の碑

の倒錯した意識は、現代の市民社会にも、確実に受け継がれている。市民社会は荒々しい力との接触を恐れ、それを遠ざけたり排除したりする傾向を、ますます強めている。

はたして差別された人々の解放を求めた運動は、ほんとうに成功したと言えるのだろうか。差別された人々は、その生業をつうじて、自然のプライマル（原初的）な過剰した力に、直接触れていたために、けっしてのっぺり均質な世界を生きることができなかった。ところが、市民社会は均質な秩序をつくるのが上手で、その底をお金の経済が支えている。差別されていた人たちの生きていた世界と、彼らを差別していた市民社会は、けっしてかんたんには同和も同化もできない、二つの違う原理でつくられているのである。

近世以前には、その二つの異質な原理は、イカスリの霊のありかたが象徴するような、一つの全体性をもってつながっていた。近世の封建社会ができあがるなかで、二つの原理は、南渡辺村と北渡辺村の運命が象徴するように分離されて、北渡辺村は遠ざけられ、差別されるようになってしまった。そして、そのときできあがった市民社会のありかたは、自分の下半身を隠そうとする性質を、いまだに変えていないのである。

自分の本質をなくしてしまうことで、市民社会に同和してしまうこともできる。しかし、自分たちの世界の異質性を保ち続けようとするとき、お金の支配する世界にあっては、過剰した力はお金に換算されて、「利権」へと堕落してしまう。かつて地主神の霊力から発していたものが、いまでは利権と暴力に変容してしまっているのだ。

同和問題は、こんにちの市民社会をなりたたせている原理そのものを、一つの「問題」と化してしまうほどの、大きな起爆力をいまだにはらんだまま、すっかり行き詰まってしまっている。アースダイバーの方法は、そこに風穴をこじ開けようとするのだ。

女神の原像

「太陽の妻」

女神たちは、いかにも「ここから上陸しました」とでも言わんばかりの痕跡を残して、五世紀の頃、古代大阪の上町台地にたどり着いている。女神を祀っていたいくつかの集団は、上町台地とその東側に広がる扇状台地に散っていき、気に入った場所を見つけては、そこに女神の神社を建てて住み着いた。そして彼らは、大阪の基礎をつくる人々となった。

しかし、女神たちのうちの一集団（アマテラス女神を祀る集団）は、ここには住みつかず、太陽が現れる方角である東へと向かい、大和盆地へ入ってそこにしばらく滞在した。しかしそこにも安住できず、長い年月をかけて伊賀の山々を越え、とうとう伊勢の海岸に到着して、そこに大きな杜を得て、ようやく安らぎの土地を得た。

この女神たちはいずれも太陽と深いつながりをもち、それまで

高津宮

高津宮女陰石

の縄文系の女性神とは、多くの共通点といくつかの異質なところをもっていた。コリア南部からこの列島にやってきたこれらの女神たちは、列島に複雑にいりくんだいくつもの足跡を残したが、その女神たちの長い旅の畿内における出発点が、上町台地であった。

この古い来歴をもつ女神たちは、「アカルヒメ（赤留比売）」や「シタテル（下照）」の名前で呼ばれ、女神を祀る神社は「ヒメコソ（比売許曾）」と呼ばれたが、いずれもそのイメージのなかには「太陽」や「太陽の輝き」の意味が含まれている。「ヒメ」はしばしば「ヒルメ」とも呼ばれ、しかも「ヒルメ」は漢字を使った古い書き方では「日妻」と書かれた。ここから推測するに、上町台地に最初にたどり着いた女神たちは、いずれも「太陽の妻」という名前であったことがわかる。

今日の大阪で、この太陽の妻であった女神たちの痕跡を追ってみよう。最初の上陸地点と推定されるのは、中央区にある高津宮近辺である。このあたりは古代の港だった。大阪湾の波の打ち寄せる台地西面の崖のなかで、このあたりだけが複雑に入り組んだ湾のかたちをしていた。新羅や百済からのいわゆる三韓渡来民の多くが、ここから上町台地に上陸し

た、と推測することができる。☆

百済からの渡来民の多くは、上町台地を越えて、平野川のつくる扇状台地上に広がっていた、ついさきごろまで「猪飼野」と呼ばれていた地域に、住みつくようになったが、新羅からの集団は、今日の「鶴橋」あたりを居住地として、村づくりをはじめた。また平野川をもう少し遡ったあたりを開発した新羅系の人々もいて、それがあの美しい町「平野」の開発者となった。アカルヒメやシタテルなど、「太陽の妻」をあらわす名前をもった女神たちは、こういう人たちといっしょに、大阪に上陸した。

彼らは村の中心にかならず、女神の杜をつくった。「杜」はモリと読む。私たちの知っている「森」と同じで、うっそうと樹木の生い茂る禁足地で、そこに女神のお社が建てられた。森＝杜＝モリのことを、古代コリア語で「コソ」と言ったらしい。そこで女神を祀る神社のある森の全体を、「ヒメコソ」と呼んだわけである。

このような「女神のモリ」を列挙してみよう。最初の上陸地点である高津宮には比売古曾《ひめこそ》神社があり、鶴橋には二つの比売許曾神社がある。古い社地はいまでは「産湯稲荷」と呼ばれているが、この名前には墓地と出産という二つの意味が含意されている。平野には二つの赤留比売神社がある。女神の所在地を追跡していくと、古代人の移動の様子が、ありありと思い浮かんでくるようになる。では、その人たちが運んでいた女神の素顔とは、いったいどのようなものだったのだろうか。

太陽と性

伊勢に鎮座したアマテラス女神からは、太陽の輝きを放つ気高い女性のイメージが、強烈に放たれ

☆「三韓」の内実は複雑な事情を抱え込んでいる。じっさいの新羅人・百済人のほかに滅亡した伽耶諸国からの難民が「新羅系」「百済系」を自称した可能性も今日の歴史研究では指摘されている。

ている。しかし、古事記や日本書紀を見る限り、この女神には女性に特有な「産む女性」のイメージを、ほとんど感じ取ることができない。ところが、この伊勢の女神の「原像」とも言うべき、大阪の太陽女神たちからは、濃密な性と死の香りが放出されている。

もっとも古い由来をもつヒメコソ神社である高津宮の比売古曾神社に、そのことはあからさまにしめされている。高津宮は仁徳天皇の皇居として、もともとは上町台地の中央部にあった。それが例によって、秀吉の大坂城築城のあおりを受けて、古代港のあった台地西崖ぎわの現在地に移転され、「地主神　比売古曾神社」と呼ばれるようになった。おそらくは、古代以来ここには「女神のモリ」たるヒメコソの一つがあり、そこに古代天皇ゆかりのヒメコソが移った、と推測することができる。

いまこの神社は、三つの主題のコンプレックスとしてつくられている。古代コリア由来の女神であるシタテルヒメまたはアカルヒメを祀る神社が中央にあり、同じ境内には朱の鳥居もみごとな「高倉稲荷神社」が建てられている。この稲荷神社に足を踏み入れると、あざやかな朱の色に目を射られた私たちは、まるで自分が古代の墳墓のなかに迷い込んでしまったような錯覚に陥る。

(上)猪飼野を流れる平野川　(下)伊勢皇大神宮月読宮

しかし驚くことはもっとある。死の宮殿のような稲荷神社を出て、裏手の小さな坂を降りていくと、あたりは急に湿気をおびてきて、見るとそこにはなまめかしいかたちをした女陰石がニョキニョキと、立ち並んでいる。この神社は別名「子授け神」と呼ばれ、いまもここの部分が、人気の信仰スポットとなっている。

太陽の女神であるヒメは、自分の内部に太陽の輝きだけでなく、死と性の主題を抱え込んでいる。大阪に残されたアマテラス女神の原像には、この女神がもともと備えていた複雑な性格が、裸のままにさらされている。

不思議な神話の記憶

アマテラス女神には、太陽神の娘、強烈なマザコンである弟神スサノオの姉、機織りの女神などといった特徴が、あからさまに表現されているが、ただひとつ「産む女性」としての特性だけが、表面からは消されている。そのために、伊勢に大きなモリ（古代コリア語のコソ）を得て、そこに住まうようになってからは、生命循環や食物連鎖や死の要素にかかわることは、外から迎えた「トヨウケ（豊受）」という別の女神に一切まかせて、自分はひたすら永遠の光のなかにとどまっていることになった。アマテラス女神は、アンチエイジングにはげむ現代女性の先駆者である。

ところが、大阪に住むことになったアマテラスの女神仲間たちは、まだ若いうちから、将来自分は「大阪のおばちゃんになるんや」と決めていた。少女のうちはいくらきれいと言ったって、女神といえども（いや、女神であればこそ）そのうち胸はふくらむ、生理ははじまる、男ができる、子もできる、ぷっくら身体も丸みをおびてくる。そういう女性の本性すべてを抱え込んでこその、女神ではないのだろうか、と彼女たちは考えた。大阪在住を決めた「太陽の妻」たちは、自分がおばちゃんやおばあちゃんになることを、すこしも恐れていなかった。

大阪のヒメたちが、このような心構えにどっしり落ち着いていられたのは、自分の「先祖」にまつわる、つぎのような不思議な神話の記憶を、けっして忘れなかったからである。

その昔、新羅のアグ沼のほとりで、一人の若い女がしどけない格好で昼寝をしていた。その様子を太陽の神が見て、うれしくなった。太陽神は一筋の日光に身を変えて、目の前に広げられた女の股間にまっしぐら、光はみごと女陰への侵入を果たした。妊娠した女は不思議なことに、一つの赤玉を産み落とした。赤玉は美しい少女に姿を変え、成長して、新羅の王子である「アメノヒボコ（天之日矛）」の妻になった。つまり彼女は母親と同じように、あるいは母親とは違う意味で、「太陽の妻＝ヒルメ＝ヒメ」となったのである。とまあ、ここまでは奄美諸島から太平洋諸島にも広く広がる、「日光感精説話」の一ヴァリアントである。

ところがこの話には、まだ先がある。ヒルメ（日妻）となった彼女が、ある日突然、自分の故郷はここではなく、日本列島にあると言い出したのである。これには新羅の王家も困った。いくら説得しても聞く耳もたない彼女は、ついに小舟に乗って船出をして、日本にたどり着き、北九州を経てついに大阪湾に入り、私たちが先ほど推測したルートをたどって、上町台地に上陸したのである。『古事記』には、「このお方こそがナニワのヒメコソ神社にいましますアカルヒメである」と書かれている。☆

この神話にあっけらかんと表現されているように、はじめ半島から日本列島にやってきて、その後すっかり大阪の水に慣れた女神たちは、生命の循環という要素と太陽の要素を、自分のなかで共生させていたのである。しかしよく考えてみれば、地上に降り注ぐ太陽の光によって、地上でおこなわれる一切の生命の現象は起こるのだから、大阪の「太陽の妻」たちの考え方は、じつに自然であり、生

☆大和岩雄「比売許曾神社」：『日本の神々３』（白水社）所収。

命循環の要素を隠してしまうアマテラス女神の考えには、どこか無理なところがあるように見えてくる。

コリア世界との距離

この女神の神話を運んできた三韓からの移住者が、大阪にたどり着いたと推定される五世紀はじめの頃までは、半島の南コリア世界と列島の西半分の日本世界との間に、大きな違いなどはまだあまりなかった。南コリアと西日本は、むしろ一つの共通世界をつくっていたのである。

しかしこの頃に、二つの世界に決定的な亀裂が発生しだして、半島や南中国からの日本列島への移住の波がはじまっている。漢民族のつくった「帝国」なるものが、強大な力をもって周辺の古い共同体の世界を破壊し、飲み込もうとする運動を、もうずいぶん以前からはじめていた。それになじまない弱い「敗者」たちが、何波にも分かれて、海を渡ってこの列島に逃れてきた。この列島に前からいたおとなしい人々は、敗者らしくあまり威張り散らさないこうし

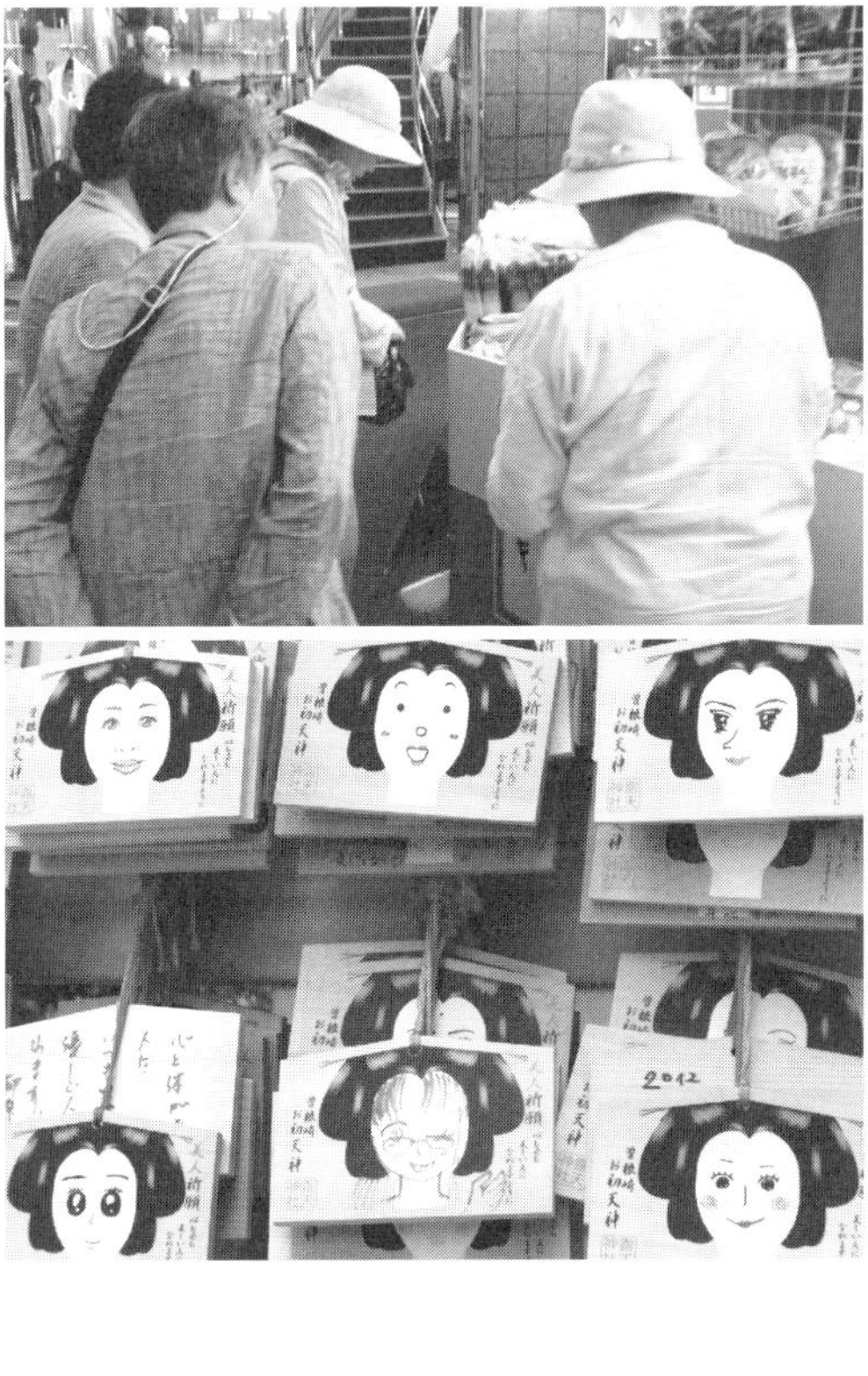

太陽の妻たち

た人々を、暖かく迎え入れてきた。

日本列島では、北九州に「ヤマト」という王権の原型ができたが、半島にあまりにも近い北九州においては危険だというので、吉備、河内、奈良へと、しだいに東へ王権の根拠地を移していった。大阪にアカルヒメなどの女神を携えた三韓の人々が上陸した五世紀はじめの頃、大陸や半島の緊迫した政治情勢に、彼らはぴりぴりと神経を張り巡らせていた。

ヤマト王権は、いままでほとんど一体だったコリア世界との間に、距離をつくりださなければならないと感じるようになっていた。ヤマト大王の家では先祖神として、アカルヒメやシタテルヒメと同じ「太陽の妻」であるアマテラスを祀っていたけれど、彼らの女神と原型的な女神を「差異化」しなければならない必要を感じていた。そこでヤマト王家では、ここまで離れればもう安心とばかり、アマテラス女神を遠く伊勢湾の汀《みぎわ》にまで移し奉り、その神格のなかから「産む女性」を連想させる、なまなましい生命的要素を消し去って、コリア世界とのつながりを見えないようにしてしまおうとした。

このようにして、アマテラスはコリアと日本を隔てる距離を象徴する女神となったのである。これにたいして大阪のヒメたちは、コリアと日本がまだ共通世界を生きていた、分離以前の世界を象徴する女神として残った。こう考えてみると、「大阪のおばちゃん」という存在の背後には、恐ろしいほどに深い歴史の真実が隠されていることになる。

コリア世界の古層と中層

生野区と平野区を掘る

大阪に堆積したコリア世界の地層は、大きく分けて「古層」「中層」「表層」という、三つの層でできている。

古層はもっとも早い時期に、上町台地に上陸した、三韓からの渡来民が搗き固めた、大阪という都市の土台にあたる部分を言う。彼らがやってきたのは、ずいぶんと古い話になるし、そののち長い時間をかけて日本文化とのハイブリッド化も進んだので、アースダイバーの手法でも借りないかぎり、この地層を直接掘り出すのは難しい。

中層は近代になって形成されてきたもので、三層のなかでもいちばん分厚い層をなしている。この層は、地表にさらされている部分が多いから、現在でもすぐに見分けることができる。この地層の形成は、日本の資本主義の発達によってもたらされた。かつてのいわゆる「帝国主義」の時代に、安価な労働力として朝鮮半島からやってきた、おびただしい数のコリアンたちが、異国の地につくりあげた生活世界の地層であり、たえずきびしい差別にさらされてきたところが、古層のコリア世界との違いである。

中層から表層への変化をもたらしたのは、ごく最近の「韓流ブーム」である。昨今の韓国の資本主

コリアン・タウン百済門

義の発達はめざましく、いまやいくつもの分野で、日本をしのぐ実力を身につけている。この変化にもっとも早い時期に、的確な感覚的反応をしめしたのが、例によって「大阪のおばちゃん」たちだった。彼女たちの感覚は、男たちよりもずっと柔軟だから、現実の深層部で進行していることに、敏感に反応することができたのである。

「韓流はかっこええんやない?」。こういう感性的反応が登場してしまうと、それまでの面倒くさい歴史問題や感情のもつれなどは、無思考の大波に呑み込まれてしまい、ミーハー思考によってコリア世界を取り巻く状況は大きく変わってしまった。桃谷のコリア街などは、これまで生活用品を売る店が立ち並ぶ細々とした商店街にすぎなかった。そこがいまや軽量エキゾチズムを求めて訪れてくるたくさんの韓流ファンによって、にぎやかなコリアン・タウンに変貌した。中層から表層への変化をつくりだしているのは、ここでも資本主義の現代的変化にほかならない。中層コリア世界が生産型資本主義によって生み出された現実であったのにたいして、新しく生まれつつあるこの表層のコリアは、情報型資本主義がつくりだした現実にほかならない。

大阪の文化は、このような三層をなしてダイナミックに活動をつづける、このコリア世界との関わりなしには、考えることはできない。この地層から放出されてくる力が、「大阪のバイタリティ」と言われるものの、おおもとをなしているからである。この三つの地層は、面白いことにほぼ同じ場所で堆積をおこしているから、同じ地点を掘り下げていくだけで、大阪におけるコリア世界の歴史的全貌に近づいていくことができる。有力な発掘地点は、その多くが生野区と平野区に分布している。

大阪にコリア世界の確かな古層が形成されだしたのは、五世紀の頃である。高津古代港から上陸を果たした百済人の大集団は、上町台地をこえて、東に広がっていった。彼らは平野川の扇状台地にたどり着き、そこを開拓地に定めた。まず「ヒメコソ」の森となる場所を定め、それから村づくりにとりかかった。

猪飼野の謎

いちばん大きな集落は、いまの平野《ひらの》のあたりに形成された。この平野の集落は、深い堀でまわりを囲まれた堅固なつくりをしていて、それが中世には自治権をもった大きな町にまで成長して、今日の平野の原型をなした。日本文化とのハイブリッド化は、この町でおおいに進んだから、いまではむしろ、昔の大阪のほんとうの姿を知るには平野を訪ねてみるのがよい、とさえ言われている。

平野から北に広がる扇状地が、「百済野」と呼ばれたあたりである。ここにはのちに渡来人の子孫たちによって、猪飼野や鶴橋の村ができた。鶴橋がひとつの町として発達するようになるのは、近代の「中層期」に入ってからであり、以前にはこのあたりの全体が猪飼野と呼ばれていた。猪を飼う野とは、日本ではなかなか風変わりな地名である。

多くの書物には、平野川の両岸に広がるこの野原にやってきた百済からの渡来人が、ここで豚の飼育をおこなったから、そのように名づけられたのだと説明されている。たしかに半島のコリア世界では、その頃すでに家畜の飼育が盛んにおこなわれていたから、この説にはおおいに説得力がある。しかし、困ったことには、猪飼野の周辺をいくら発掘しても、猪や豚の骨が思ったほどにはでてこないのである。

牛馬の骨ならば、平野の集落の中心あたりで、たくさん出土する。渡来人が馬を乗りこなす人々であり、運搬や作業には牛も使われていたから、これはとうぜんである。ところが当の猪飼野で、意外なくらいに豚の骨がみつかっていない。この事実を、どのように解釈すればいいのだろうか。

ここで浮上してくるのが、民俗学者の谷川健一氏による「猪飼野原住民＝隼人」説である。南九州に住んでいた隼人族は、ポリネシアにまでつながる海洋民族であり、豚がもっとも重要な食用動物であった。隼人はしばしばヤマト王権にたいして反乱を企て、そのつど鎮圧されては、強制的に離散移住を命じられている。隼人は日本列島のいたるところに散っていった。そういう流浪する隼人の痕跡を、畿内の各所に確認することができるのである。

平野川の扇状地に住んで、豚を飼っていたのが、この隼人の人々であったとすると、大阪に広がる在日コリア世界をかたちづくる地層には、いっそうの深みと豊かさがもたらされるようになる。この考えによると、百済野の一角には、かつて移住を強制された隼人の一族が住んでいたことになる。その生活風習から、そこは古い縄文系言語で「豚を飼う人たちの土地」と呼ばれていただろう。

なにかの理由でその隼人たちが去ったあと、平野の本村からそこに移り住んだ渡来人の子孫たちは、あらためてそこを「猪飼野」と名づけたのではないだろうか。もとより少数のグループにすぎなかった隼人族の記憶は、遺物には残されなかったが、こうしてこの地に形成されたコリア世界の生活のなかに、かすかな痕跡を残すことになったのではないか。

伽耶《かや》の人々の日本への移住

五世紀から七世紀にかけて、大阪にコリア世界の古層が堆積された。この古層について、いままでは漠然としたことしかわかっていなかったが、最近の歴史学は、新しい視点から、この古層の詳しい組成を調べはじめている。

朝鮮半島の南部には、この時代、「伽耶《かや》」という国があった。国といっても、北方に隣接した百済や新羅とちがって、まとまった国家の体をなしているのではなく、群小の国家が寄り集まって「伽耶連合」のようなものをつくって、百済や新羅に対抗していた。いまの歴史学は、この伽耶の人々のたどった命運に、注目するのである。

この伽耶は任那《にんな》とも呼ばれて、日本と深い関係をもっていた。もともと朝鮮半島南部と西日本とは、ひとつながりの共通世界をつくっていた。使われている言語にしても、方言程度の違いしかなかったし、宗教もほぼ共通で、半島と列島にまたがって親戚が広がっており、おたがいの間を日常的に小さな船で行き来していた。伽耶諸国の北にあった百済が、中国文化からの強い影響を受け、新羅に高句麗の力が及びはじめていた時代になっても、伽耶は日本との強いつながりを保ち続けていた。

最近の研究は、大阪における在日コリア世界の古層をじっさいにかたちづくっていたのが、生粋の百済人や新羅人ではなく、じつは伽耶諸国から「難民」として渡来した人々であったことを、あきらかにしつつある。この伽耶は、北からの圧迫を受け続けた。いっぽうでは百済や新羅から文化的影響も強く受けて、しだいに百済化・新羅化の度合いが強まっていった。伽耶諸国ではしだいに、国家としてのまとまりが失われていった。

（上）猪飼野橋（下）猪飼野の路地裏

こういう情勢のなかで、伽耶の人々の日本への移住がはじまったのである。彼らは百済や新羅の高級な文化を身につけていたので、列島に渡ってくると、各地の豪族からよろこんで迎えられた。このなかでもとりわけ大勢力を形成したのが、「ハタ（秦）」と呼ばれたグループで、その数は数万人の規模だった。

秦氏には、採鉱や冶金や養蚕・機織などの技術にたくみな、「職人」系の人々が多かった。彼らは列島の広い範囲に散っていった。古代の日本列島の開発においては、この人たちが関わらなかったところのほうが、むしろ少なかった。大阪湾にたどり着いた秦のグループの大半は、ここには定住せず、そのまま淀川を遡って山城《やましろ》盆地に入り、太秦《うずまさ》や深草《ふかくさ》に大きな村をつくった。

七世紀になって、伽耶諸国が半島を統一した新羅に呑み込まれて、姿を消してしまうまで、二百年あまりもの間に、そこからはじつにおびただしい人々が、日本に移住してきた。彼らは身につけた高度文化によって、百済系とか新羅系とか呼ばれることになったが、じっさいのところは、西日本の「日本人」ともともとはほとんど違いのない、伽耶諸国から渡ってきた人々なのであった。

ものづくり大阪の土台

大阪にたどり着いて、上町台地に上陸した渡来の人々は、平野と猪飼野を中心に、自分たちの世界を築いていった。彼らは自分たちのことを「百済人」と称した。滅亡した伽耶諸国の名を名乗るよりも、そのほうが通りがよかったからであろう。

それにこの人たちの多くは、百済で発達していたさまざまな技術を身につけていたから、農民であると同時に、「技術者」として重宝がられた。寺社建築の知識をもった高級技術者から、呪術装飾品である「玉」をつくる細工人、たたら製鉄と鉄の道具造りに巧みな工人、音楽家や芸人、それにすぐれた陶器をつくる陶人にいたるまで、「百姓」の名に値する多彩な職人が、こうして大阪に住みつくことになった。

のちに聖徳太子の時代になると、四天王寺建設のために、「ほんものの百済人」である高級宮大工が、正式に招聘されてきた。彼らは四天王寺の周辺に職人町や楽人町をつくって住んだ。工事が終わっても帰国しないで、彼らはそのまま大阪人になった。その子孫たちは、四天王寺に雅楽を奉納する音楽家や舞踏家として、現在にまでその技を伝えている。宮大工の子孫は、ギルド（組）を

鶴橋商店街

つくって、日本の建設業の先駆けとなった。千年を越える歴史をもつ「日本最古の会社」である建設組合「金剛組《こんごうぐみ》」こそ、このとき招かれた宮大工の系譜に直結している、大老舗である。「ものづくり大阪」の基礎が、こうして打ち固められた。ヨーロッパの職人結社フリーメーソンの紋章には、コンパスや定規が描かれているが、大阪に定着した職人たちも、大工の使う「ものさし」と伝説の聖徳太子を、自分たちの結合の象徴とした。そのために各地の太子堂には、ものさしを持った少年姿の聖徳太子の像が安置されることになった。奈良で悲劇的な運命をたどった聖徳太子とその一族のことは、むしろこの大阪において、のちのちまでも深く崇敬されつづけたが、その背後には大工の使うものさしが、秘密のシンボルとして、不思議な波動を送りつづけていたのである。

七世紀以後、これほど大量の「アラキ（新来）」の人々が、朝鮮半島から渡ってくることは、二十世紀の前半にいたるまでおこっていない。渡来の波がいったん途絶えた後、千年を越える月日の間には、コリア世界との差異化をはかりながら、独自性をもとめて形成されていった日本の文化との、ハイブリッド化が進んでいった。

DNAも混じり合って、コリア世界産の血は、もともとが混血的な「日本人」の、重要な構成要素の一部となって、深く沈殿していった。しかし、古層コリア世界の存在は、たとえ表面からは見えな

金剛組

くなっていても、大阪におけるものづくりの技術のなかに、消すことのできない痕跡を刻んでいる。

帝国主義の時代

古代の大阪に、コリア世界の最初の地層が形成されたまさにその頃、日本は兄弟同士であったコリア世界から、自分を切り離す動きをはじめていた。方言ほどの違いだった言語も、通訳なしには理解できない別の国語へと、離れていった。風俗習慣にも距離が発生した。兄弟は他人になろうという努力をはじめた。それ以来、半島から新しく渡来してくる者の数も、めっきり少なくなった。

こうして大阪に置き去りにされたかたちになったコリア世界は、自分のまわりを囲む日本世界とのハイブリッド化を進めていき、もはや外見からは区別がつかないほど、同化は深く進んでいった。そのため、最初の移住の波のあと千五百年近くもの間、コリア世界独自の地層は、上に積もったナニワのハイブリッド文化によって、見えなくなってしまったのである。

ところが、二十世紀の前半になって、事態は一変する。地球全体を巻き込んだ「資本主義の最高の発展段階」(レーニン)である「帝国主義」の時代がはじまった。そのとき、古層形成期の十倍を越えるほどの、おびただしい数のコリアンが、ふたたび大阪の地に流れ込んできた。

日本はアジアでいちはやく、帝国主義のステージに、坂の上の雲をめざすようにして入り込もうとしていた。帝国主義は植民地を必要とする。日本は李氏朝鮮を植民地として呑み込んだ。これを境に、膨大な数のコリアンたちが、安価な労働力として流動化され、根こぎにされたプロレタリアとなって、北九州、広島、大阪、名古屋、川崎、東京などの諸都市に、いっせいに流入してきた。このなかでも、「東洋のマンチェスター」と呼ばれるほど発達した工業都市であった大阪には、百万人近いコリアンが、低賃金労働者として集まってきた。

ここで、興味深い現象がおこった。大阪に流入したコリアン労働者たちが、千五百年以上も前に彼らの先祖たちが開拓の村を建てた、その同じ土地の上に、バラックを建てて、住みつき始めたのである。新来の移住者の多くは、すっかり日本風の中世都市のたたずまいに変貌をとげた平野郷を避けて、平野川を少し下ったあたりの猪飼野の田園地帯に、吸い寄せられていった。そしてそこに、在日コリア世界「中層」の地層が、堆積をはじめたのであった。

二十世紀の初頭にはじまる、帝国主義時代の移民の波は、朝鮮半島のほぼ全域から、たくさんの人々を日本列島に引き寄せた。その数、二百十万人ともそれ以上とも言われる。猪飼野に移り住んだ人々のうちで、もっとも多かったのは済州島《チエジユ》の出身者であった。日本の敗戦を契機に、百万人超のコリアンたちが、祖国に戻ることになり、猪飼野のあたりも、一時はすっかりさみしくなった。

ところがその数年後、半島を分断することになる朝鮮戦争の勃発前夜、済州島からの新しい大量難民が、大阪にやってくることになった。南北分断に反対する人々の運動が、済州島を中心におこり、流血の弾圧を受けた。その弾圧から逃れた人々の群れが、親戚や知り合いのいる大阪に集まってきたのである。

ニューカマーも含めたこうした人々は、猪飼野の北西のはずれにあった、国鉄環状線鶴橋駅の周辺に密集して住みはじめた。もともと鶴橋には、戦前から日本人の経営する小さな駅前商店街があり、戦後はその焼け跡に派手な闇市ができていた。そこがしだいに、在日コリアンたちが生活必需品を手に入れるための、魅力的な商店街へと発展するようになった。そんなわけで、済州島出身者のニューカマーが多い鶴橋近辺と、戦前からの住人が多く住む猪飼野中心部との間には、微妙な地層のずれが存在する。

壁とその解体

古層のコリア世界と、近代に形成された中層コリア世界との間には、いくつもの大きな相違点がある。中層コリア世界に生きたのは、なかばプロレタリア化した人々であったから、とうぜん暮らしぶりも貧困であったし、驕っていた当時の日本人の多くは、コリア世界になにか自分たちが学ぶべき重要なものがあるなどとは、思ってもみなかった。このあたり、日本人が三韓渡来者から、夢中になって学びとろうとしていた、謙虚な古層の時代とは大違いである。

そのために、在日コリア世界と日本人の間には、コミュニケーションを阻む、見えない「壁」ができあがり、双方が文化的ブロックのなかに籠って、相手を蔑視したり敵視しあう、悲惨な状況が生まれた。力関係からいって当然予測されるように、在日コリア世界は、日本人からひどい「差別」を受けたのである。

鶴橋商店街

職業選択の自由の少ない在日コリア世界のなかに溜まりに溜まったエネルギーは、芸能界や遊戯産業や土建業や金融業のような、さまざまな隙間産業の通路にほとばしっていった。彼らには、過剰なバイタリティを抱えて、がめつい生き方をする権利があった。壁をつくったのは日本人なのだから、資本の流動性に翻弄されて、その壁の向こうに押しやられてしまったコリアンたちには、壁に体当たりをくらわす権利があった。

しかし、壁をつくったのは資本主義であったから、その資本主義が自己変容を起こせば、おのずと壁も解体していく。経済が国を単位として動いている間は、民族を隔てる壁にも、大きな効能があったけれども、グローバル化した資本主義は、もはやそういう壁を必要としない。韓国経済の近年の発展によって、ますます壁の存在はおたがいの邪魔になるようになった。見えない壁を解体しよう。かくして、「韓流ブーム」はおこるべくしておこった。

だがこの「韓流ブーム」は、日韓の資本主義的パワーゲームがつくりだした幻影のブームであるから、そ

キムチを作る

れをつくりだしたのと同じ経済的要請によってあっけなく壊れていく可能性をはらんでいる。新自由主義とナショナリズムという原理的には相容れないふたつのものを、むりやり結合することで、今日の世界の多くの国々の政治的秩序は保たれていて、日本も韓国もその例外ではない。そしてむりやりつくられたその結合をごまかすために、映画やテレビやスポーツやときには政治デモなどが利用されて、人々にものを考えさせないようにしている。しかしそういうやり方では、ほんとうの日韓の相互理解にもとづく関係を築くことはできないだろう。それは近代の民族国家の意識を突き破ったところでしか可能ではない。アースダイバーはそれを突き破るための、たしかな方法を探究しようとしている。

Appendix
河内・堺・岸和田——大阪の外縁

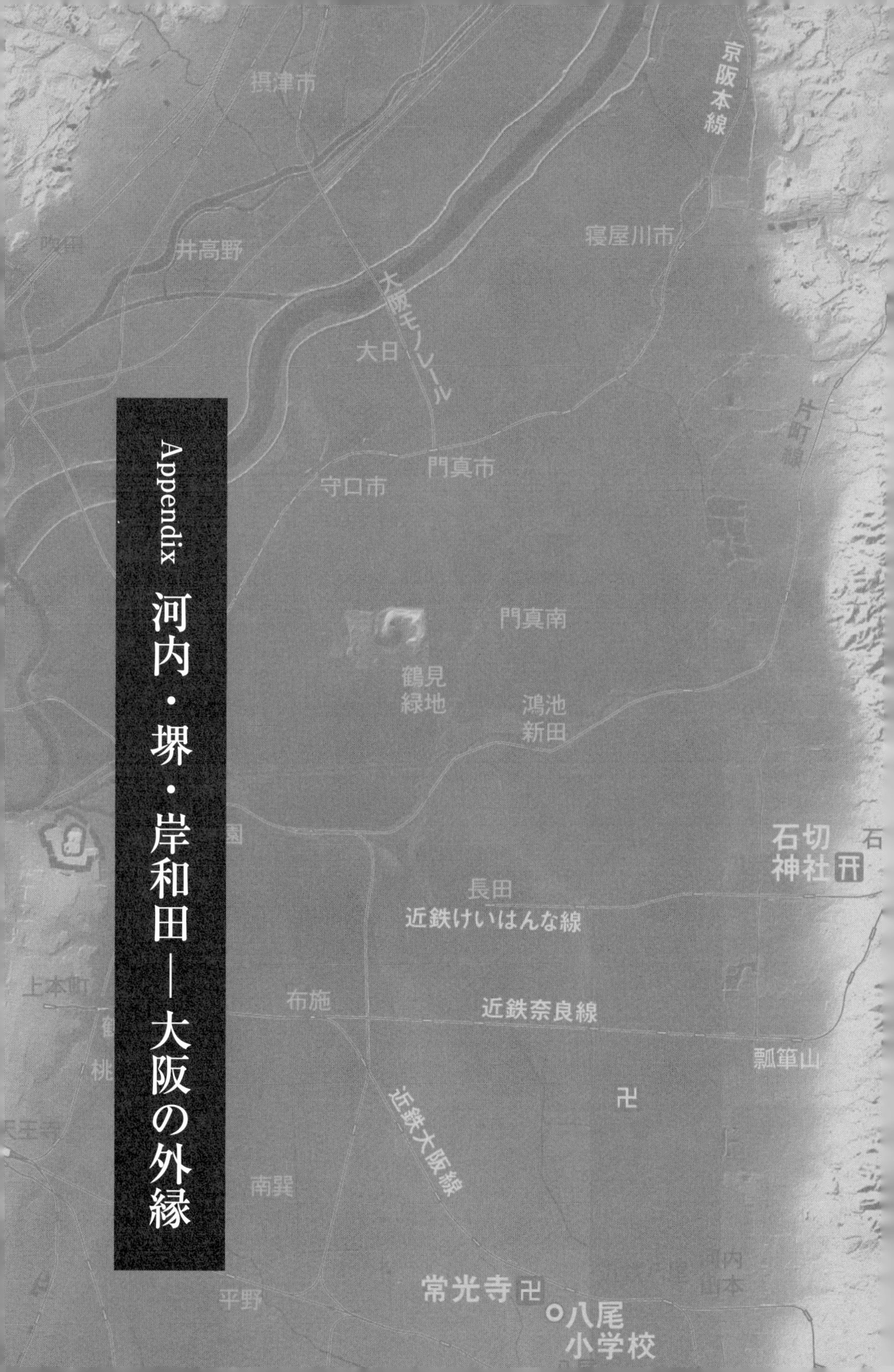

河内

先住民の夏至祭

ほんとうのことを言えば、大阪について語るなら、まず河内世界について特別な一章を設けて、冒頭の部分に置かなければならない。なにしろ上町台地に渡来人が上陸するはるか以前から、ナニワと呼ばれる陸地が水の中から浮上するずっと前から、河内の生駒山麓には人間が生活していたからである。

大阪のもっとも古い文化層は、生駒山麓に残っている。そこに弥生系文化を携えた人たちが渡ってきたときには、狩猟をおこなう縄文系の人々が住んでいた。そして、このふたつの人々は入り交じって、河内湖の水辺近くに水田を拓いて、縄文と弥生のハイブリッド文化を発達させた。日本人は過去の文化遺産を一掃して、その上に新しい文化をつくるやり方を好まない。過去の遺産を自分の中に変形して組み込みながら、新しいものを作りだすのが得意である。河内文化も、大いにこの特徴を生かしてきた。このような理由で、河内の「原人」のことを大阪先住民（Osaka Aborigine）と呼んでいい。

河内の基層文化は、「縄文系の狩猟採集文化」と「海民系の海の狩猟文化」と「弥生系の稲作文化」のハイブリッドとしてつくられている。そのためそこには、農民の世界とはいささか異なる心性が育った。農民の生業は一種の「計画経済」である。四季の変化に合わせて、暦どおりに作業が進んでいくのが、農民の理想である。そのため農民はがいして律儀な生き方を好む。ところが狩猟はギャンブルの要素の強い生業である。海でも陸でも、狩りがうまくいくかどうかは、なかば「運まかせ」、そこからは計画によらない偶然なものへの偏愛が育った。

インドネシアなどで盛んな闘鶏が、河内ではついこの間まで盛大におこなわれていた。もとは神事としておこなわれていた闘鶏が、庶民の娯楽として楽しまれた。今東光《こんとうこう》がその様子をつぎのように活写している。

堂々とした体格の拳闘家が鼻梁を損傷したように、傲慢と残忍をあらわした『鬼高安』（軍鶏の名前）の嘴の根本が醜くまくれていた。下側の嘴も、まくれて折れ、ぱくぱくとぶら下った。折れてまくれた嘴の根元から、溢れるように鮮血が流れていた。その血は頸を伝わり、胸毛を濡らし、趾を伝わって流れ、土俵の土に固った。（「闘鶏」『日本短篇文学全集四二』筑摩書房）

河内人は鶏の身体から血が流れ出ることに、激しい興奮を感じる人々である。生物の体内には血が流れているが、ふだんは皮膚のおかげでその様子は見えない。そのおかげで、生物は外観の秩序によって、激しい流体が身体の内部を流れている様子を、見せないのである。その身体から血が外に吹き出すとき、生命の強度は可視化される。闘鶏は賭け事の面白さもさることながら、闘う鶏の身体からほとばしる流血によって、興奮を極限にまで至らせようという遊びである。海と陸の狩猟民であった先祖の性癖が、こんなところにあらわれているとは言えまいか。

流血に特別な興奮を感ずる人たちは、死や病気にたいしても敏感な感受性をそなえている。生きているからだから霊が抜け出していくのを、昔の人は死ととらえていたし、生命力がバランスを崩して常態から溢れ出てくるのが病気だからである。秩序の中に収まりきらない生命力の振る舞いに、河内世界の人々は敏感であった。河内世界を代表する「神話」である「俊徳丸」に、そのことはあますところなく表現されている。

河内の「原人」たちは死の感覚に敏感で、死者の霊を送ったり迎えたりする作法を、厳格に守ってきた。そのなごりが真夏の盆踊りである。河内音頭に合わせて、河内人が忘我の表情で踊り続ける。踊りの輪は渦を巻き、生き物のように伸縮をくり返しながら、目に見えないなにものかを、踊りの輪の中に巻き込もうとしている。古代の河内人はそれが先祖の霊であることを、はっきりと知っていた。現代の河内人はそのことを忘れているかも知れないが、私たちのように他所から見物に行った者にさえ、その踊りの輪の中に不思議なうねりが巻き込まれているのを、はっきりと見届けることができる。河内世界の神髄は、まさにこの夏の祭の踊りにある。

盆は仏教の行事ではない。まして盆踊りは、その原型的な踊りが夏至祭の中心として、日本に仏教がやってくるよりずっと前からおこなわれていた。私の考えでは、この盆踊りの構造的原型ができてきたのは、墓地の場所を村の外に配置するようになった、弥生時代のことであったと思われる。弥生文化のもっとも大きな特徴は、夏の祭に見ることが出来る。その祭は、死者の霊を村に迎え入れる儀式としておこなわれた。縄文時代と弥生時代のもっとも大きな違いは、この夏の祭に見られる「死者迎え」の様式の違いにある。

縄文系のムラでは、墓地がムラのど真ん中、そうでなくてもムラ空間の内部につくられるケースが多かったので、生者と死者はほとんど同居状態にあったと言える。自分たちが住んでいる土地のすぐ真下に、死者たちが眠っていた。それゆえ、死者を呼び出すのには毎夜の踊りだけでも十分で、ことあらためて季節ごとに死者を迎える儀式はさほど必要とされなかった。墓地の広場に集まって円陣を

生駒山～河内

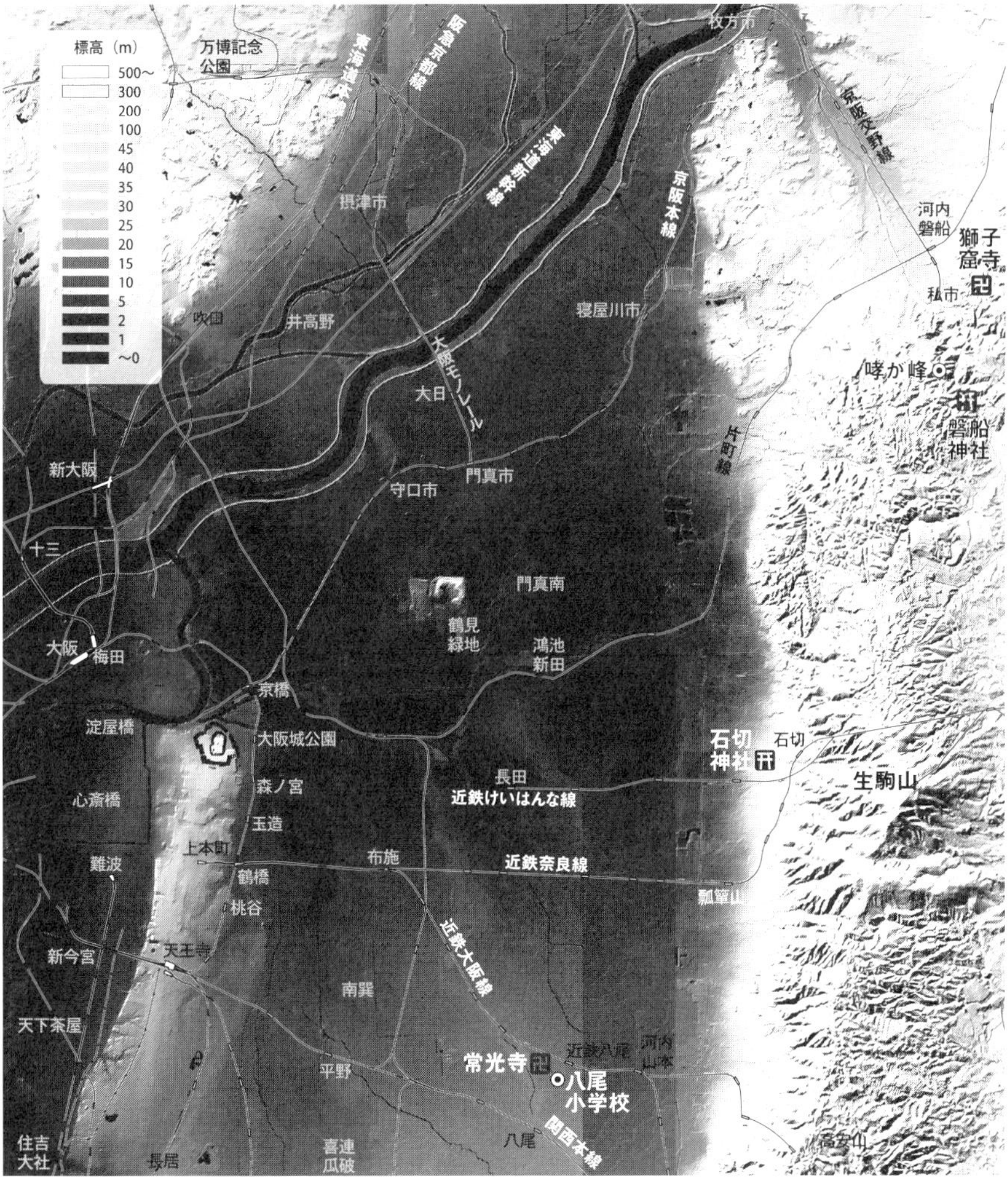

標高（m）
500～
300
200
100
45
40
35
30
25
20
15
10
5
2
1
～0
万博記念公園
阪急京都線
東海道本線
東海道新幹線
枚方市
京阪交野線
京阪本線
摂津市
河内磐船
獅子窟寺
私市
吹田
井高野
寝屋川市
大阪モノレール
哮が峰
磐船神社
大日
片町線
新大阪
門真市
守口市
十三
門真南
鶴見緑地
鴻池新田
大阪
梅田
京橋
淀屋橋
大阪城公園
石切神社
石切
長田
森ノ宮
生駒山
近鉄けいはんな線
心斎橋
玉造
上本町
布施
近鉄奈良線
難波
鶴橋
瓢箪山
桃谷
近鉄大阪線
新今宮
天王寺
南巽
天下茶屋
近鉄八尾
河内山本
常光寺
平野
八尾小学校
関西本線
八尾
住吉大社
長居
喜連瓜破
高安山

なして、そこの地面を踏みつける「反閇《へんぺい》」の踊りをして、死者を地中から呼び出し、生者と死者がいっしょになって跳躍的な踊りをするのである。

死霊を渦の中に巻き込んで

弥生時代になって、居住の形態が変わった。弥生時代の居住地の特徴は、死者の埋葬地をムラの外に分離することにあった。墓地はこのムラの外の、遠からず近からずという、絶妙な場所に設定された。死者の霊はいずれ祖霊となって山に宿ることになるのであるが、墓地は山と人間の居住地であるムラとのちょうど境界にある渓谷に好んでつくられた。

そうなると、縄文の人たちのようにすぐにでも死者霊にまみえることはできなくなるので、ムラの外の水田の向こうにひっそりとたたずむ墓地のあたりから、死者の霊をムラの中に迎えるお祭りが必要になる。しかもそのお祭りがおこなわれる季節は、冬至と夏至をはさんだ時期と決まっていた。

もっとも縄文時代も後期になると、共同墓地をムラからずいぶんと離れた場所につくるようになっていた。考古学が「環状列石」と呼んでいる石組みの機構がそれで、そこはいくつものムラが共同で管理する共同墓地だった。そこにはふだんは墓守の家族がいるぐらいで静まり返っているが、夏至が近づくと、近隣のムラから三々五々、食料を入れた編み袋を担いだたくさんの家族が、この環状列石の墓地に集合してくるのである。

祭のはじまりには、厳粛な雰囲気のなかで、首長の挨拶や祝（ホウリ）による霊呼びの儀式などが続く。そしてムードが高まってくるころ、死者たちの霊を大地の下から召喚する「反閇」の踊りがはじまる。大地を踏みしめたり、上下に激しく飛び跳ねる踊りである。地中に籠っている霊を呼び覚まし、地上の生者といっしょになって踊るように誘うのである。その様子は、ことによると今日も東北で続いている「ねぶた」祭の跳ね踊りに似ているかも知れない。なにしろ東北は環状列石文化の中心地なのである。墓制から推測するかぎり、縄文時代の夏至や冬至の祭の踊りは、上下に飛び跳ねる形を基本にするものだったと、私は考える。

ところがその墓制が弥生時代には、大きく変化した。墓地はムラから適度に離れた山裾などに設けられるようになった。そのせいで、生者が死者の休息場所へ出かけていっていっしょになって踊るという縄文型から、死者を生者のムラに招き入れて、一体となって踊るという形態に変化したのである。山の上に住むという遠い先祖霊も、渓谷地の埋葬地に休らっている記憶のなかにある霊たちも、お祀りしてくれる者のいない孤独な霊たちも、この日はムラに招かれて、歓待を受けるのである。たくさんの死霊が、ムラ人の焚く「お迎えの火」や高い竿を目印にして、集まってくる。大地の下から立ち現れる縄文の死霊とちがって、弥生時代の死霊たちはムラの外からゾロゾロと道を通って、ムラの中に入ってくる。そしてこれから数日間、人々はこうして迎えた死霊たちといっしょになって、徹夜で踊り明かす。このときの踊りの形態が問題である。

もはや弥生のムラの人々は、飛び跳ねる踊りで死者の霊を迎え入れることをしない。ムラの外からやってきた死霊をムラの中に招き入れ、その死霊たちといっしょになって踊るには、渦を巻く円形の踊りがふさわしい。死霊を渦の中に巻き込んで、生者といっしょになって幾重もの円を描きながら、水平方向に運動していく踊りこそが、弥生時代以後の墓制のつくりだす幻想的世界構造にふさわしい踊りである。飛び跳ねる運動から水平に渦を描いていく運動へ。このような夏至祭の踊りの形態が、非縄文世界に広がっていった。

ここから仏教化した盆踊りが生まれた。東北にいまも盛んにおこなわれている盆行事を観察してみると、仏教以前の農業世界でおこなわれた夏至祭から、どうやって盆行事が発達してきたかの足取りが見えてくる。盆の前半部を構成しているのが、東北では七夕の祭である。高い竿の先に火を灯し、死者がやってくる目印をつくる。笹飾りも、その一形態であった。とにかく高い竿を立てることが重要で、ねぶたの山車や笹飾りめがけて死者霊が集まってくる。それを引いてムラの境からムラの中に死者霊を招き入れるのだ。広場に招かれた死者霊は、そこで生きている人間といっしょに渦を巻く運動をはじめる。死者と生者が一体となって踊ることで、世界のバランスを取り戻そうというのが、日本人の夏の祭の思想であった。

古層の息づかい

河内にはこのような「古層文化」が、いまだに息づいている。河内の名物といえば、真夏の盆踊りと決まっている。河内の「原人」たちをかくも熱狂させてきた盆踊りの秘密は、その内部に古層文化に特有な死者の霊を歓待する祭の記憶がセットされていて、真夏になるとその記憶が、むくむくと起き上がってくるからである。

古代から続くその盆踊りの基本的なかたちは、八尾の盆踊りにはっきりと残されている。いまでは、八尾小学校の広い校庭に設けられた「河内音頭大盆踊り大会」の会場が、その盆踊りの会場である。かつては広場の中央にしつらえられた櫓を中心として、渦を巻き込む踊りの輪ができていた。その櫓の上で河内音頭の歌手たちが、妙技を競った。しかしいまでは盆踊りよりも河内音頭のほうがメインになってしまって、櫓の上ではなく、正面のステージで音頭は歌われるので、踊り手たちは誰も乗っていない櫓の周りを回るのだ。

真っ暗の中に太鼓が打たれる。踊りのはじまりだ。するとどこからともなしに浴衣を着た人たちが集まってきて、その櫓の周りに小さな渦を描きはじめる。渦はだんだんと大きくなっていく。そしてそのうちにそれは大きな渦となって、力強い運動をはじめる。渦はまるで呼吸をしているかのように、縮んだり伸びたり、縮んだり伸びたりをくりかえす。踊り手たちの身ごなしは、たいへんにエレガントだ。彼らはけっして跳躍しない。地面を擦るように旋回する動きが強調されている。たしかに八尾の盆踊りの力強さと優美さは、ほとんど類例がないと言ってよい。

盆踊りでは、死者と生者がいっしょになって踊る。それゆえこの両者の呼吸を合わせるための音頭が必要となってくる。そのためだろうか、河内音頭の歌詞を調べてみると、古いものになるほど、非業《ひごう》の死を遂げた人の物語や、『俊徳丸』のような死者の世界を経めぐって、生者の世界に戻ってきた人の物語が語られることが多い。人気のレパートリーである『河内十人斬り』などになると、河内でじっさいにおきた猟奇的な大量殺人事件を題材にしている。

つまり河内の音頭では、生存ぎりぎりの境界線上で暴力沙汰を起こしたり、殺されたり、非業の死を遂げることによって、死者の世界に入った「荒御霊《あらみたま》」を呼び出し、彼らの荒々しい霊力を踊りの輪に吹き込もうとするために、天にも届けとばかりに死者の歌が歌い上げられているのである。河内音頭の歌い手は、完全に死者の側に立っていると言える。彼らは「最近のポップス」のように、生者を励ますための歌などは歌わない。死んでしまった者たちになりかわって、その者たちの今生《こんじょう》で満たされなかった思いを歌い上げる。それが「古層のポップス」の最大の特徴である。

大阪文化の古層が、どんな呼吸をしているのかを知るためには、生駒山麓の河内世界を、真夏の夕方に歩いてみるのがいちばんいい。盆踊りの太鼓の音が聞こえてきたら、それが死者の霊を踊りの輪に誘い込もうとする、呼び込みの音楽だ。生駒の山々から、あるいは渓谷の奥から、数えきれないほどの死霊が、太鼓に誘われてたちあらわれてくる。生きている河内人が、死霊たちを歓待する踊りの輪を描き始める。河内の盆踊りは、生者と死者からなる先住民的世界の構造の、もののみごとな表現になっている。

北河内

宇宙船イワフネ号

かつて河内は、物部氏の世界だった。もっとも古い大阪の文化開拓者であった物部氏は、河内に広大な所領をもち、その一族は河内の全域に広がっていた。物部氏は天皇一族よりもずっと古い時期に畿内へ入った人々である。彼らは『古事記』や『日本書紀』よりも古い由緒をもつ、一族の歴史を語る神話集を持っていた（その一部は後に『先代旧事本紀』という本にまとめられている）。「モノ」と呼ばれる霊力を扱う精神技術についても、物部氏は独特の伝統を保持しており（モノノべというのは「モノの専門家」という意味である）、天皇一族もこの点では物部氏に一目置かざるを得なかった。

そればかりか、物部氏には彼らの先祖が「天孫降臨」を決行した「高天原《たかまがはら》」まで存在するのである。それは北河内の交野《かたの》の奥谷にある。いまではロッククライミング練習場として知られている「哮《たける》が峰《みね》」と呼ばれる岩山に、巨大な「磐船《いわふね》」を着船させた物部

八尾近辺の田んぼ

氏の先祖は、そこから広がって寝屋川沿いの交野の地に勢力を伸ばしていったと言われる。

朝鮮半島の南部から、日本列島における「カヤ（伽耶）世界」の東端に位置する大阪にたどり着いたこの最初期の物部グループは、いまの私市《きさいち》に拠点を置いたと見られる。私市近辺は水運にも便利で、高台に防衛機能を備えた村をつくるのには最適の地形であり、しかも深い渓谷を遡れば、彼らの聖地高天原にも、数時間でたどり着くことが出来る。独自の精神技術を発達させていたこの一族にとって、高天原のなまなましい実在性はたまらない魅力であったはずである。

のちになると、物部氏の有力グループが狭い交野の土地を出て、生駒山地沿いに南下して、いまの八尾のあたりに新しい開発の拠点を設けるようになった。そこならば広大な水田開発が容易だったからである。そのグループの勢力は、六世紀の物部守屋の時代に絶頂期を迎えた。彼らは奈良盆地に拠点を据えた軍事的な性格の強い天皇家の勢力に服属はしたが、経済的、政治的には、しばしば天皇家を圧倒する力を見せつけた。

物部氏は政治的中心を八尾に移したが、もっとも重要な聖地はそこには置かれず、あいかわらず交野の高天原と、その近くに残されている天孫降臨のために使用された「宇宙船磐船号」の「残骸」に置かれた模様である。そこで彼らは一族の重要な宗教儀礼をおこなったと思われる。とりわけ磐船の「残骸」には、後世まで強い関心が注がれつづけた。おそらくはその「宇宙船」の内部を探検することが、一族の若者に課せられた重要なイニシエーションの儀礼となっていたからであろう。

河内の野生の根源地

いまではこの物部氏の古代聖地には、それほど苦労せずにたどり着くことができるが、その昔は

（上）私市の獅子窟寺（下）哮が峰

川を遡って磐船の聖地にたどり着く道のりは、なかなかスリリングなものであったろうと想像される。このあたりは生駒山地の中でも火山性の岩石の突出のめだつ、険しい地形をしている。その渓谷の奥に、物部氏の高天原と磐船宇宙船の「残骸」聖地が隠されている。

記紀神話では高天原は九州の高千《たかち》穂峰《ほのみね》に設定されているが、じつは古代においては「高天原」はいくつも存在できた。いと高きところにいまします先祖の霊を地上に招いて、天と地を結ぶ儀式をおこなうとき、祖霊が降下してくる地点として設けられた小高い山や土盛りなどが、そのまま「高天原」になったからである。

物部氏は交野の地を開発地と決めると、私市の奥の渓谷に彼らの先祖祭をおこなうのに最適の場所を発見した。そこは鷲が営巣をおこなっている岩壁のそそり立つ岩山で、山の形じたいが神をお迎えするのにふさわしい、美しい神体山の姿をしていたからである。そこは一族の祖である「ニギハヤヒノミコト」が、地上に降り立つにふさわしい地形であった。

さらに驚いたことには、この高天原のすぐ近くの渓谷の中に、ニギハヤヒノミコトが地上降下に使用したにちがいないヴィークルまで見つかった。いまは岩石に姿を変えているが、神話の古代には天空を行く船であったことを、物部氏の神官たちはまざまざと幻視した。そこから交野物部氏による神話制作のムーブメントが開始された。朝鮮半島南部における彼らの故郷でも、先祖の高貴な霊はいと高き天に住まし、繭の形をしたヴィークルに密封されて、地上に降下したという神話が語り伝えられていた。その神話が、交野の奥のこの渓谷の地形を得て、生き生きとした具体の姿を持ったのである。古代の神話はその内容が現実の地形に具体的に実現されなければ、力を持つことがなかった。その意味では、物部氏の天孫降臨神話は、いささか具体性を欠いている天皇家のそれよりも、神話力の点では勝っていた。

ここはのちに物部宗家が中心を置いた八尾からはそうとうに離れている。山ひとつまわり込まないとそこへ辿りつくことはできないが、おそらくそこで、物部氏の若者たちはイニシエーションの儀式を体験したのであろうと推測される。宇宙船磐船号の「残骸」が、いまではそのまま神社になっている。その特異な構造が、私たちにそのような推測を誘うのである。磐船神社の本体をなす巨大な磐座《いわくら》は、いかにも天から舞い降りたという風情を保ちながら、渓流の中に着地している。磐船の内部は複雑に積み重なった岩石の間をぬって、細い通路が走っている。通路は深い川床にまでたどり着き、そこで地下を流れる渓流の水に触れることになる。

この宇宙船内部の細い通路をくぐっていくことが、イニシエーション儀礼の中心をなしていた。今日でも神社で渡される浄衣に着替えないと、ここは通ってはいけないことになっているが、その昔には、これから大人になろうという若者たちは、何日も断食潔斎《だんじきけつさい》をおこなって身を清めた末に、恐ろしい岩の迷路の中に踏み込んでいかなくてはならなかった。この地下の通路で体験することになる恐怖について、子供の頃から彼らはよく聞かされて、恐れを持っていた。じっさい磐船の内部に入り込ん

磐船の修行場

でいく体験は、いまの人にとってもなまなかのものではない。

迷路のような細い岩のあいだを通って、暗い地下へと降りていく。その地下には水が流れていて、あぶなっかしいかっこうで飛び石を渡りながら、迷路の中を歩いていくのだ。ところどころには岩のホールができていて、そこに儀式場が設けられている。おそらくは古代にもそこでは特別な儀式がおこなわれていたのだろう。そこで若者が秘密の知識を授けられた。一人前の物部氏の大人として生きていくのに必要な、女性や子供の知らない秘密の知識を授けられるのである。そして伝授を受けた若者は岩の梯《はし》子《ご》をよじのぼって、光の漏れてくる入り口にたどりつく。いったん死んだ後に宇宙の母胎に呑み込まれ、そこで新しい生命となって新生を果たすのだ。天孫降臨の宇宙船の残骸が「残されていた」おかげで、物部氏のイニシエーション儀式は格段とリアリティのあるものとなった。

石切神社

物部氏の氏人の首《おびと》の即位儀式もこの磐船石の地下でおこなわれていたと想像するのは、とても楽しい。天磐船でおこなわれた（と想像される）即位の儀式は、天皇家の即位儀礼である大嘗祭とは、およそおもむきの異なるものであったと思われるからだ。天皇家の所在地には、現実の地形としての高天原がない。天孫降臨のための「道具」も、現実のものとしては残されていない。そこで天孫降臨を模した即位儀礼は、天皇家の場合すべて象徴的につくられた道具をもって執行するしかない。

そこで大嘗祭にあたっては、悠紀殿《ゆきでん》、主基殿《すきでん》という小屋が臨時に設けられ、真床御衾《まどこおふすま》という布団の中に籠もるというかたちで、原初の子宮に籠る儀式を模擬することになる。この衾＝布団が天孫降臨のヴィークルと同じ意味を持つ。このように天皇家の即位の儀礼は、すべてが象徴的な装置を用いてその中で演じられるのだ。

高天原と天磐船を現実の地形の中に持つ物部氏と、すべてを幻想的な象徴装置を用いて遂行しなければならなかった天皇家。私はここに、「河内の野生」の一つの重大な表現を見出すのである。人間の幻想は現実のモノと結びついたときに、圧倒的な説得力と力を獲得できる。物部氏の「宇宙的子宮」は人工的につくられた装置ではなく、驚異的な自然の造形物である。巨岩の内部に出現した大地の子宮の中でおこなわれると、象徴の儀式はただの象徴ではなくなって、自然と幻想が一体となった、えも言われぬ野生の力を帯びることになる。

これが「河内の野生」の本質である。文化的なヤマト王朝とはここが違う。河内の文化においては、人工の中に自然が奥深く入り込み、自然と文化が交差（キアスム）の構造をつくりだす。記号がただの記号ではなく、自然の営みにつながっている。権力の根源が超越的な天にではなく、動植物と共生する自然に根ざしている。彼らは気取らない。河内の「原人」は半身が自然につながっている、魅力的な牧神なのである。

物部氏は、あとから入ってきた天皇家を中心とするヤマト王朝に服属することによって、戦争ではなくむしろ経済的発展のほうを選んだ。支配することよりも、産業を豊かにすることのほうに関心があったからである。ヤマト王朝が滅ぼしたのは、そのような人々だった。しかし、物部氏の勢力が一掃された河内の地に、入れ替わるように住みついたのは、同じように朝鮮半島から移住してきた渡来の民であった「秦氏」であった。秦氏はとりわけ交野の地を好んで、そこに織物の技術を移植して、そこをふたたび産業の地として発展させた。河内はよくよく平和的な産業者に好かれた土地だった。

堺と平野《ひらの》

環濠都市の精神は生きている

日本では「市民社会」が育たなかった。「市民」なる存在が、西欧諸国とは違って、この国では大きな勢力として形成されなかったのである。ただし大阪と堺という例外を除いての話であるが。

そもそも「市民」とはなにか。文字通り「都市の民」のことであり、さらに原初的なことを言えば「市《いち》の民」である。ほとんどの都市が市場から発展している。市場には貨幣で交換をおこなう商人が集まり、その市場が定期市から常設市に発展し、そこから都市が発生するのである。都市に住むのは基本的には農民ではない。農民は自分で土地を所有したり、土地所有者の土地を借りて耕作をおこなっている。ところが、都市の住民はもともとは土地所有者ではない。都市住民とは元来が職人と商人のことを言う。所有権の定まっていない川の中州や海辺に市場が開かれ、そこに集まってきた職人と商人が、その市場を都市に変えていったのであるから、都市は大地に根ざした生産がおこなわれる空間ではなかったと言える。

こういう都市に、本質的に対立するのは「封建主義」である。封建主義は徹底的に土地に根ざす権力である。封建領主たちは田舎に住んで、自分の土地に住む農民を支配し、いろいろな形での地代を彼らから徴収して、自分の生活費や財産にする人たちである。ヨーロッパではこの封建領主に、都市の住民である市民が対抗した。

市民は都市の周りに堅固な壁をめぐらせ、周囲の農村と自分たちの空間とを、目に見える形で分離しようとした。都市は武力を持つ封建領主に税を納めることはしたが、それ以上の権力が都市生活に及ぶことを、極力阻止しようとした。市民と領主は、ヨーロッパでは長い闘争の歴史を持つ。

ちなみにこの「シチズン＝市民」と、近代において都市住民のもう一つの代名詞となった「ブルジョワ」との間には、無視のできない違いがある。ブルジョワという言葉は、都市を囲む城壁のすぐ外を走る環状道路である「ブールバール」に由来している。都市が拡大すると城壁の中は人口過密になってしまうから、そうなると壁の外の環状道路の両脇に、後発の商工業者が住みついて、ブルジョワと呼ばれるようになった。この人たちは、由緒ある都市住民であるシチズンと、微妙な対立関係にあった。近代産業の担い手となったこのブルジョワは、市民の形成した格調ある文化の外に置かれることが多かったからである。

市民はブルジョワとも異なる存在で、彼らは都市に住んで、そこで独特の生活形態を持ち、独特の文化と芸術をつくりだす人々であった。このような市民の創造する文化と、農村の住人である農民の文化の間には、大きな質的な違いがあった。農民たちは自然循環の世界に生きていた。太陽の光が地上に注がれ、その光を植物の葉が受けて光合成をおこない、その植物を動物や人間が食べる。人間も動植物もいつかは死んで、分解者に委ねられる。この大きな自然の循環サイクルの中で、農民たちの「生産」はおこなわれる。農民は土地に働きかけをおこない、土地の上に蒔かれた植物の種が、太陽の光を受けて生育することによって、農民にとっての「富」というものがもたらされる。

したがって、自然循環の生み出す富を取り出す農民は、人間の計画や計算や労働の外部でおこなわれる自然の循環過程から富を「贈与」されるのである。農民の文化や宗教は、すべてこの構造に決定されている。農民の文化には、これは自分たちがつくりだしたものではなく、自分たちを超えた大きな存在から贈与されたものとして、「ありがたく」「もったいない」ものであるという感覚があふれている。

ところが市場から発達した都市には、それとは異なる本質をもった文化が発達する。市場では贈与ではなく、貨幣を使った交換がおこなわれる。職人がおこなう工業生産では、原料も仕事場も地代も労働力も、すべてが貨幣で購入されるものであり、つくった製品は商品として貨幣と交換される。商人は商品と商品の交換を仲立ちするサービスを担当する。都市の生活は、原理上ではすべて交換にもとづいており、自然の循環サイクルのおこなう贈与的な生産は、そこからは排除されている。

こういう原理の上に立つ都市のつくりだす文化は、農民の文化と違って、いったん自然の循環サイクルから切り離された、抽象的な平面の上で展開されることになる。創造の根拠は、もはや自然や神様のような人間以外または人間以上の原理にもとめられるのではなく、人間の能力そのものの中に見出されなければならない。そうなると、庭園には現実の植物や水が配されるのではなく、石と砂とわずかな苔だけで構成される枯山水がつくられる。農民の神事舞では、死者の霊がなまなましい翁《おきな》としてあらわれてきた。ところが都市が生み出した能では、同じ死霊が幽玄な仮面に抽象化されて出現するのである。

市民の文化も、もともとは農民の文化が原型になっている。しかしただ農民の文化を「洗練」しただけでは、都市の文化は生まれない。おたがいの間には根本的に異質な構造が存在している。農村の伝統文化には、自然の循環サイクルが組み込まれている。それは貨幣交換に属さない贈与的な富の考えを背景にしている。これにたいして、都市的市民の文化は自然の循環サイクルの根を切断したところに生まれる。そうなると文化的な創造なども、もはや自然の理法に拘束されなくてよくなる。こう

堺・岸和田

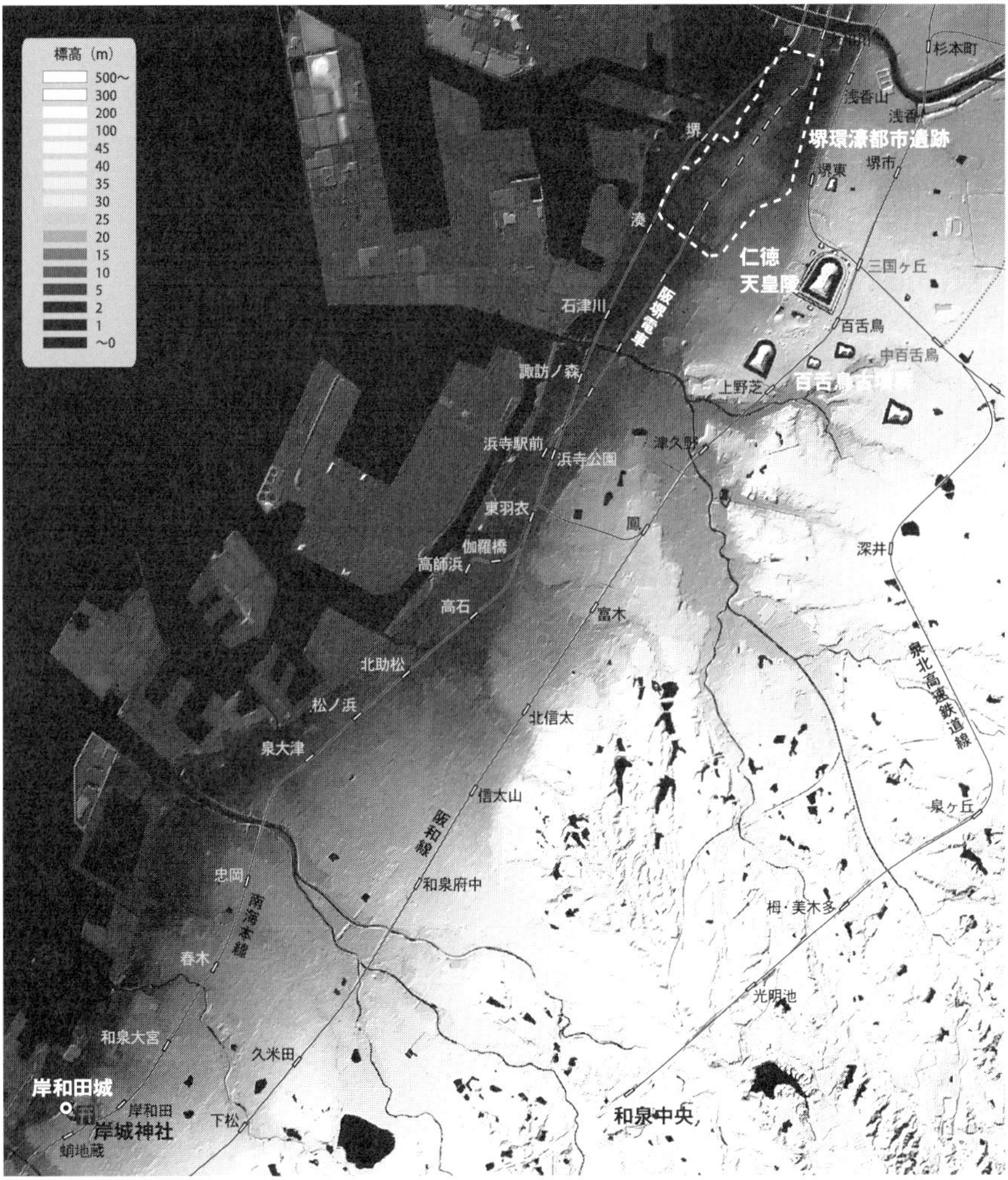

標高（m）
500〜
300
200
100
45
40
35
30
25
20
15
10
5
2
1
〜0
杉本町
浅香山
浅香
堺
堺環濠都市遺跡
堺東
堺市
湊
仁徳天皇陵
三国ヶ丘
石津川
阪堺電車
百舌鳥
中百舌鳥
諏訪ノ森
上野芝
百舌鳥古墳群
津久野
浜寺駅前
浜寺公園
東羽衣
鳳
伽羅橋
高師浜
深井
高石
富木
北助松
泉北高速鉄道線
松ノ浜
北信太
泉大津
信太山
泉ヶ丘
阪和線
忠岡
和泉府中
南海本線
栂・美木多
春木
光明池
和泉大宮
久米田
岸和田城
岸和田
下松
和泉中央
岸城神社
蛸地蔵

して市民の精神には、農業の世界やそこを土台とする封建主義とは根本的に異質な、力強い「自由」の考えが芽生えてきたのであった。

ヨーロッパの都市は、自分をなりたたせているこういう原理を純化させて、三万年を超える伝統的な自然循環型文化を否定して、自らの原理によって立つ「市民文化」をつくりだした。都市は自分たちの思想をくっきりと、封建的な世界に対立させて描き出した。封建領主の大半は大貴族であったから、その対立は市民vs.貴族の構図を生んだ。そしてその対立が複雑に変奏されながら、ついに近代革命にたどりついたのである。

ガラパゴス型都市

このような「市民」の世界が、日本では（大阪と堺における少数の例外を除いては）形成されなかった。都市が都市として、自立的な原理によって立つ世界としてつくられなかった。都市が総掛かりで封建領主に対決して勝利をおさめたなどという勇ましい話は、ここではめったに聞かれない。これは日本人の意気地のなさをあらわしているのだろうか。そうとも言えるし、それだけではないとも言える。そもそも日本人はがいして自分たちのつくる都市を、農業的世界に根本的に対立する自立した世界であるとは、考えてこなかったからである。

日本の文化は「自然／文化」「自然／人工」を対立させないようにつくられている。人間の脳がつくる文化的な作物には、脳の外にある自然の原理が組み込まれているようつくられることを、この文化は好んできたのである。「自然」と「文化」はもともと違う原理を含んでいる。その階層の違うものを、ひとつに結び合わせる「不思議な環」が、この文化の中にはいたるところにセットされていて、それによってヨーロッパ人ならば矛盾と感じるようなことが、まるで矛盾を感じさせないような「自然さ」で、文化の中枢部に組み込んである。

このことが、都市の形成にも言えるのである。古代には政治の中心は王城のある都市に据えられ、そこははっきりと周りの農村部と区別されるため、城壁で囲われた。しかしこのような都市は、日本人の自前のものではなかったから、時代とともに都市／農村の区別はあいまいになってきた。農業世界と隔てる壁は崩れ、自然世界との境界である城門には鬼が住みついていると言われるようにさえなった。

貴族にかわって権力を掌握した武士の拠点は田舎である。米がもっとも重要な価値物であったから、農業世界に依拠する武士の「封建主義」の権力は、もともとが非都市的な性格をもっていた。近世になると、その性格はますますはっきりあらわれてくる。刀狩りによって、農民世界と都市世界がくっきりと分けられるようになった。農村に暮らす農民は、これ以後武器は放棄する。そのかわり武力をもった武士たちは、それまで住んでいた農村を出て、都市の城下町に住まなければならなくなったからである。

「城をもった都市」は、特殊な「ねじれ構造」をもってつくられている。城下町に住む武士は、政治権力の近くにいることで力を得る。しかしその権力は封建主義として、農業世界の上に依って立つものであるから、都市じたいが農業的な原理との交差（キアスム）としてつくられることになる。近世のこの国の政治的な都市はどれも、少しも農業世界から分離していないので、そこに都市／農村の区別を立てる原理が存在しないことになる。都市住民である「市民」は、その都市の中で封建的権力に支配されていた。農村の原理が市民の原理を支配し、市民の原理が自立することを許さない仕組みができていた。

こうして、日本の都市のほとんどが「無防備都市」として、つくられてきたのである。ヨーロッパの諸都市は、自分の周りに堅固な壁を築いて防備した。なにから自分を防備しようとしたのか。目に見える外敵はよその国や都市から襲ってくる。しかし内なる敵は、市民的自由に対立する封建主義の権力である。封建主義は農業世界に依拠して、そこから莫大な富を吸い上げながら、セレブな生活を実現している。その富の形成の仕方そのものが、都市の市民の敵なのである。市民は職人と商人の子孫として、あくまでも平和な産業主義なのであり、その自分たちの原理を守るために、防備のための壁をつくった。

ところが日本の都市には、こういう壁が見当たらないのである。江戸がそのよい例である。この都市の中にある唯一の城には堀や壁があるが、そこには将軍に関わるわずかな人を除いては、住民らしいものは住んでいない。その外には、都市と農村を区切る壁などはいっさいない。将軍じたいが「もっとも有力な封建領主」というにすぎない存在だから、この当時の世界に冠たる大都市は、外の原理(自然の循環サイクル)と内の原理(貨幣と都市の原理)とがメビウスの帯状にひとつながりになった、じつに不思議な構造をしていたことになる。今日の感覚で江戸が「エコロジー都市」と呼ばれる理由も、そこから発生していたと見ていい。

このように日本の都市は、ヨーロッパをスタンダードとする世界観からすれば、まことに不徹底な、見ようによっては矛盾をかかえた無思想の産物である。日本の都市は多くの点で世界標準を外れたガラパゴス的な生き物なのだ。そこにはヨーロッパ型の「市民」は形成されなかった。しかし、世界標準を外れたガラパゴス型の「市民」ならば、ここにはたくさんいる。

この奇妙な、およそ「市民」とも言えない「市民」が、自分の本質を認識し切ったとき、大きな転換がもたらされるだろう。なぜならば、当のヨーロッパでその「市民」なるものが内側から解体しつつあり、人類は自然循環サイクルを自らのうちに組み込んだ、新しい「地球市民」の創出を心から求めているからである。その新しき「地球市民」は、きっといままでの標準を外れたものの中から、生まれてくるにちがいない。そうなれば、われわれの出番である。

堺と平野――偉大なる例外者

その転換はきっと大阪から生まれるにちがいない、というのが私の持論である。大阪には日本の「市民」概念をくつがえす潜在力が、いろいろな場所に眠っている。なにしろここには、日本ではめったに出現しなかったほんものの自治都市がじっさいにつくられ、長期間にわたって持続することができたからである。こうしたほんものの自治都市が実在してくれたおかげで、現代の私たちは自分の思考を拘束しているガラパゴス的構造と、それを生かしながらもそれを突き破って未知の「市民」を生み出す道筋を、現実的に考えてみることができるからである。

この列島における「ほんものの都市」は、堺と平野に出現した。堺も平野もまわりを深い堀で囲まれているから「環濠都市」と呼ばれている。これらの環濠都市はその原型をなす環濠集落から発達した。海民や渡来民がつくったムラはまわりを堀で囲まれていた。外敵から自分を守るという意味からつくられた環濠構造だったのだろう。この形をしたムラは弥生時代からあった。水田耕作をはじめた弥生人は、畦を破壊したり、穀物庫を襲ったりする、縄文系の先住民からの攻撃にも備えなければならなかったから、ムラのまわりに深い堀をめぐらせたのである。

平野川扇状地にムラを開いたカヤ世界からの渡来人たちも、この構造で自分たちのムラをつくっている。おそらく現在の杭全《くまた》神社の境内全域あたりが、最初のムラのつくられた場所であったかと推定されるが、杭全神社はいまでも環濠の面影を残している。そこから環濠都市平野は発展していった。平野は、交通の要衝でもあり、そこには大きな市場もできていた。職人と商人の居住する空間にはもってこいの場所だったのである。

　しかしそれ以上にすばらしいロケーションを誇ったのが堺だ。ここにも海民や渡来民が早くから住みついて、環濠構造をもったムラをつくっていた。そこにだんだんと商人と職人が集まり住んで、しだいに都市へと成長していった。まわりを深い堀で囲まれた環濠都市としての堺がつくられていった。

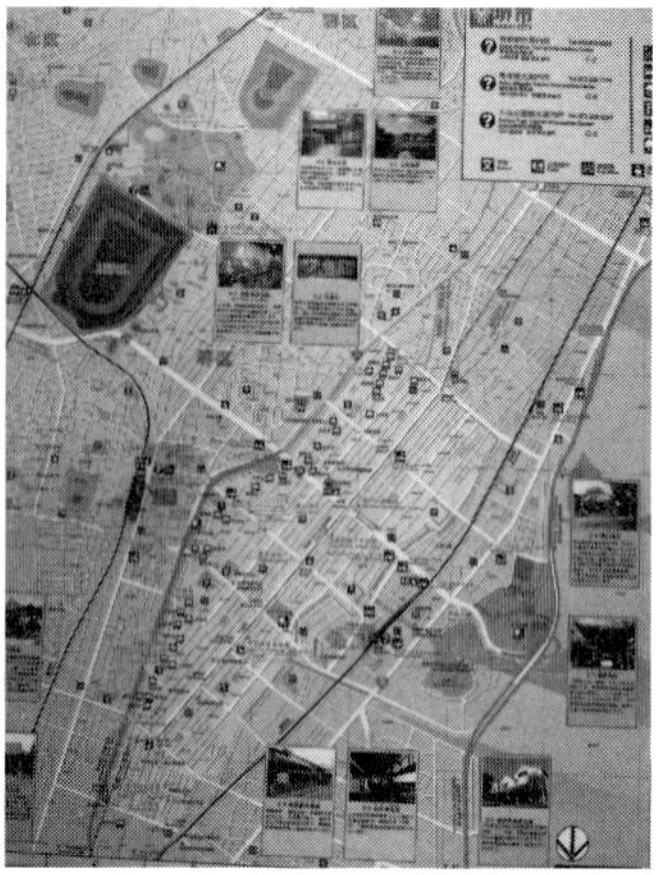
堺案内図

　基本的にこのような環濠都市には農民は住んでいない。職人と商人が主要な住人であり、彼らは耕作する土地を持たない人々であったから、封建領主の視点からは「水呑《みずのみ》」扱いをされるような、低い地位しかあたえられなかった。封建主義の富は、農業とそれを支える土地からもたらされるものだった。そのために工業や商業のもたらす別の種類の富にたいしては、低い価値付けしか、建前上あたえることがなかったのである。

　職人と商人を基本とする都市住民＝市民は、ムラ組織とも封建体制とも違う、都市の論理にしたがう自治組織をつくりあげた。その組織はムラ共同体とは本質的な違いをもつ、「組合（アソシエーション）型」の仕組みをもっていた。ムラ共同体では、家の古さや格が重要な働きをする。ところが組合では、そういう要素は重要ではなくなって、基本的にはすべての構成員は平等で、「老―若」という年齢階梯によって平等主義的な秩序を生み出していた。

　環濠都市を動かしている富は、自然の循環サイクルからはいったん切れている。そこを秩序づけて

堺市役所からの眺め

いるのは武力や威力による権力でもない。市民は平等を原則とするから、身分制度にもなじまない。共同体ではなく組合である。都市をつくりあげている原理は、根本において封建主義と対立しあっている。堺や平野を取り巻いている堀は、その拒否の姿勢を象徴する。「わたしに触るなNe me touchez pas!」。それが環濠の意味することである。

都市のたたかい

このような環濠都市の原理を利用して、封建領主の権力に徹底的に抵抗したのが、一向宗の寺内町《じないまち》である。一向宗の信者にはもともと海運や水運の仕事についている、職人や商人が多かった。一向宗の指導者である蓮如《れんによ》は、迅速なコミュニケーション手段を駆使して、各地の門徒に膨大な数の手紙(御文《おふみ》)を送り、強固な信仰のネットワークをこしらえていった。職人と商人のつくった都市は、その意味では一向宗の温床となったのである。

一向宗で固まった都市のなかには、環濠都市のつくりを取り入れた寺内町がつくられた。寺内町は各地に生まれたが、大阪で有名なのは富田林《とんだばやし》の寺内町である。寺内町の土台は都市の原理によっている。したがってそれを都市の一種と見ることもできる。しかし信仰によって住民が結合している点で、堺や平野とは違っていた。職人や商人は、信仰ではなく信用によって、おたがいの結びつきをつくろうとする人々である。しかし信用が信仰に変貌すると、都市の組合的な内部構造は変質して、住民の結合力はさらに強力なものになる。自らがつくりあげた真宗王国のなかで、蓮如はもはや一人の封建領主だった。

織田信長や豊臣秀吉は、封建主義にもとづく統一国家をつくりだそうとした。そのとき最大の敵と

寺内町（富田林）

して、彼らの前に立ちはだかったのが、これらの自治都市だった。戦国大名たちは敵ではない。彼らは土地支配とその土地の上でおこなわれる循環型産業である農業に依拠していたから、依って立つ原理が同じだった。ところが自治都市だけが、封建主義に対抗しうる「思想」を持っていた。自治都市の能力を根から断ち切る「根切り」を敢行しない限り、彼らの野望は挫折しかねなかった。

そのために信長は一向宗との死闘をくりひろげた。一向宗は川や海の「流体の民」の宗教であったから、情報の伝達と物品の流通においては、封建権力をはるかにしのぐ迅速さをもって動くことができた。封建主義のように土地の贈与にもとづく恩顧関係で主従が結びついているのではなく、一向宗徒は如来の「御恩」の絶対的贈与によって、門徒の固い結合が実現されていた。ようするに、あらゆる点において、一向宗の原理のほうが封建主義の原理よりも先進的だった。それに流通の組織を握っているのも彼らであったから、商人資本主義を呑み込もうとしていた信長にとって、一向宗の勢力を解体することは必須の仕事であった。

つぎに自治都市であった堺と平野が標的となった。環濠に守られた自治都市と封建権力のたたかいは、おもに文化のレベルで闘われた。秀吉にとっての「美」は、自然の産出力が生み出す「豪華」や「絢爛」を特徴とする。封建権力は大地＝自然の生産力に支えられている。その自然が生み出す驚異の美を、秀吉は愛していた。これにたいする千利休は、都市の論理が生み出す別種の「美」に依拠していた。自然の産出力をいったん否定し、それを抽象化し「貧しく」したうえで、小さな空間にその力を凝縮的に表現するのである。

秀吉と利休のたたかいは、農業世界を背景とする封建主義と、都市を生み出す市民の原理とのたたかいであったと言える。堺も平野も、巧妙な交渉術によって、よくこのたたかいに耐えたが、ついには屈服して、自治権を失った。彼らの精神を守っていた「環濠」は、こうして埋め立てられていった。このときをもって、この列島では「ほんものの市民」の歴史はいったん終わりを告げた。

しかし私は、この市民の精神が、いまも大阪人の心のなかに生き続けているのを感じるのである。東京でくりひろげられている権力の争いを見ていると、この国の政治と官僚制度がいまだに封建主義の構造を脱していないと感じるのは、私だけではあるまい。この国は、支配の構造から管理の構造への脱皮を実現できていない。

だから私は大阪人に訴えようと思う。環濠都市の精神を取り戻そう。自分たちのまわりにもう一度、深い堀をめぐらせよう。支配の体制をくつがえし、自分たちの世界を自分たちで管理する時代をつくりだすために、大阪人は自分たちが自由な都市人の子孫であることを、思い出さなくてはならない。

捕鯨とだんじり——岸和田

海民の夢の時間

人は夜寝ている間に夢を見る。それと同じように、共同体も祭のときに夢を見る。夢を見ている人の心では、時間の逆行がおこっている。現実の時間は一方向にしか流れない。そのために、心のなかに生まれたたくさんの可能性は、現実にならないままに記憶の底に沈んでいき、うまく生き残った少数のものだけで、現実と呼ばれるものをつくっていく。この現実の時間の専横に抵抗するために、人は寝ている間に、夢を見る。実現されなかった可能性が夢のなかによみがえり、時間を遡行して過去と現在がいっしょになった、奇妙な時空をつくりだす。

それと同じように、共同体のお祭りでも、時間の逆行がおこる。現在のなかに過去の時間がよみがえり、いまの現実をつくっている秩序は反転されて、現実の時間のなかで離ればなれになってしまっているものが一つに結び合い、日頃は強者である者たちもこの日ばかりは弱者たちと平等になることをめざす。男たちは野生化する。彼らは動物であることをめざし、街路を駆け抜けているうちに、みんなが一つに溶け合って一匹の怪物へと変身していく。現実の世界では実現されることのなかった可能性が、祭のあいだは、つかの間の現実となることを許される。こうして、共同体もお祭りをつうじて、夢を見ようとしているのである。

技と度胸の見せ場、カンカン場。昔、港に揚げた石炭や砂を量る看貫に由来

とりわけ海民の子孫たちの心のなかには、この夢見の時間への強烈な願望が生き続けた。この人々の心の奥には、海上の生活の記憶が深くセットされていて、陸に上がって商人や農民になったあとも、その記憶は少しも薄らぐことがなく、海上を軽快な小型船で疾駆《しっく》していたかつての生活を、せめて夢のなかで取り戻したいと願っている。陸の地面は動かない。だが記憶の底で海民たちは、揺れ動き続ける海面の上を漂っている。地上では曲がろうと思えば簡単に曲がることができる。ところが、海の上でいったん激しい海流に乗ってしまったら、あとはその流れをコントロールしてサバイバルするのは容易ではない。そのときの運動感覚の記憶が、海民の子孫の心の奥には眠っているのである。

そしてその記憶を、いまの現実のなかに解き放つ、夢見の時間を待ち望んでいる。その夢を現実にするのがお祭りだ。海民の子孫たちはそこで、陸地を海に見立てて、想像のなかで街路を海流の流路に変容させ、その海流を巧みに乗り切っていく技に男意気のすべてを賭ける、勇壮きわまりない祭を案出したのだった。

大阪は海民のつくった都市である。弥生式の生活様式をもった海民は、永らく淡路島で生活を続けたあと、大阪湾の対岸に移住して生活圏を広げていった。その頃はまだ、いまの大阪市街地の大半は海の底にあるか、八十島《やそしま》のくらげなす群島状態にあったから、住吉から堺や岸和田《きしわだ》のあたりの海岸部が、主な居住地になった。そののち海民の多くは漁師をやめて陸地の生活者となり、供御人《くごにん》や商人になった。彼らは市《いち》を開き、しだいにその市は街へと発展していった。

街が豊かな経済力を身につけるようになると、海民の子孫たちの心のなかに、夢見の時間を現実化しようという、強烈な願望がむくむくと目覚めた。夢を現実の世界に出現させるには、なんといってもお金が必要である。しかしお金ならばまかせておけ。流体を扱ってきた海民の子孫には、お金という別の抽象的な流体を扱うことはむしろ得意技だったからである。

農民たちが死者霊を踊りで誘って村に招き入れる盆の祭を創造したのにたいして、大阪湾沿岸部に住んだ海民の子孫たちは財力をふるって、死霊迎えの行事として、街路を逆巻く海流に変え、だんじり（地車）船を巧みに操りながら先祖の身体感覚そのものを現実のうちに蘇らせるという、ゴージャスで勇壮な先祖祭をつくりあげた。なかでもいまもその思想がいきいきと躍動しているのが、岸和田型のだんじり祭である。

通称「小門」。遣り回しの難所である細い辻

だんじりの運動学

岸和田型だんじりにおいて、疾駆する地車《だんじり》は海流にして船である。だんじりは「うちの町」の団結を象徴するものであると同時に、海流＝高速船であるその地車を、自分の町の街路に流れ込ませ、乗り込ませることによって、海民の夢の時間を現実世界に出現させる。

海流を街路に引き入れるのは「曳《ひ》き手」と呼ばれる若者たちだ。イニシエーションを受けて一人前の男と認められたばかりの弱年の若者が、力を合わせて綱をひっぱり、ダイナミックな海の活力を町の中に引き込むという役をまかされた（これがもとの形で、若い女性も参加できるようになったのは近代のことだろう）。昔の海民の象徴思考では、陸地は男の領域で、海の領域は女性のものと考えられていた。陸地は安定や秩序をあらわす。これにたいして海は生成や運動のようなダイナミックな力の領域をしめしている。その海の領域の活力を地車の運動に象徴化し、芸術的に表現して、街の中に引き込むのである。そこで祭の中心部からは、海の活力を現実の身体で体現している「現実の女性」は排除されなければならない。これが昔の人の祭や儀式についての基本的な考え方である。

まだ弱年の若者たちは、たしかに体内に活力はみなぎっているが、それをコントロールできる体験や知恵が乏しい。そこで若者組の連中は、地車の駆動部分を担うことになる。彼らの役目は、力まかせに綱を引っ張って、地車を疾走させ、海の活力を町中に溢れさせることにある。しかしだんじり祭の主題は、街路に解き放たれた野放図な海の力をコントロールできる、海民の知恵と度胸を表現するところにある。経験を積んだ賢い大人の若者がその役目を引き受ける。

地車には自分ではカーブを切る機能がついていない。これは海流の特徴でもある。街路に流れ込んだ海流は、障害物に激しくぶつかりながらでないと、流れの向きを変えることができない。その海流の流れの向きを、波に乗った船を巧みに操作することによって、障害物に激突させることなくコントロールしていく。海民の子孫たちはそうやって、海流と一体となった軽快船を操作しながら、岸和田の市街に流れ込んでいくのである。

海流は交差点や辻に出会うたびに、鋭く方向を変えていく。このとき町々は競って「遣り回し」の妙技を披露する。このあたりの呼吸を五軒屋町若頭筆頭であった江弘毅《こうひろき》さんの文章によって、味わうことにしよう。

岸和田だんじりの一番の醍醐味は、なんといっても「遣り回し」である。重さ四トンもある巨大な地車は、そもそも直進だけの機能しかない。曲げることは初めから「無理」なのである。その「無理」を承知で、それも極端な形でやってしまうのがこの「遣り回し」だ。三〇〇人以上の社会的属性や世代や身体能力そして実際の受け持ちパートも違う人間が、地車を疾走させ一気に方向転させる。地車曳行《えいこう》というのはクルマでたとえるとアクセル、ブレーキ、ハンドル操作をそれぞれ別人がそれも集団で操作するのだ。（江弘毅『だんじり若頭日記』）

地車の前と後について動きをコントロールするのが、「前梃子《まえてこ》」と「後梃子《うしろてこ》」である。地車の前輪の上にある前梃子を押し込むと、ロックがかかって旋回のきっかけをつくることができる。この梃子の操作者は左右に一人ずついて、呼吸を合わせて操作しなければならない。ここの操作は危険が大きいので、よく事故に見舞われる。これにたいして後梃子は二十～三十人が後梃子につながっている綱を、外側に向かって強く引く。これによって地車が旋回する。

江戸時代後期の捕鯨図より（全十図のうち四図。ライデン国立民族学博物館蔵）

この「遣り回し」によって、海民の子孫たちは、自ら海流をつくりだし、同時にその海流の変化に翻弄されないみごとな航海術を見せるのである。このとき地車を曳くいている一人一人は、「個」でありながらも「個」を超えた「全体性」をもった運動体の意志を正確に直感できていなければ、地車が一個の生きた怪物となって、直角に曲がった辻が連続する街路をすさまじい勢いで疾駆していくことなどはできない。同じ一つの地車の運動に身を捧げることで、祭の参与者は「個」を超えていくのである。

ここでも祭は夢の構造との類似をしめしている。夢を見ている人は、個人意識を超えた「集合的無意識」という巨大な全体性への通路を開いている。それと同じように、祭の熱狂のなかで地車を曳いている人々は、誰もが「だんじり」という巨大な全体性をもつ海の怪物の意志に自分を一体化させながら、都市の内部深くに宇宙的諸力を侵入させるのである。

だんじり＝捕鯨論

この海の怪物の正体がじつは鯨でもあるのではないかと思いついたのは、だんじり若頭と曳行責任者を経験した江弘毅さんの手柄である。地車は海流でありそれに乗って疾駆していく海民の快速船であるばかりでなく、海水を巻き上げて泳ぐ巨大な鯨であり、その鯨に挑戦したかつての海民の「勢子《せこ》」の姿そのものであることを、江さんは直感した。

もっともこの「だんじり＝捕鯨論」はまだ文章として発表されていない。鼎談《ていだん》やブログに断片が語られただけである。しかし、このままにしておくのは、いかにももったいないと思った私は、荒削りであるのは承知の上で、この思想がはじめて披露されたその場のやりとりのままにご紹介することにした。話をしているのは、江弘毅さん、釈徹宗《しゃくてつしゅう》さん、私の三人である。岸和田人らしく、江さんの話はどんな場合でも、まずはだんじりに事寄せて語りだされる。

遣り回しでは、前梃子係は疾走する地車にひとり身体をあずけ、「命棒」を片手で摑み、利き手で鋲を刺すように「梃子」を鋭く入れ、そして抜く（提供・江弘毅）

江：いきなりだんじりの話ですけど……。
釈：え、いきなりですか。
江：人が亡くなったりするんですよ。遣り回しに失敗したり、横転したりして。まわりは「うわあ、やってしもた」と思う。紙一重で、まあ助かった時は、ふっと見ると必ず笑いますね。当事者は「棺桶に片足突っ込んだ」などという。
中沢：棺桶に片足突っ込んだという感覚があるんですね。この写真で言えば、どのあたりの人が危険なんですか？
釈：それはね、だいたい決まっているらしいです。八割方あの前梃子って人たちらしいです。
江：前梃子係。これ、「すばらしい日本捕鯨」で書いてはった「銛を打つための勢子《せこ》」ですわ。あの快走船を走らせていって鯨を狙う役の勢子です。
中沢：そう言われてみれば、勢子ですね。
江：『純粋な自然の贈与』の中に「すばらしい日本捕鯨」という論文があって、これだんじりのこと書いてはるなあ！　って。

日本で発達した「勇魚《いさな》」捕りの技の優美さは、ここから発生している。日本の漁師たちは、大きな鯨をしとめるためには、より大きな銛が必要であるとか、大きな銛を打ち込むための火器を利用した新しい武器が必要だ、などという欧米捕鯨的ながさつな技術思考に、頼ることがなかったのである。彼らは狩猟の自然哲学に忠実だったのだ。鯨とともに、海を走り、鯨の運動と一体になりながら、しだいにその巨大な動く生命体の本源に接近し、ついにそれをしとめていく。このとき、鯨はたんなる「対象」ではないのだ。捕鯨漁民たちが、鯨の中にしばしば「神」のあらわれを感じとっていたのは、捕鯨をとおして、彼ら自身が、鯨の生命の背後にある、見えないピュシスの活動に直接的に結びつけられ、それを実存的に認識することができていたからにほかならない。日本人の技術思想の、もっとも純粋な形態のひとつが、ここにあらわれている。

これ、まさしくだんじりそのもので、舫はまさに前梃子ですね。

中沢：そんなこと考えたこともなかった！
江：完全にあれ、海民的なものなんですね、だんじりっていうのは。
中沢：だんじりは海民の子孫のものだよ。
江：捕鯨のこの図とだんじりの写真と比べてみてください。
中沢：そうか、これは捕鯨なんだな。
釈：どこが捕鯨と……。
江：たくさんの勢子で、一個の大きい鯨を前に曳いていく。地車って巨大ですよね。それを上手に手なずけたりとかですね。
釈：地車をコントロールするんですね。
江：そうなんです。それは鯨を操るのと同じです。それで、遣り回しが下手な時は、「だんじり、嫌々《いやいや》回ってる」って言うのですね。それから本当に海民的なのは、地車を回す方向転換のことを「舵取り」と言うのですね。それで調べたのですけれども、和泉市とか、内陸部にいくとね、ぼくらは「取る」というんですけど、彼らは「切る」というんですね。岸和田の場合は「チヨイ取り」とか「綱を手繰《たぐ》る」とか、大体漁師の用語です。「舵取り上手でようとばす」とかね。

中沢：鯨捕りの場合は飛び込んでね、潜る人は包丁片手に潜って、鯨の鼻のところを切って、致命傷を与える。

釈：そのとき海に飛び込んで鼻を切る役目が、だんじりで言うと「前梃子」なんですね。命をかけてということですね。

中沢：たしかにだんじりは巨大なエネルギーをコントロールして、それを都市的な美に変えていくっていうお祭りでしょう。そう言われて見れば、まさに捕鯨だなあ。

江：大阪湾沿岸の地車の数、九百台とも、八百台ともいわれているのですけれども、やっぱり岸和田の二十二台というのは、まあ言うなればF1なんですけれども（笑）。そのうちの七台が浜地区、浜七町っていう地区で、だんじり祭りの精神的支柱です。そこは今も浮舟、閑陸《かんりく》、梶野、音揃《おんぞろ》などといった海民的な苗字を持つ漁師や港湾関係者とかがいます。

釈：ちょっと待ってください。あの、話題がもう海民に行ってしまいましたが、大阪アースダイバーのひとつの大きな特徴として、海民から見た大阪というところがあったと思うのですね。それはもう、いままで語られなかった大阪の姿が現れたような気がします。それが、江さんにはすごいしっくり来たといいます。江さんにとっては肌感覚でこれが大阪と思っていたものを、中沢先生の文章が、いままで通俗的に言われていた大阪と違うところ、自分の肌感覚にぴったりと合うところを語られていた。

このように地車は鯨に類似し、だんじり祭そのものは捕鯨の仕組みと酷似しているのである。地球上で最大の動物である鯨を、日本列島に生きた海民は、独特な捕鯨法を編み上げることによって捕獲してきた。海戦でも利用されたその古式捕鯨法では、水中の見えない巨大生物の動きを巧みに察知し、恐るべき力を制御しながら、勢子船が広げた網のなかに追い込み、すさまじい速度で引きずられていく網を保ちながら、鯨の体力の消耗を待って、海に飛び込んで鯨の身体に抱きついた「羽指《はざし》」が、最後に鯨の鼻を切って絶命させる。それは、海民の伝統が創造した最高の「技芸《メチエ》」であり、集団が力を合わせて超越的な力をそなえた相手に立ち向かう、神聖な行為でもあった。

捕鯨が体験させる巨大なエネルギーの動きと、その動きを集団の能力によって制御していくさまが、街路を疾駆する地車とその動きを危険もかえりみず制していこうというだんじり祭に再現されているのだ。こういう説をひねり出せるのは海民の子孫以外にはありえない。

スペイン人は闘牛の文化を創造することによって、牛が聖獣であり、その牛の供犠（サクリファイス）が至高の体験であった時代の先祖たちの精神を、現代にまで伝えた。岸和田の町衆は、だんじり祭を創造することによって、海民であった先祖の知恵と勇気の結晶であったメチエの伝統を、称揚し続けようとしたのである。

こうして見ると、だんじりは潮であり漁船であり、しかも象徴化された捕鯨でもあることがはっきり見えてくる。捕鯨は海民のおこなったもっとも勇壮な「海の狩猟」であり、海民の誉れを象徴するものである。岸和田型だんじりには、その海民の武勲の記憶があざやかにしめされている。

エピローグにかえて

「大阪アースダイバー」の『週刊現代』での連載（『週刊現代』二〇一〇年十一月十三日号〜二〇一一年二月十一日号）を終えた直後、雑誌『現代思想』から大阪特集号のためのインタビューを求められた。そのとき話された内容は、本書のあとがきにふさわしいまとまりを備えているので、少し手を加えただけであとはほとんどそのまま、それをここに採録することにする。

大阪アースダイバー

東京で『アースダイバー』をやった後に、つぎは大阪でやると私が言いましたら、それはまずできないでしょうと、おもに関西出身者たちから言われました。なぜかといえば、アースダイバー的に力の強い場所を探っていきますと、大阪ではかならず微妙な問題にふれていくことになる、早い話が差別に関わる微妙な問題に抵触せざるを得ないから、東京でやったみたいに気楽な気持ちではできないよと、その人たちは忠告してくれるのです。

「大阪アースダイバー」はそのような意味で私にとって大きな挑戦でした。文体も変えなければなりませんでした。隠すことであらわにしたり、逆にストレートに書いているようで、じつは隠しているというデリケートな文体の開発が必要でした。そういった試行錯誤をくり返しているうちに、大阪の話芸やふつうの人たちの会話の秘密などにも理解が行き届くようになりました。そんなわけで、ずいぶん危険なことも書かれているのですが、連載中は無事に切り抜けられたようです。

思想的な雑誌で「大阪論」ともなれば、注目は西成区あたりに集まりがちですが、大阪の核心部と言えば、やはり上町台地と船場でしょう。だから今回「大阪アースダイバー」を書くにあたっては、真正面からの大阪論にしたいという気持ちがありましたので、大阪の保守の中心に主力を注ぐことにしました。たしかに後半部では熱をこめて西成について語っていますが、西成は遅くなって海中から生成された土地ですので、やはり歴史を重んじて、上町台地と船場と河内に主力をおいています。

海民・渡来民のつくった大阪――カヤ世界のなかの大阪

「大阪アースダイバー」では、大阪には資本主義が成立する土壌が、もともと備わっていたのだという説が語られています。それは大阪がそもそも海民と渡来民がつくったまちだからです。生駒山麓の方には古い縄文系の系譜に属する人々やその文化的地盤が残っていますが、そのほかはほとんどが海民・渡来民によるものではないでしょうか。

まず「海民」ですが、これには重層的な意味が含まれています。私はそれをだいたい次のような四つの層として考えています。

(1) 約七万年前にスンダランドにたどり着いた現生人類は、そこから海岸沿いと内陸を通って北上を続けました。このうち海岸沿いに航海を続けて日本に到着した人々。

(2) 一万四千年前から六千年前にかけての海面上昇によって水没したスンダランドから、海洋群島へむかっていった人々。彼らは高度な航海術と豊かな文化をもっていた。

（3）南朝鮮と西日本にまたがる海洋的な共通文化をもつカヤ世界の人々。
（4）北九州に拠点をもつカヤ系のアズミ族やスミヨシ族。アズミ族は六世紀に拠点を破壊されることによって、日本列島に拡散していった。

「大阪アースダイバー」でもっとも重要な意味をもっているのは、このうち（3）のカヤ世界の海民たちです。南朝鮮から北陸、北九州、瀬戸内海沿岸部は、六世紀くらいまではひとつの共通世界をかたちづくっていました。その大きな世界にはまだ名前がついていません。そこで私はかりに「カヤ（伽耶）世界」と名づけることにします。この呼び名は、西の日本語と南の朝鮮語がまだ兄弟語であった頃の共通呼称をあらわしていると考えて下さい。「伽耶」はじっさいに朝鮮南部に実在した地方の名前ですが、そこと西日本は深い関係をもっていました。カヤ世界は西日本の文明地帯でした。その世界を、船を使って自在に行き来していたのが、海民と呼ばれる人々です。

海民の本拠地の一つは済州島にありました。現在大阪にいる大多数の在日の方々の出身地は、興味深いことに済州島にありますが、歴史的に見てもそこは海民の拠点でした。済州島の海女の漁法と、能登や三重県の海女の漁法は基本的には同じで、おそらく済州島の方から伝わった漁法だと言われていますし、習俗にも共通点があります。海民は玄界灘を渡り、能登半島の方にまで行き来していました。海民には、日本や韓国といった国家感覚とは違った、別の巨大世界が広がっていました。おそらく言葉も、現在の朝鮮語と日本語ほどの違いはなかったのではないでしょうか。多くの語彙はかなり違っていますが、朝鮮語と日本語の文法は今でもよく似ているところがあります。ところがカヤ世界の海民たちがしゃべっていたことばには共通性があって、日本で使われていたカヤ語と南朝鮮のカヤ語の間には、方言ほどの違いしかなかったのではないかと言われています。

その共通世界における東の突端が大阪でした。そうイメージするのがいいのだと思います。大阪を考えるには、まずそのように大阪の位置づけを考えるべきです。日本の歴史を考えるときにも、このカヤ世界の存在を念頭におくと、いろいろなことがよく見えてきます。日本と南朝鮮が分離し始める以前は、民衆・庶民の世界においても、ひとつの共通文化が展開していたわけですから。

大阪の重要性もそこから発しています。しかもその影響は近現代にまで及んでいます。近代になって日韓併合のような出来事がおこり、多くの朝鮮の人々が労働力として日本に移住してきました。太平洋戦争が日本の敗北で終結すると、たくさんの人々は祖国に帰って行ったけれど、今度はそれと入れ替わるように、戦後のニューカマーとして済州島の方から、またまたたくさんの人々が大阪に入ってきた。しかしこのような「在日問題」は近代史に限定されるものではなく、その根源はさらに深く、大阪はいまだにカヤ世界としての問題を生き続けているとも言えます。この点が東京との大きな違いをなしています。

「大阪アースダイバー」をやってつくづく感じたのですが、東京のセンスで大阪を見ようとすると、いろいろなものを見誤るのではないでしょうか。いまの大阪の政治情勢をめぐっても、大阪の成り立ちやダイナミズムをアースダイバー的に捉えていないために、なにかちぐはぐなことが起こってしまっているのではないかという気がしてなりません。

黒不浄／赤不浄による職業分化

東京はもともと「エゾ」と呼ばれていたあたりにできあがりました。エゾでは文化のベースが狩猟採集でしたから、とうぜん動物を殺しますので、死や血や殺害に対するタブー観がきわめて弱かったと言えます。それからエゾ人は、ポリネシアから来た隼人と同じように、身体に入れ墨をしていました。だから自分の肉体を変形してそこに色や文様をつけることに対しても、抵抗感がない。このように生と死、血のタブーに属するものが、生活のなかに共生しているのが東日本文化の特徴です。

一方、西日本に広がったのは稲作の文化であり、狩猟を野蛮な行為として見下す傾向がありました。植物を育てるのに、自然の力があまりに強いと困ります。嵐や自然災害に対しても、農業民は非常に神経質になります。ある意味で水田技術そのものが自然の制御からなりたっていたものですので、そうなると、動物の死骸から肉や皮をとるという行為は、いきおい疑惑の目で見られるようになりがちでした。むしろ、そういったことは自分たちのやっている稲作にとっては忌まわしいものとして、遠ざけていくようなメンタリティが発達してくることになったのだと思います。農業が発達すると、そういった傾向が強くなっていきました。

そこから血や死に対する強い不浄観が育ってくることとなった。黒不浄・赤不浄という言葉があります。黒は死、赤は血にかかわっています。死や血の放散を危険視する考えです。そこからいろいろな差別が発達するようになります。差別が発生する根源にはまず自然への畏怖がありますが、死や血の忌みをタブー視する感覚が育つ原因には、稲作の技術によって、人間は自然を制御できるという感覚が育って行ったことが深く結びついています。稲作の早くから発達した西日本に強い差別の風習が生まれ、東日本ではそれがあまり強く育たなかったわけは、そのへんにあります。

黒不浄にかかわった人たちは、墓地の埋葬や葬送儀礼にかかわる人たちでした。のちには「隠亡《おんぼう》」と呼ばれた人々です。大阪にはこういう人たちが、古代より多数住みついてきました。それは南大阪の古墳の多さが関係しています。彼らは古墳の造営もしますが、敷石の間から生えてくる草をむしり、石のずれを直し、土師部《はじべ》とともに埴輪の補修も行う。またそういった技術的なものだけでなく、葬送儀礼でいわゆる殯歌《もがりうた》を歌うなど、芸術を担う人たちも必要になる。このようにして、黒不浄にかかわるさまざまな技術を持った人々の大きな集団ができてきた。

彼らの一部はのちに石垣や築城技術の方へも展開していきました。穴師とも呼ばれていたその技術集団は、その後穴太衆《あのうしゆう》と呼ばれるようになる。日本中にお城の石垣を積んでいったのは彼らで、各地に残る立派な石垣はこの穴師の子孫がつくったものです。

葬送儀礼を行い、芸術面を担った人たちのなかで後世に名を残したのが、三輪山麓の穴師村に拠点をもった柿本一族です。彼らは遊部《あそびべ》に属し、葬送儀礼から発達した呪術や挽歌の専門家で、彼らが日本詩歌の原型をつくったとも言えます。和歌のなかでも、挽歌は成立が早いのではないでしょうか。芸術の発展においては恋愛と死に関係するものが早くから成熟していきました。そこで柿本一族も恋愛の歌も歌うようになります。葬式というのは古代から同じですが、悲しみを表現した後で、宴会に変わる。この宴会のパートも彼らは請け負った。こうなってくると、歌だけでなく踊りもかかわってくる。芸能の誕生です。このように日本の芸能ではこの黒不浄にかかわる人が重要な役目を果たしました。大阪が芸能のまちになったことはじつはこのこととかかわり合いがあります。古墳の文化が大阪芸能を生んだと言えるかもしれません。

黒不浄にかかわる人々は、後に「非人」と呼ばれるようになります。非人とは人にあらずと言うよりも、むしろ人を超えたスーパーヒューマンとしての意味合いのほうが古い。人間は生の世界にしかいないけれども、非人は死の世界にまたがって生きる。そういった特別なカテゴリができるのが西日本の特徴的なところです。一方の東日本は狩猟文化だから、みんなが日常的に死に触れることとなり、こういったプロフェッショナルは発生しにくかった。

そこで仏教が発達してくると、西日本だと僧侶というプロが現れてくるけれど、東日本ではあまり出てこない。東日本には半僧半俗の毛坊主という人がいて（毛坊主の原型は古代の知識人である「日知り＝聖」である、と柳田國男は考えています）、彼らは村のなかのことを葬送儀礼も含めて何でもやるため、黒不浄のプロというカテゴリは、東日本には長いあいだ発生しなかった。

赤不浄にかんしては、動物の皮を剝ぎ、肉を切ることですが、これは西日本ではとくに危険な行為と見なされた。その行為にたずさわった人たちが、差別の対象になりました。彼らはのちに「えた」と呼ばれるようになります。西日本にやってきた渡来人は馬に乗る人々でもありました。彼らは馬具を必要とします。だから皮革を扱うことができる専門技術者を連れてくることになります。「大阪アースダイバー」では大阪の被差別部落のなかでも格別の地位にあった渡辺村の話を書いていますが、渡辺村の人々はもともと新羅系渡来人でも地位の高い人々だったようで、その一族は武装しているため、皮でつくったものや刀が必要になる。そのため、ここにも皮なめしの職人がたくさんいた。彼らも動物の死や流血にかかわる、つまり自然の畏怖に触れることが多い人なので、西日本では特別視され差別されるようになるのです。

農民は穏やかな自然と向き合い、その世界ではあらゆることが稲を栽培する技術に集中していくので、そこからはみ出す領域が出てくる。それが黒・赤という二つの不浄として、その周縁部に長くおかれてきた。しかし中世までは、そういった人たちに対する差別はありませんでした。あの村の集団は少し変わった慣習や技術を持っているという程度の認識だし、むしろ里の人からはパワーの強い人たちと見られていて、祭などにはその力が発揮されていた。日本でも中世までは差別がなかったということは、網野善彦さんが強調されています。

東日本で最初の被差別民が登場したのは鎌倉時代だと言われています。西日本から極楽寺に浄人《きよめ》と呼ばれる人たちを連れてきたためです。彼らは寺社の清掃担当で、昔は境内に行き倒れの人間や動物の死骸も多かったので、それを処理する人たちのことでした。神社や寺を清浄に保つということは、逆に言えば、危険なものに触れなければならない。だから普通の人にはできない仕事だったのです。

このように当時は力に触れることに大変敏感で、それが差別に基づくタブーの根源になる。東日本ではこの浄人の出現が最初だと言われていますが、西日本では水田耕作が発達したし、こうした均質な社会においては危険に近づいて生きている人たちは排除されていく傾向にある。西日本の文化が歴史のなかでさまざまな差別と共存しながら発達したということは、いまの大阪のかかえる諸問題を考えるにあたってもとても重要な点です。

都市の構造・大阪の資本主義

大阪が商都と呼ばれているのは、海民のまちだったことに関係があります。これも網野さんが強調されていることですが、小さな漁村の構造というのは、都市の構造を連想させます。漁村と海岸沿いに道が一本あって、その両脇に民家が建ち、舟屋がある。

実際に、大阪の繁華街の重要な部分はもともと海面下だった場所で陸地ではなかった。唯一陸地だったのは上町台地だけで、淀川の岸部は砂が徐々に積層することで陸地になりました。そこに船場がつくられ、商人が拠点をつくるようになる。都市というのは面白いもので、平坦な場所を必要とします。そういう意味では、東京は起伏や坂の多い珍しい都市ですが、一般的には海岸や中洲のような平らなところにつくられるというのが都市成立の基本法則で、大阪はしっかりそれにのっとっている。そこで海上交通がさかんになって、商都がつくられた。

だから大阪という存在を全体性において考えるには、やはり中核は船場であるように思います。船場から御堂筋が下ってきて、それが千日前の世界につながるというのが大阪の基本構造で、そこで形成された資本主義が大阪の基礎になっています。

こういう大阪で形成された資本主義が、これからだんだん重要になってくるのではないでしょうか。船場に発達した商売慣行や、商人の資本によって切り開かれた文化というのはすごく未来的に思えます。東京は田舎からの流入者ばかりの集まりだから、大阪のように無縁の原理の上に組合的なつながりをつくることはできない。しかし大阪は根がシティですから、無縁の原理によってバラバラになった人たちが、もう一度連合体をつくることができた世界でした。連合体とは組合（ギルド）のことです。無縁の原理、つまりもともとの生まれの共同体から切り離され、もしくは自分でその縁を離れて都市にやってきた人々が、その上でもう一度、信用をベースにつながりをつくっていく。これが都市民の基本構造で、大阪は見事にこの構造を実践してきたのです。

東京では未だに組合を形成しようという試みのないままに、その働きを権力にゆだねて、無自覚に巨大になってきている。にもかかわらず、都会は無縁で苦しいと言い続けている。そんなことを言っているあいだは、東京は都市とは呼べないでしょう。なぜなら都市というのは無縁を受け入れるということですから。都市に来て孤独だと嘆くなんて変でしょう。そこで生きるには、無縁の原理の上に組合的連合をつくらなければいけない。そういうものを大阪はじっさいにつくり出し、商人の手によってそれは大阪の文化にまで高められた。契約にしても、大阪商人は契約書は書かない。口約束だけでよかった。料亭で盃を交わすだけで絶対に破らないという約束や手形をつくる。こうして市場や金融の基本になるものをつくり出してきた文化が大阪にはあった。

谷崎潤一郎の船場、織田作の千日前

その意味で谷崎潤一郎の『細雪』はたいへんに面白いのです。こうした商人独特の慣行があったから、船場には「恋愛」が基本的にないのです。作品での語り手は婿養子に入った旦那さんで、「いとはん」だった人と結婚するけれど、ただの色恋ではなく、信用やもっと大人びたものから生まれた愛情が発達してくるのです。だから奥さんも「一人前になるなら妾くらい持て」とか、「自宅で打ち合わせをするなんて格好悪いから妾を持て」なんて言い出す。そういったことを考えると、谷崎がいったい大阪の何に惹かれていたのかが少し見えてくるようになります。彼が描きたかったものの舞台は船場でなければダメなのです。彼が描きたかった恋愛は船場でしか表現できないものでした。『細雪』の背後には、谷崎の『卍』やほかの作品にほとばしるようなものは出てこないけれど、かわりに船場の商売文化のなかで形成される無縁の上に再構成される組合的なものがある。そのエロティシズムやモラルを谷崎は面白いと思ったのではないでしょうか。大阪といえばコテコテな人情を想像しがちだけど、それは一面しか捉えていない。実は食べ物もさっぱりしていて小粋なぐらいで、そういう大阪文化は船場で発達してきたものです。

一方、織田作之助の恋愛ものは、それとは少し違う大阪を描いています。『夫婦善哉』のような作品の主人公は、やはり船場のぼんぼんと芸者ですが、織田作之助はその恋愛の本質は擬似的な母子間の甘えの感情にあると見抜いています。そういう擬似的な恋愛を乗り越えて、自立的な男女の愛にどうやったら育てていくことができるか、そのことを大阪の性愛の重大問題と考えていたのです。

上町台地には権力の拠点があって、船場に商人の世界があり、いわゆる庶民の大阪は道頓堀や千日前にありました。道頓堀には見世物小屋が並び、芸能が発達する。お笑い芸はもっと南に下った、千日前に拠点ができる。そしてその背中にはかつての法善寺界隈があった。そこには黒不浄にたずさわる巨大な非人村がありました。織田作之助は船場的な大阪と千日前的大阪を一つのループに結ぶ、という難問に挑戦していましたが、その挑戦こそ、私が「大阪アースダイバー」で試みようとしていたものにほかなりません。

現在の大阪——資本主義と疲弊

いま船場の問屋街は疲弊し空洞化し、東大阪のものづくりを担っていた工場群も空洞化していて、技術の重要な部分が中国、韓国に持ち出されてしまった。優秀な技術者もひきぬかれてしまった。それは直接的には小泉構造改革の負の遺産ですが、そもそも大阪が疲弊し始めたのは、黒田了一が知事になったとき（一九七一年）からだと言われています。彼が工場を大阪の市街地の外に追い出したことが空洞化を招き、それが現在も継続している。

その大阪の空洞化をさらに加速しようとしているのは、新自由主義的グローバリズムです。この波が大阪を襲っています。グローバリズムの拠点が東京につくられているために、大阪の企業も本店を東京に移していっている。それが大阪に経済面から見た疲弊をもたらし、大阪を危機におとしいれているのです。

そういう問題に維新の会はどう対処しようとしているのでしょうか。橋下市長と維新の会の背後に、私はどうしても新自由主義を語り続けてきた人々の野望を感じ取ってしまいます。彼らは二十数年来同じ主張を続け、何度も失敗を繰り返しながら、いままた最後の反撃を試みようとしています。

大阪を活性化するためには、徹底した開放が必要だと主張しているのです。しかしこれほど疲弊した大阪に過激すぎる開放を行ったりしたら、大阪はどうなってしまうでしょう。若者たちは彼らの主張が、疲弊する大阪に活性化をもたらすと信じ込んでいます。しかし近い将来におきる事態は希望とは全く逆で、それこそが彼らから雇用の機会を奪い、経済格差を進行させるようなものです。

大阪的なポピュリズムは権威が嫌いで、地べたから這い上がってきた人間に、共感を抱きます。権力に歯向かう人物像が出てくると、一も二もなく惹かれてしまうのは当然だし、そこが大阪人のよいところでもあります。下から上へ、地面から高みへというダイナミズムを愛好する大阪の庶民にとって、橋下さんはうってつけのイメージを押し出しています。

しかし問題は、現在大阪に疲弊をもたらしているものが、これまでの大阪のポピュリズムを突き動かしてきたものとは、異質な原理であるという点です。橋下さんは、自分の背後で動いているのが、「大阪の原理」とは異なることを知りつつ、それに乗ろうとしています。

しかしどうも最近「大阪のおばちゃんたち」はそのことに少し疑問をいだきはじめているように感じます。これでいいのだろうかと思い始めています。だからもう少し時間が必要なのでしょう。もう少し時間が経てば、かならずや強靭な「大阪の原理」「大阪の理性」が再び働き始めるはずですから。

私は現代の大阪に、この「大阪の原理」「大阪の理性」が力強く目覚めることを切に願って、『大阪アースダイバー』を書いたのである。

主な文献資料

【アースダイバーの方法論】

・中沢新一『アースダイバー』講談社　２００５
・中沢新一「稲荷山アースダイバー」、『野生の科学』講談社　２０１２所収

【海民をめぐって】

・網野善彦『網野善彦著作集』岩波書店　２００７〜２００９
・大林太良編『海人の伝統　日本の古代８』中公文庫　１９９６
・大林太良『海の道 海の民』小学館　１９９６
・中沢新一『悪党的思考』平凡社　１９８８〔１９９４〕
・谷川健一『古代海人の世界』小学館　１９９５
・宮地直一『安曇族文化の信仰的象徴』穂高神社社務所　１９４９
・シロコゴロフ『満洲族の社会組織』刀江書院　１９６７
・宮本常一・川添登編『日本の海洋民』未来社　１９７４
・後藤明『海を渡ったモンゴロイド』講談社選書メチエ　２００３
・後藤明『海から見た日本人』講談社選書メチエ　２０１０
・スティーヴン・オッペンハイマー『人類の足跡10万年全史』仲村明子訳 草思社　２００７
・Stephen Oppenheimer, *Eden in the East: The Drowned Continent of Southeast Asia*, 1999, Phoenix, Orion: London.

【大阪を鳥瞰する】

・新修大阪市史編纂委員会『新修 大阪市史』大阪市　１９８８〜１９９６
・柏原市史編纂委員会『柏原市史』柏原市役所　１９６９〜１９８２
・八尾市史編纂委員会『八尾市史　史料編』大阪府八尾市役所　１９６０
・松原市史編さん委員会『松原市史１』松原市役所　１９８５
・布施市史編纂委員会『布施市史１』布施市役所　１９６２
・四条史編さん委員会『河内 四条史』四条史編さん委員会　１９８１
・田野登『水都大阪の民俗誌　大阪叢書４』和泉書院　２００７
・本渡章『大阪古地図むかし案内』創元社　２０１０
・河内の郷土文化サークルセンター編・水野正好監修『河内文化のおもちゃ箱』批評社　２００９
・原田伴彦『大阪古地図物語』毎日新聞社　１９８０
・牧村史陽『大阪ことば事典』講談社学術文庫　１９８４
・秋里籬嶋編『河内名所図會』柳原書店 １９９０

●第一部　プロト大阪

・地学団体研究会大阪支部編著『大地のおいたち』築地書館　１９９９

・大阪市文化財協会編『大阪遺跡』創元社　2008
・山根徳太郎『難波王朝』学生社　1969
・栄原永遠男・仁木宏編『難波宮から大坂へ　大阪叢書2』和泉書院　2006
・大和岩雄「比売許曾神社」「坐摩神社」「住吉大社」、谷川健一編『神社と聖地　日本の神々3（摂津・河内・和泉・淡路）』白水社　1984所収
・前田晴人『古代王権と難波・河内の豪族』清文堂　2000
・総本山四天王寺著・棚橋利光編『四天王寺史料』清文堂史料叢書　1993
・「四天王寺の宝物と聖徳太子信仰」展実行委員会編『四天王寺の宝物と聖徳太子信仰』「四天王寺の宝物と聖徳太子信仰」展実行委員会　1992
・大阪市立美術館監修『聖徳太子信仰の美術』東方出版　1996
・今井啓一『秦河勝』綜芸舎　1968
・今井啓一「物部戦争と太子・四天王寺」、『日本歴史』299号、吉川弘文館　1973所収
・加地宏江「四天王寺・軍記・渡辺党」、『大系　日本歴史と芸能5』平凡社　1991所収
・榊原史子「『四天王寺縁起』の成立」、『聖徳太子の真実』平凡社　2003所収
・西光義遵「四天王寺御手印縁起について」、『太子信仰』雄山閣　1999
・藪田嘉一郎「荒陵という地名と四天王寺」、『史迹と美術』349号、1964所収
・谷川健一『四天王寺の鷹』河出書房新社　2006
・谷川健一『古代学への招待』日本経済新聞出版社　2010

●第二部　ナニワの生成

・豊田武『豊田武著作集3　中世の商人と交通』吉川弘文館　1983
・網野善彦『無縁・公界・楽』平凡社　1996〔1987〕
・宮本又次『随想大阪繁盛録』文献出版　1991
・宮本又次『船場　風土記大阪1』ミネルヴァ書房　1960
・宮本又次『キタ　風土記大阪2』ミネルヴァ書房　1964
・宮本又次『てんま　風土記大阪3』大阪天満宮　1977
・大阪天満宮史料室編『大阪天満宮史の研究』思文閣　1991
・大阪久宝寺町卸連盟『せんば繁昌誌』大阪久宝寺町卸連盟　1978
・三島佑一『船場道修町』和泉書院　2006
・香村菊雄『定本船場ものがたり』創元社　1986
・藤井定義『懐徳堂と経済思想』大阪府立大学経済学部　1976
・渡邊祐介『ドラッカーと松下幸之助』PHP研究所　2010
・松下幸之助・堺屋太一『松下幸之助経営回想録』プレジデント社　2007
・サンケイ新聞社『写真集おおさか100年』サンケイ新聞社　1987
・Aldona Jonaitis, Aaron Glass, *The Totem Pole: An Intercultural History*. University of Washington Press, 2010
・毎日新聞社『なにわ今昔』毎日新聞社　1983
・佐藤悌二郎『松下幸之助・成功への軌跡』PHP研究所　1997
・小倉栄一郎『金持商人一代記』言叢社　1984

・朝日新聞大津支局編『近江商人』かもがわ出版　１９９１
・江南良三『近江商人列伝』近江八幡郷土史会　１９８９
・谷崎潤一郎『細雪』中公文庫　１９８３
・谷崎潤一郎「阪神見聞録」、『谷崎潤一郎全集20』中央公論社　１９７４

●第三部　ミナミ浮上

・徳尾野有成『新世界興隆史』新世界興隆史刊行会　１９３４
・『大阪の歴史と風土』毎日放送　１９７３
・林屋辰三郎編『文明開化の研究』岩波書店　１９７９
・橋爪紳也『大阪モダン　通天閣と新世界』ＮＴＴ出版　１９９６
・橋爪紳也『明治の迷宮都市』平凡社　１９９０
・酒井隆史『通天閣：新・日本資本主義発達史』青土社　２０１１
・宮本又次「所謂ミナミの由来記」、『大阪菊屋町宗旨人別帳６』吉川弘文館　１９７６所収
・宮本又次「大阪三郷の成立と道頓堀」、『大阪菊屋町宗旨人別帳７』吉川弘文館　１９７７所収
・岡本良一「千日前の灰山」、『大阪春秋』５号、大阪春秋社　１９７１所収
・南木生「五十年前の千日前」、上方郷土研究会『上方』10号　１９３１所収
・秋田実『笑いの創造　日常生活における笑いと漫才の表現』日本実業出版社　１９７２
・秋田実『日本語と笑い』日本実業出版社　１９７６
・小沢昭一『日本の放浪芸』白水社　２００４
・朝日新聞社『いまに生きるなにわの人びと』朝日新聞社　１９６３
・舳松歴史資料館編『反骨の棋士　阪田三吉』舳松歴史資料館　１９９８
・宮崎国夫『修羅の棋士』幻冬舎アウトロー文庫　１９９７
・織田作之助「夫婦善哉」、『織田作之助全集６』講談社　１９７０
・織田作之助「二流文楽論」、『織田作之助全集８』講談社　１９７０
・滝川政次郎『遊女の歴史』至文堂　１９６５
・西水庵無底居士『色道諸分難波鉦』（中野三敏校注）岩波文庫　１９９１
・折口信夫「翁の発生」「ほうとする話（祭りの発生　その１）」、『折口信夫全集２』中央公論社　１９６５

●第四部　アースダイバー問題集

・下元信行『黒門市場史』黒門市場商店街振興組合　１９８８
・でんでんタウン協栄会編『でんきのまち大阪日本橋物語』でんでんタウン協栄会　１９９６
・井上章一『愛の空間』角川書店　１９９９
・大阪の部落史委員会『大阪の部落史２』部落解放・人権研究所　２００６
・更池村文書研究会編『河内国更池村文書１』部落解放研究所　１９７１
・部落解放同盟大阪府連合会松原支部『非差別部落更池の歴史』解放出版社　１９９３年

・渡邊実「かわ」「皮」「皮革」、「浪速部落の歴史」編纂委員会編『太鼓・皮革の町　浪速部落の三〇〇年』解放出版社　２００２所収
・野間宏・沖浦和光『日本の聖と賤　近代篇』人文書院　１９９２
・塚田孝『近世大阪の非人と身分的周縁』部落問題研究所、２００７
・「浪速部落の歴史」編纂委員会編『渡辺・西浜・浪速　浪速部落の歴史』解放出版社　１９９７
・河音能平『大阪の中世前期』清文堂出版　２００２
・大阪人権博物館編『絵図の世界と被差別民』大阪人権博物館　２００１
・塚田孝『近世大坂の都市社会』吉川弘文館　２００６
・脇田修編『近世の大坂』大阪大学出版会　２０００
・川端直正『西成区史』西成区市域編入四〇周年記念事業委員会　１９６８
・天平元一『釜ケ崎変遷史 戦前編』夏の書房　１９７８
・広瀬久也『地図にない町の歴史　わが愛する釜ケ崎』日本基督教団出版局　１９７４
・釜ヶ崎資料センター編『釜ヶ崎　歴史と現在』三一書房　１９９３
・加藤政洋『大阪のスラムと盛り場　近代都市と場所の系譜学』創元社　２００２
・伊藤之雄・岡田仁『低きに立つ神』コイノニア社　２００９
・雑誌『大阪春秋』新風書房　１９７３〜
・平井蒼太「大阪賤娼誌」「釜ケ崎の賤娼」、『犯罪科學』１巻７号、武俠社　１９３０（『郷土風景』１巻８号、１９３２に再録）
・野坂昭如「浣腸とマリア」、富岡多恵子編『大阪文学名作選』講談社　２０１１所収
・野坂昭如『エロ事師たち』新潮文庫　２００１
・辛基秀「生野・鶴橋物語」、なにわ物語研究会編『大阪まち物語』創元社　２０００所収
・藤田綾子『大阪「鶴橋」物語　ごった煮商店街の戦後史』新書館　２００５
・藤原書店編集部編『歴史のなかの「在日」』藤原書店　２００５
・宗秋月『猪飼野タリョン（第二版）』思想の科学社　２００３
・猪飼野の歴史と文化を考える会編・上田正昭監修『ニッポン猪飼野ものがたり』批評社　２０１１
・武光誠『日本と朝鮮はなぜ一つの国にならなかったのか』新人物往来社　２０１０

● Appendix　河内・堺・岸和田——大阪の外縁

・今東光『闘鶏』角川書店　１９５７
・大野七三編『先代旧事本紀・訓註』批評社　２００１
・平野区誌編集委員会編『平野区誌』創元社　２００５
・日下雅義『平野は語る』大巧社　１９９８
・泉田祐志・萬屋誠司・江弘毅『岸和田だんじり讀本』ブレーンセンター　２００７
・江弘毅『岸和田だんじり祭 だんじり若頭日記』晶文社　２００５
・江弘毅『街場の大阪論』新潮文庫　２０１０

謝辞

大阪の奥深い世界へ私を導いてくれた人たち、その世界を理解する鍵を与えてくれた人たち、私の仕事を手助けしてくれた人たち、そういう多くの人たちの協力がなければ、この仕事をなしとげることはできなかった。

大阪でアースダイバーをおこなうという高いハードルを私が超えることができたのは、このプロジェクトの初期に、渡邊実さんに出会い、二日間にわたってじっくり話し合った末に、深い相互理解に達することができたことによる。大阪でのアースダイバーがうまくいくかどうかは、私が大阪の地主神につながる渡辺村の精神的伝統に受け入れられるかどうかにかかっていたからである。この出会いが実現されたのは、渡邊義弘さんと馬淵千夏さんの協力によっている。釈徹宗さんは私の大阪学における先生である。釈さんといっしょに生駒山麓の河内や松原・羽曳野の真宗地帯の村々を歩いたおかげで、私の大阪理解は一段と深くなった。釈さんはまた話術の達人であるから、この人との会話をとおして、大阪的コミュニケーションの機微を知ることができた。

同じ頃、江弘毅さんとも仲良くなった。大阪でおいしいものを食べたいなら江さんにたずねなさい、だんじりのことを知りたければ江さんに聞きなさい、北新地で遊ぶときにはまず江さんに連絡を入れておくようにと、ことあるごとに他人の会話に登場してきたこの人とも、出会ってすぐに親しくなって、大阪探訪を成功に導く多くのコツを伝授していただいた。編集集団１４０Ｂの大迫力さんは、まるで私たちのチームの一員のように活躍してくれた。困ったことがあってすぐにこの人に連絡を入れると、数時間後には問題はすんなり解決し、準備は万端に整えられていた。私の昔の学生である深澤晃平さんは、東京でのアースダイバー以来の仲間であり協力者である。本書にも登場する何枚ものアースダイバー地図は、すべて深澤さんのお手製である。古い資料の探索にかけても抜群の嗅覚を備えているので、どんなにこの人に助けられたかわからない。

そのほかにも、私は多くの方々にお礼を言わなければならない。内田樹さん、木南康昭さん、安藤和範さん、秋田光彦さん、山口洋典さん、みなみあめん坊さん、鈴木一男さん、平松邦夫さん、濱田智則さん、大森克己さん、矢田部和彦さん、山名和枝さん、藤田祥子さん、鈴木悠天さん、亀川彩さん、山本幸男さん、森本裕子さん、平林享子さん、星野亜紀子さん、砂田祥平さん、大阪人権博物館、坂東太鼓店、三桂クラブ、称名寺、西法寺、應典院、玉造稲荷神社、磐船神社、国立文楽劇場、相愛大学、うえまち自転車、オリックスの「eチャリ」、南河内観光、『現代思想』編集部。みなさん、どうもお世話になりました。

本書のもとになっているのは、『週刊現代』に連載された文章である。東日本大震災をはさんだこの連載が一度の中断もなく続けられたのは、担当の山中武史さんの友情にみちた励ましによるものである。取材旅行にもしばしば同行してくださったが、山中さんは大阪の悪所によく通じている方なので、その方面での案内にも間違いがなかった。連載当時の『週刊現代』編集長である鈴木章一さんの、見えないところでのサポートにもずいぶんと助けていただいた。

面倒なスケジュールの管理や調整、雑務のいっさいは野沢なつみさんが上手にこなしてくれた。文献の調査では石倉敏明さんの協力を得た。

本書の編集作業は講談社学術第一出版部の園部雅一さんが担当した。『アースダイバー』以来の仲間でもあり、今回も息の合った気持ちのよい仕事ぶりを見せてくれた。

みなさん、どうもありがとうございました。

二〇一二年九月三日

中沢新一

中沢新一（なかざわ・しんいち）

思想家、人類学者。1950年山梨県生まれ。東京大学大学院人文科学研究科博士課程満期退学。宗教から哲学まで、芸術から科学まで、あらゆる領域でしなやかな思考を展開する。著書に『チベットのモーツァルト』『森のバロック』（講談社学術文庫）、『アースダイバー』（講談社）、『芸術人類学』（みすず書房）、『日本の大転換』（集英社）他多数。近著に『野生の科学』（講談社）がある。

大阪《おおさか》アースダイバー

2012年10月10日　第1刷発行
2023年4月17日　第13刷発行

著・写真　中沢新一《なかざわしんいち》
発行者　鈴木章一
発行所　株式会社講談社
東京都文京区音羽2-12-21
〒112-8001
電話　出版　03-5395-3512
販売　03-5395-4415
業務　03-5395-3615
印刷所　凸版印刷株式会社
製本所　大口製本印刷株式会社

KODANSHA

N.D.C.216 317p　21cm

定価はカバーに表示してあります。

落丁本・乱丁本は、購入書店名を明記のうえ、小社業務宛にお送りください。

送料小社負担にてお取替えします。

なお、この本についてのお問い合わせは学術図書課宛にお願いいたします。

本書のコピー、スキャン、デジタル化等の無断複製は著作権法上での例外を除き禁じられています。

本書を代行業者等の第三者に依頼してスキャンやデジタル化することはたとえ個人や家庭内の利用でも著作権法違反です。

R〈日本複製権センター委託出版物〉

ISBN978-4-06-217812-9